TIEMPO DE MÉXICO

LA GRANDEZA
DEL CINE MEXICANO

LA GRANDEZA
DEL CINE MEXICANO

■

Jorge Ayala Blanco

OCEANO

EDITOR: Rogelio Carvajal Dávila

LA GRANDEZA DEL CINE MEXICANO

© 2004, Jorge Ayala Blanco

D. R. © EDITORIAL OCEANO DE MÉXICO, S.A. de C.V.
   Eugenio Sue 59, Colonia Chapultepec Polanco
   Miguel Hidalgo, Código Postal 11560, México, D.F.
   ☎ 5279 9000 📠 5279 9006
   ✉ info@oceano.com.mx

PRIMERA EDICIÓN

ISBN 970-651-927-0

IMPRESO EN MÉXICO / PRINTED IN MEXICO

A mis chiquirris

Índice

□

Sin pasión nada grande se cumple en el mundo.

Georg Wolfgang Friedrich Hegel,
Introducción a la filosofía de la historia

Tu triunfo es sobre un motín de satiresas
y un coro plañidero de fantasmas.

Ramón López Velarde,
"Que sea para bien..."

Prólogo

□

De la grandilocuencia a la grandeza del cine mexicano. A imagen y semejanza de sus títulos programáticos, grandilocuencia de humanísticas películas zoofílicas y zoosóficas que irrumpen, se abalanzan desde la primera imagen, embisten sin reposo, ladran y muerden, rompen antes de articular, rasgan violentamente sin el auxilio de ningún instrumento racional y desgarran al montarse para ayuntarse (*Amores perros* abriendo apetito, nada menos). Grandilocuencia de la reivindicación del tirano vendepatrias desde su pinochético lecho de muerte, inspirando y obteniendo piedad nacional cual saqueadora extremaunción (*Su Alteza Serenísima*). Grandilocuencia de una subteatralidad en demagógico plano secuencia infratelevisivo que pretende recrear tanto la antigüedad helénico-romana como el cine primitivo (*Así es la vida.../ La perdición de los hombres*). Grandilocuencia provocadoramente despectiva que osa mostrarle a los mexicanos su auténtico rostro de coloridos subhombres abestiados persiguepenesmutilados que viven en mundos subjetivos artificiales, siendo incapaces de expresar, ni en familia, sus verdaderos sentimientos y problemas (*Crónica de un desayuno*). Grandilocuencia de la pachequez chamánica con nómadas enlutados y ontológicas búsquedas esenciales cual trasnochadas Enseñanzas de Don Juan (*Piedras verdes*). Grandilocuencia de la platónica fantasía postsoviética-eisensteiniana que reúne todos los

clichés neoescoláticos-scholars sobre la mercurial y exótica nacionalidad mexicana para turistas culturales (*Un banquete en Tetlapayac*). Grandilocuencia que se masturba en público, cree inventar acomplejadaza el insostenible ménage à trois internacional, bombardea con historias posibles apenas mencionadas, aniquila la aniquilatada amistad y chantajea con un cáncer terminal para terminar con el cuadro (*Y tu mamá también*). Grandilocuencia que sobremaquilla con tizne su tejido de puerilidades tremendistas y sus indigestos momentos de ojetez gratuita al sondear explotadoramente la podredumbre urbana (*De la calle*). Grandilocuencia de un coctel disneyano-TVinfantilista que consagra la inferioridad de los seres humanos ante los juguetes articulados por computadora (*Serafín, la película*) porque también los angelitos grandilocuentes empezaron desde pequeños, invocando con nombre y apellidos a Serafín Finfín del Confín Sinfín para que Serfín nos coja confesados.

Pero ¿dónde comenzó esa pesadilla? ¿Cuándo empezó esa grandilocuencia en la cinematografía nacional? ¿Se encuentran antecedentes de ella a lo largo de su aventurada, buscadora, condicionada, disuelta, eficaz y fugaz/fugada historia? Por supuesto, a todo lo largo y a lo ancho de ella, y a todo lo hondo (dentro de su notable falta de profundidad), y a todos sus niveles de manifestación y significado (aunque cada generación tenga el derecho de inventarse sus propios clásicos del cine).

Grandilocuencia canora, hasta la ignominia sentimental y reconciliadora de los hacendados con los peones vueltos caporales, sin mayor conflicto que girar alrededor de una rancherita cardiaca en el paraíso del campo mexicano (*Allá en el Rancho Grande*). Grandilocuencia de un indigenismo pintoresco, plasticista, cosmético, sufridor, lloriqueante y pleno de linchamientos engalanados por antorchas (*María Candelaria*). Grandilocuencia de una relectura del neorrealismo miserabilista como barroco, lacrimoso y coral contrahecho, sublimando e imponiendo para siempre los estereotipos del macho llorón, de la chorreada sometida buenaonda y de los lúmpenes conmovedores, para uso exclusivo de la lucha de clases mistificada, pero resuelta en sensiblería alucinada (*Nosotros los pobres/ Ustedes los ricos*). Grandilocuencia de la navegación hacia las tremebundas raíces proletarias de la Revolución devastadora de las figuras familiares e incendiatado (*El principio*). Grandilocuencia del baño de sangre por el baño de sangre, como única redención anticlerical, sesentaiochera, masoquista-leninista y notarrojerosa (trilogía *Canoa/ El apando/ Las Poquianchis*). Grandilocuencia de la masacrofilia que contamina y envilece cualquier posibilidad de lucidez histórica, inmediata o mediata (*Rojo amanecer*). Y así, hasta consumarse el finito teolegal del cine mexicano.

Grandilocuencia que quiere abarcar México, el cosmos y anexas. Grandilocuencia que sólo dice últimas palabras de cara a la eternidad. Grandilocuencia que lo abarca todo y a todos. Grandilocuencia que ya no se conforma con The Sound and the Fury Signifying Nothing, sino conjuntar todas las novedades tecnológicas en la búsqueda y el encuentro ilusorio de The Quick and the Dead and the Fast and the Furious Signifying Everything. Grandilocuencia que desea soltar la neta de la Mala Suerte en la Feria de la Historia, la Po-

lítica y la Sociedad aquí, allá y en todo lugar. Grandilocuencia congénita, grandilocuencia-lastre de los viejos cineastas, grandilocuencia-alergia de las nuevas promociones estatales y privadas siempre intercambiables.

Entonces ¿en dónde residirá la apoltronada aunque insegura originalidad de la Nueva Grandilocuencia Mexicana? Sin duda, más allá de la presunta eternidad de sus viejas prácticas significantes y de sus habituales "Callos, canallas, trato, cumplimiento/regalos, ocasiones de contento/ letras, virtudes, variedad de oficios/origen, entereza de orificios/gobierno ilustre, religión, Estado" y que perdone Bernardo de Balbuena esta Balpésima.

Grandilocuencia de cada administración gubernamental del PRI que se inventaba por sexenio su Nuevo Cine Mexicano ad usum festivalorum ed ligitimorum. Grandilocuencia que desemboca en el cambio sin cambio, hacia el abismo de un Fox-PAN que goza suprimiendo hálitos, pulmones culturales y cualquier esfuerzo por regularizar la producción que pudiera hacer renacer algún asomo de industria fílmica (sacar al cine mexicano del tratado de libre comercio salinista, para que deje de ser contemplado en nuestras leyes como un simple servicio, por ejemplo). Grandilocuencia en la retórica paternalista o legalista al asignar medios de financiamiento cinematográfico, siempre desviados. Grandilocuencia de pomposos programas infructuosos que se inventan cada tres años y de Fondos sin fondos (Foprocine, Fidecine y demás Coprocines futuros) porque el Imcine grandote sólo quiere engendrar muchos Imcines chiquitos. Grandilocuencia en la publicidad disfrazada, o no, de crítica y comentario. Grandilocuencia en la impotencia del ámbito artístico más rutilante malgré tout y glamouroso, o casi, pero también tradicionalmente el más rastrero, castrado y caníbal. Grandilocuencia de inútiles y cada vez menos justificables aparatos burocráticos, enquistados en su lenguaje hueco, con planta de doscientos o ciento sesenta empleados que no hacen nada pero absorben todo el gasto corriente, manteniendo viva la ilusión y el espejismo de un Aparato Fílmico y un Organismo Rector de Estado. Grandilocuencia operativa relegando en la práctica sus áreas sustantivas. Grandilocuencia en declaraciones y promesas renovables en foros y desfiles ganaderos de proyectos, en fases de pre y posproducción, o aun en papel. Grandilocuencia de acuerdos espectrales entre ganones sindicalistas desempleados e inexistentes productores patrones, ambos sectores ya sustituidos por distribuidores y exhibidores. Grandilocuencia que retrocede ante la hegemonía del cine estadunidense y descree hasta de la legitimidad de su propio imaginario fílmico. Grandilocuencia de los mecanismos de apoyo fílmico que siempre comienzan desde cero y se difuminan en la glosolalia. Grandilocuencia de los nuevos productores que se auxilian abusivamente de la mercadotecnia y de la publicidad hasta perder piso y juicio de realidad. Grandilocuencia que invariablemente acaba solazándose en sus rupturas de continuidad para enderezar su rumbo sin rumbo ni meta. Grandilocuencia que concluye en la falta de otorgamiento de recursos, o simple ausencia de ellos. Grandilocuencia de nudos y nidos de víboras de gente obtusa que quiere la parte del león para sus membretes, por dictaminar solemnemente sobre asuntos de intrincada complejidad y enorme gravedad. Grandilocuencia de distribuidores mercachifles y funcionarios de la cultura (el único poder que existe en México es el de impedir que los demás hagan algo valioso) hecha para aterrorizar e inhibir la creatividad de los jóvenes cineastas que sólo quisieran ser "fieles a su arte" (Straub).

Y esto se creía nada menos el principio de una nueva, culta y esplendorosa etapa fílmica crítica. Pero ahora sí, al margen de estos residuos de tiempos pretéritos, ya podemos arrancar. Ésa es tu apuesta, o tu apesta, nadie lo sabe aún.

□ □ □

Después del siglo de la violencia inútil y la aventura hacia lo desconocido grandilocuente que fue el cine mexicano del siglo XX por fortuna concluido, sin duda el del siglo XXI será el cine de los abismos o no será: los abismos infinitamente abiertos e insondables, los abismos multiplicándose al infinito, y sólo la grandeza podrá responder con cabalidad a sus desafíos.

Parafraseando a Gilles Deleuze (*Crítica y clínica*), podría afirmarse que la grandeza hace delirar a la imagen en los lindes del lenguaje, mientras que en la grandilocuencia vemos delirar al cineasta en estado clínico sin que sus imágenes desemboquen en nada, ni lleguen a decir algo por encima de su nada. La verdadera grandeza comienza donde la grandilocuencia termina. No hay grandeza donde no hay verdad, pasión y una brizna de locura imaginativa y creadora. Así de sencillo.

Grandeza de un juego de ceniza con la urna de la moral del pasado (*Por la libre*). Grandeza de un acto autovandálico de supervivencia límite femenina (*Perfume de violetas*). Grandeza de una fábula íntima con paisaje de lirismo bien dosificado, entre la fotogenia autárquica y la estampa crepuscular postkitsch (*Entre la tarde y la noche*). Grandeza de las remordidas y espantables tensiones de un narcomatón policiaco atrapado en su propia trampa (*Los maravillosos olores de la vida*). Grandeza de una coruscante humildad satírica contra de la industria de la TVmanipulación de las conciencias y de los valores (*Un mundo raro*). Grandeza de una dramatización extrema de la palabra poética y de la erupción volcánica interior (*Sofía*).

□ □ □

Según reza el proverbio rarámuri, sólo la renuncia a la grandeza nos volverá realmente grandes —y grandiosa nuestra expresión.

□ □ □

Érase un cine nacional en vías de desaparición que ya sólo se conformaba con la grandeza, aunque por lo regular caía en la grandilocuencia, su grandilocuencia nata y neta, "La grandilocuencia lastre" de los neoviejos procedentes del echeverrismo y el lopezportillismo, "La grandilocuencia alergia" de los realizadores de mediana edad y numerosos debutantes, "La grandilocuencia subproducto" en general de reciente cuño en su delirio derivativo, o bien se situaban de manera tan ambigua como ambivalente "Entre la grandilocuencia y la grandeza", y alcanzando sólo por excepción "La grandiosidad incisión" de algunas mujeres cineastas, o la "La grandiosa verdad" de nuestros directores varones más inspirados, celebrando inevitablemente, como en la crónica de cualquier justa deportiva crucial, el ocaso de varias luminarias, la consolidación de otras y la irrupción de un puñado de jóvenes con fuego sagrado.

De esos temas trata este libro, y por ello así se encuentra estructurado. De principio a fin fue trabajado teniendo en mente esas ideas antitéticas y paradigmáticas de la grandilocuencia/grandeza, procurando mantener en función de ella sus continuidades, sistema de referencias, intertextualidades, hipertextos, y finalmente su unidad, aunque haya sido publicado por entregas/fragmentos/artículos/capítulos/segmentos, semana sí semana no, y luego sujeto a severa rescritura y añadidos.

□ □ □

La mayoría de los textos que integran este volumen aparecieron con una redacción muy semejante en el diario *El Financiero*, gracias a la confianza intelectual y al inflexible respeto cultural de Víctor Roura, con excepción de alguno publicado en *La Jornada Semanal* o así. Por otro lado, la cifra de largos trozos inéditos resulta aquí, sin duda, mucho mayor que en los volúmenes anteriores de la misma serie ensayohistórica viva de mi autoría sobre el cine nacional *La aventura/búsqueda/condición/disolvencia/eficacia/fugacidad*. Para la investigación iconográfica he contado con el invaluable auxilio de Julia Elena Melche.

México, D.F., enero de 2004

1. La grandilocuencia lastre

□

La idea de la grandeza sólo ha dado se-
guridad a la conciencia de los imbéciles.

Georges Bernanos,
Los grandes cementerios bajo la luna

Los géneros descompuestos

Primo tempo: La tragedia aceda

En el principio fueron los rollos tras los rollazos, los vociferantes grumos de palabras, los rosarios de borborigmos verbales ("¿Qué pinches mierdas yo? ¡La triste pendeja de mí!"), los imparables espetamientos a la cara del espectador indefenso para causarle sorpresa y molestia a lo largo de cien monótonos inaguantables minutos ("¡Basta de mamadas!"), los vómitos altisonantes que emiten los actores hacia la cámara en eternos enclaustradores serpenteantes egomaniacos planos secuencia, la diarrea de torcidas expresiones seudopopulares para no decir nada más allá de su propia nebulosa ("Por eso todos me ven como alma que lleva el diablo"), los monólogos inmotivados ("A los hombres cuando nacen habría que romperles la cerviz; son liendres, carroña" volviendo acedo el "Ojalá que los mataran a todos antes de que nacieran" del rabioso ciegolvidado buñueliano), los monólogos inmotivados acedos.

Pero no hay que exagerar el poder de las repeticiones sin variación, la inmovilidad en perpetuo reflujo sin flujo y los signos de atascamiento sofocación lasitud en esos ocurrentes retruécanos exabruptos de Ixca Cienfuegos. Pese a todo, en un estadio inferior al de la erizoteatralidad de *El evangelio de las mamadillas* (Rip, 1998) o de *Crónica de un desayuno crónico* (Cann, 1999), al hilo arrítmico ladrado cansón jadeante de cada parrafada incallable, va a seminsinuarse, si no a construirse, una no trama estática. Antes de que nada comience, aun antes de que monologando entre rounds de sombra en vestidores de gimnasio ("Cojones y más cojones" con dedicatoria a la copro mexicano-franco-baturra) el exboxeador fallido Nicolás (Luis Felipe Tovar otra vez con Todo el Poder de su higadez infinita) la abandone para casarse con la cogelona hija joven Raquel (Francesca Guillén) del voluminoso dueño de la vecindad la Marrana (Ernesto Yáñez como asexuada señora bolsona), la abortera Julia (Arcelia Ramírez elevada a pésima actriz de Quinto Patio) ya está derrumbada reptando desintegrada y dándose topes contra las paredes; pronto, alentada por la comadre odiahombres Adela (Patricia Reyes Spíndola) en su monólogo atrocito sobre un feto en formol, matará como venganza marital a sus dos criaturas hiperpasivas que nunca protestarán al ser, una ahogada en la tina de *Profundo mamesí* (Rip, 1996) y otra acuchillada como pajarita en la escalera, para motivar el conclusivo reclamo monologal del majestuoseboso suegro increpando a los cinespectadores ("Hagan algo, carajo, ¿no ven que ha pasado una desgracia?"). Mujer fatalmente encerrada ripenclaustrada atrapada en su universo mental, vida miserable de la hembra que siempre ha girado en torno al varón, incapacidad de cambio para vivir de otra inimaginable manera, imposibilidad de liberación en arrasantes monólogos anticinematográficos. Así hurga *Así es la vida...* (*C'est la vie*) de Arturo Ripstein (2000) en la imposibilidad innoble.

Con base en la tragedia *Medea* de Séneca en senecta versión de la infaltable autodiadora mujeril Paz Alicia Garciadiego, el decrépito largometraje 23 de Arturo Ripstein es un videoladrillo de monólogos acedos, un absceso de la glosolalia hueca, un reductio ab absurdum melodramático de la grandeza grecolatina a nivel de nota roja suplicante tarada y locuaz (sin el postestoicismo ni las consolaciones morales ni el combate a las pasiones, aun las más moderadas, de Lucius Annaeus en el siglo I), un segundón filme postindustrial mexicano en video digital (luego de las audacias seudointelectualfantoches de *Un banquete en Tetlapayac* de Olivier Debroise, 1998-2000) que limita las posibilidades tecnológicas y el lenguaje específico del nuevo medio a viles sucedáneos TVteatrales mal escritos mal filmados peor actuados (acorralante confusión entre lo semiológico y lo simiológico), un depto de quejas quejumbres quejicosas quijadas desencajadas y quejidos ("¡Qué perra nuestra suerte!"), una suma de gargajos discursivos carentes de interlocutor que pueda responderles ("Lo digo yo, un macho capado o muerto, no hay de otra"), un nuevo Tiempo de Morir por tedio incurable siempre idéntico a sí mismo, un Lugar sin Límites para el ridículo inclemente, una Cadena Perpetua como castigo a la falta de imaginación y de cualquier dinamismo vital, un Castillo de la Pureza para la impura grandilocuencia pura y la pura grandilocuencia infecta, una notable pieza turística de miserabilismo-tremendismo-jodidismo autoconmiserativo despectivo (esa Medea menos naca espirituenvenenada que pomposacomplejada recitadora cilantroperejilera) con seguro premio foráneo por reforzar exportadoramente la idea clasista-racista que aún se tiene de *El alma de México* y del Tercer Inmundo.

Así es la vida... o la indignidad erótica. Ni la Quijota antimujeril ni su Sancho Panza aprendiz de videoasta (ahora quiere ser Ximena Cuevas) entienden nada de *La mecánica de las mujeres* (¡Louis Calaferte!). Ni sus deseos, ni sus fantasías sexuales. Para tener cabida, lo femenino se ha deserotizado, como esa cópula insípida autocensurada atisbada voyeurizada y cortada por una puerta.

Así es la vida... (*C'est la vie*), 2000

Medea antierótica, sin dignidad trágica, sin asfixia de la ternura materna como la heroína de Eurípides, sin feroz reivindicación del alma contra la deslealtad (*La venganza de Krimilda* de Fritz Lang, 1924), sin disculpa humillada a la supuesta Medea del Ajusco (*Los motivos de Luz* de Cazals, 1985). Así es la vida, pero la de Garciadiego con Rip. Así es la vida, recortada por el extremo sórdido mezquino horizonte naturalista. Así es la vida, pero así no es el cine.

Así es la vida... o el clamor de la abyección. Independientemente delátexto pretexto trágico, para que en ningún momento se olvide la bajeza humana de la tipeja, la acción arranca y regresa obsesivamente a su cuarto de trabajo, lleno de aparatos clínicos para revisión vaginal, fierros oxidados, palanganas, yerbas, trapos sangrantes y demás signos sartreanamente sépticos de las tareas abortivas. Historia de una infeliz degradada que, a fuerza de realizar abortos clandestinos, terminó asesinando a sus propios hijos. Se le hizo fácil, en la lógica de su práctica significante e inserción social. Ni el más retrógrado o retorcido ideólogo del grupo derechista de choque Pro Vida hubiera podido elucubrar, proponer, desarrollar y deyectar un planteamiento tan aberrante. Apología del sentimiento abyecto, con ayuda de la degradación material y moral. La abyección se feminiza, se arrastra, se hiere, se envalentona y todavía clama. Por encima de los cineastas varones misóginos, he aquí la película concebida por mujer que automáticamente convierte en feminista radical al más acerbo de los espectadores ultramisóginos o megaultramisóginos, por mero contraste y por no gozar reptilizando o basurizando féminas alter egos.

Así es la vida... la hipertrofia de la chispa. Leit motiv de un camioncito festivo por pasos a desnivel sin Destino, trío soplándose completo en la TV/habitación/calle el mismo bolero espurio sobre traiciones amorosas como coro griego con niño maraquero en defase, viscerosófico des-

Así es la vida... (*C'est la vie*), 2000

tripamiento entrañable con la cámara en mano de Guillermo Granillo, humor identificado con sangronada narcisista (Rip en el espejo), lugarcomunescas amorperrunas rupturas posmo de la ficción, incendio interior con quemazón de árbol en el patio y tambores de Calanda fuera de contexto nazarinesco en los fotogénicos porfirianos amarillentos patios de vecindad de Santa María la Ribera, adornados con todo tipo de santos santones santeros *Santitos* (Springall, 1999) y el hasta debutante San Charnel Mejlu. Más que ideas de guión (mamonazas) o de realización (inexistentes), la cinta siembra y suelta de repente chispazos hipertrofiados.

Así es la vida... o la pulsión agria. Microbio dependiente de falos poderosos y besadora compulsiva de las rodillas de la Marrana, la hechicera Julia-Medea cargará así con la culpa de haber ayudado a su Nicolás-Jasón a fracasar en la conquista del Vellocinio de Oro del ring: siempre destronados alea jacta est por la campeona en levantamiento de patología antimujeril Puz Alicius y el colector de fútiles medallas subfestivaleras Sorayo Rip (el punching bag y hazmerreír predilecto de los cinéfilos mexicanos). Embarrados de crema agria, nadie los obligaba a degradarse tanto, lejanos a la pulsión de muerte: insístele diástole.

Secondo tempo: La comedia pútrida

La perdición de los hombres de Arturo Ripstein (2000) o el uno y el mismo. Primer corto: tras emboscarlo en una nopalera y traidoramente ultimarlo a patadas y piedrazos, los amigos asesinos el Uno (Luis Felipe Tovar desbocado) y el Otro (Rafael Inclán TVsobreactuando a lo bestia) transportan al Difunto (Carlos Chávez) en su propia carretilla a su jacal y lo velan durante toda la noche, lavándolo y vistiéndolo en el catre, poniéndole y quitándole sus onerosos botines de piel de víbora manque se haya puesto tieso, jugando a cachar

con manopla, maldiciendo a las hembras, bailando danzón abrazaditos, moviendo coquetamente las caderas y saliendo al clarear el día, para hacerse aprehender por la autoridad. Segundo corto: en la comandancia de policía y junto a la plancha donde yace el ya autopsiado, la amante vejancona (Patricia Reyes Spíndola) sobaja primero a su obesa hija la Monigota (Alejandra Montoya) y en seguida se disputa con la Otra (Leticia Valenzuela) el derecho al cadáver, para poder besuquearlo, sobarle el pene y maquillarlo como puta provecta, todavía ensoñando en casarse con él al dormirse a su lado y llevarlo a su covacha para fajárselo. Tercer corto: el muerto resucita en su jacal, sólo para regarla de nuevo como beisbolista llanero y ser puteado por los fanáticos miembros de su equipo, el Pitcher y el Manager encabronados, o sea el Uno y el Mismo que justicieramente volverán a eliminarlo. Con producción mexicano-española y libreto original propio, el caduco décimo largometraje del PRIoficialmente protegido dúo Ripstein-Garciadiego cada vez más videoencerrado en su mundito mezquino es un zurcido de tres cortomentales mal hilvanados, un corto cruelesperpéntico para la TV Española que fue prolongado innecesariamente hasta dar los 98 minutos, una impresentable obra de teatro del absurdo de cuarta en tres actos con embarradas de cámara en maníaticos planos secuencia y largos parpadeos en negro al término de cada escenilla, una comedia que solita-solita "se me volvió tragedia después de una tragedia (*Así es la vida...*) que se me volvió comedia" (Rip dixit), una fábula sin psicología animal ni moraleja ni desarrollo ni sustancia ni fábula, una atrofia de incontinencias verbales gratuitas ("Cuando las viejas se aparecen, todo se chinga"/ "Pero te tienen bien cogido"/"Todos los hombres pecan de pendejos y mandilones"/"Ese rato ya pasó hace rato"/"¿A poco uno nomás come lo de uno?"), una parálisis ampulosa, un oscuro objeto del chocheo (chochear es... la descomunal

La perdición de los hombres, 2000

La perdición de los hombres, 2000

inmovilidad sillificada de diálogos fotografiados con sempiterno fondo de cadáver), una sociofantasía miserabilista-jodidista que al enterrarte/desenterrarte el puñal jamás rebasa las *Mentiras piadosas* (Rip, 1988) del cine ojete, un intento de reciclar la épica estereotipada del cine popular en su etapa de la decadencia de los ochenta-noventa sin gracia ni otra relación con la sociedad real, una abominación psicomoral de la sociedad del espectáculo que ya sólo especta su propio culo.

La perdición de los hombres o los pícaros vencidos. Una cinta gemela en video digital (al lado de *Así es la vida...*, del mismo año) para formar la parejita contra las clases sociales mexicanas más explotadas humilladas y ofendidas, para escupir lo escupido, hasta la última ofensa. Una nueva salida antiquijotesca de los jicotes buscadores de oro-mierda ecorrulfiana de *La orilla de la tierra* (Ortiz Cruz, 1993) que nunca rebasa el jacal vecino ni el cráneo tarado propio. Abestiados subhombres lobohombos que siguen pateando rabiosamente al difunto y luego lo velan sin sentido para seguir faltándole al respeto, abestiados pobrediablos cual adoquines loquines merecedores más que nunca del Castigo de la Torpeza, abestiados del "naturismo cosmogónico" (Breton/Axel-Graq) cuya homosexualidad reprimida virulenta y celosa resulta la peor degradación posible e imaginable, abestiados piojosos que descarnadamente encarnan el alma del pueblo pueblerino ("En esta vida, ¿quién no está jodido, digo yo?") cada que a la menor provocación entonan los rancheros

La perdición de los hombres, 2000

anónimos pero programáticos versos de "Los laureles" (canción del dominio público, cinechurrito de Jaime Salvador con Demetrio González y Elvira Quintana en 1959): "La perdición de los hombres/son las malditas mujeres". Esas submujeres que van a secretearse con el guardia (Eligio Meléndez) o se enfurruñan en el rincón del resentimiento, submujeres dejadonas desaliñadas envejecidas harapientas sucias en cuerpo y alma como ángeles maléficos y alimañas caídas, submujeres enajenadas prisioneras superaguantadoras apenas sobreviviendo jubilosamente desechas a su extremo consentimiento en los desdenes precariedades humillaciones que les prodigaba el amasio desde su dimensión superior, submujeres jamás esposas en perpetuo desvalimiento límite aunque autocomplaciente, submujeres sólo con ánimo para odiarse y madrearse entre ellas o aplastar a sus hijas monigotas, submujeres con tres o cinco hijos pero insatisfechas a perpetuidad porque una siempre se casa con quien menos se invagina, submujeres a la defensiva invariablemente desigual contra las terceras jóvenes amantuchas nalgaprontas a quienes ya no les tocarían ni los hígados o el páncreas del marido, submujeres resignadas al conformismo sin nada que compense sus cobardías ni las del cónyuge. Pícaras y pícaros vencidos como paradigmas de la gente sin importancia ni posibilidad de dignificación, pícaros conducidos por sus manías a una inexorable autodestrucción, pícaros pasto del discurso derrotista con las palabras atropelladas del atropello atropellante,

25 ∎

pícaros a quien deben negárseles hasta el derecho a colmar, satisfacer o agenciar, e incluso sentir, sus deseos infantiloides: hacerla en la gloria beisbolera, lucir zapatos de lujo, casarse posmortem con el marido. Nuestro aprendiz de videocineasta populachero (ahora quiere ser el Güero Castro) adoptaría en el mejor de los casos una airada y culpabilizadora estrategia de concientización sociomoralizante por completo equivocada, inepta, ineficaz, inútil y redundante ("Reproches, bastantes se hacen ya; mejor habría que darles pruebas de amistad y una explicación válida": Mohammed Dib en *La casa grande*). Un sueño de aguas negras. Los arrebatos histéricosolidarios de *La lavandería* (Altman, 1994) serían utopía, añoranza humanista. Un rigor mortis de personajes-rictus.

La perdición de los hombres o el humor grandilocuente. No sonarle a la víctima con su zapapico precediendo parrafada balbuciente ("No es derecho matar a uno con sus propias pertenencias, no es derecho"), gran elipsis almodovariana (a lo *Tacones lejanos*, 1991) para la captura de los homicidas, cuerpo ganado en un volado a la otra viuda y en santa paz si bien seguida del arrepentimiento inmediato ("Pendeja de mí, sale bien caro ganar un cuerpo"), cuatro pies descalzos de los vivos y los muertos muy juntitos, reo encargado de llevar en diablito de arrastre bodeguero a su víctima sostenida con mecates para su luna de miel tardía, mínimo cortejo caricaturesco que hace paradas en el camino polvoriento para evocar jugadas beisbolísticas, lengüeteo esmerado a las patas de la viuda por el asesino ("Guácala mamá"), discusión mental con la radio, recuento-letanía vestimentario-escenográfico que de pronto recita el resucitado mostrándole cada objeto a la cámara ("Mesa de nogal, aguamanil de peltre, sombrero impermeabilizado"), resurrección que bien podría ser mero flashback rapidazo explicativo, interminable conclusión-pegote con todo un segmen-

to beisbolero (el 3) que resulta el más flojo farragoso y obviable, estructura cíclica. Son "el rictus amargado y el risueño" del "México profundo" donde "nos reímos de la muerte, y nos reímos en serio", porque "el absurdo siempre comparte patria con la muerte" (Rip dixit otra vez, vuelto a la vejez viruelas verborrágico exégeta delirante de sus bodrios testamentarios). Sopla un grandilocuente torbellino de humor negro baturro-churrealista que se cree buñueliano-surrealista, allí donde la solemnidad sórdida y la sordidez solemne están matando in vitro o acta est fabula cualquier rasgo de humor.

La perdición de los hombres o la involución creadora. Pero a la vez se juega con el primitivismo visual: imágenes en blanco y negro, cero ornamentos, regresión homenaje al cine de los orígenes. Un rechazo a la seducción que pretendía calar en el inconsciente ("el inconsciente es un duende peligroso": Rip), una reinvención posgodardiana del arte bruto fílmico (sin la cochambrosa provocación antiviolenta de *Los carabineros*, 1963), una acumulación de los signos externos de la austeridad y la desnudez sin nada que indicar ni abarcar porque se satisfacen a sí mismos, una alianza de alba y ocaso en el aborto involuntario que se sueña elección estética (como la de los viejos esperpentos de Alcoriza o la neovanguardia del movimiento trash), un primitivismo incapaz de captar ninguna esencia ni hacer surgir emoción alguna, una experiencia radical impotente para radicar o erradicar las glorias de su masoquismo, una retina dañada que ya ve sólo su propia rutina, una pieza del engranaje de la subversión desde la retaguardia y del desprecio paranoico-fascista, un último grado expresivo que se abraza a dúo como tabla de salvación, una etapa postrera de la involución creadora, una redefinición semántica de la sangronada como sangre de nada y nada en la sangre, un paréntesis videográfico de ínfimo atractivo visual/narrativo/humano/fílmico que casi degenera en película. El primarismo ha encontrado el modo de ser al mismo tiempo putrefacto.

El prócer vendepatrias

Su Alteza Serenísima de Felipe Cazals (2000) delínea un retrato variopinto, variopatético y variopático, más que complejo o ambiguo, del aventurero recién repatriado Antonio López de Santa Anna (1794-1876), quien fuera once veces proclamado presidente de la República y autoproclamado Su Alteza Serenísima de ese México apenas independiente ya cercenado de la mitad, por culpa suya. Su Alteza Zedillísima (Alejandro Parodi magniacartonado) ha estirado su pata buena para recibir de inmediato la visita de las Santannas embalsamadoras que abrirán el armario con la colección de unas patas de palo deseosas de narrar a la patayala los tres postreros días desmemoriados de su pataleante vida de mala pata. Su Alteza Mamarrachísima recibe la visita de la vulgar dama traidora Rosa Ofelia (Blanca Guerra) para carcajearse y gargajearse pícaramente de cuando todavía se le parodi. Su Alteza Amargadísima recibe la visita de lo que queda del raído coronel de alquiler Austreberto Lavín (Pedro Armendáriz hijo) para que le rememore batallas vencedoras sobre costosísimas derrotas aparatosas ("Azorríllensen") y le cante las coplas de sus sometimientos al enemigo estadunidense ("Yes yes, ya ya"). Su

Su Alteza Serenísima, 2000

Su Alteza Serenísima, 2000

Alteza Supernaquísima recibe la visita de la celestinesca viejuca la Salamandra (Ana Ofelia Murguía) para que le lea en los testículos su falta de porvenir y destino. Y Su Alteza Ungidísima Urgidísima recibe la visita de sus propios escupitajos berrinchudos y rabiosos meados encima de su comida.

Luego, o luego entonces, Su Alteza Asfixiadísima recibe la visita del oaxaqueño adversario político Máximo Huerta (José Carlos Ruiz) para grillar "antes de que nos maten el gallo en la mano". Su Alteza Jodidísima baja cojeando las escaleras nocturnas para recibir la visita de sus exsoldados mazapanes desmoronados el Jaltipan (Juan de la Loza) y Espinobarros (Abel Woolrich) cuyos acentos cojteños centenarios nadie logra descifrar. Su Alteza Renegadísima recibe la visita diaria del joven capellán corsonapoleónico con paliacate sobre el cuello de la camisa Anfosi (Rodolfo Arias) para negarse tres veces a rendir su confesión y recibir en desquite el obsequio tardío de un cataloguito encuadernado con las últimas innovaciones anglosajonas en prótesis articulables. Su Alteza Putañerísima recibe la visita de las meretrices rengas guangas Minerva (Carmen Delgado) y Venus Tallabas (Isaura Espinoza) para protagonizar una descomunal peda inmóvil de besos y pedos y caída

clavapicos sobre los manjares. Su Alteza Resignadísima recibe la visita de Ezequiel Rivera (Salvador Sánchez) para que le dé baje a su última bolsa de joyas ocultas. Su Alteza Moribundísima recibe la visita de su ripsteiniana fascistamoral esposa reclutapordioseros Dolores Tosta (Ana Bertha Espín) para recetarle su última docena de frases célebres ("Voy a dar un paseo asesino por el casino"/ "La venta de La Mesilla es un infundio, sólo fungí como intermediario"/"¡Qué buen semental era mi valle!" y así). Su Alteza Viridianísima recibe la visita posmortem de los astrosos autohumillados y ofendidos mendigos buñuelianos que han acabado por embriagarse e insurreccionarse para destruir cristales/candiles/espejos/pinturas al estilo turbamulta bestial de *La soldadera* (Bolaños, 1965) y concluirán insultando floridamente al difunto en coro ("Infeliz, cabrón, vendepatrias, sieteuñas") hacia la profética posteridad mexicana en el saqueo in articulo mortis sempiterno.

Con financiamiento-espejo del Imcine PRI-terminal y guión propio, el primer largometraje de Su Alteza Depenajenísima Felipe Cazals luego de su tan esperado como aplaudido presexagenario retiro definitivo (tras 23 *Canoas Desvestidas y alborotadas*) es una dispersión de escenas sueltas

Su Alteza Serenísima, 2000

y deshilvanadas, una letanía para la visita de las siete casas iguales de algún nuevo jueves santo patrio, una zarabanda de monigotes, una pavana pavoneante de los pelelescos pavos pomposos que se pavonean y se aconsejan y se van, una farsa montada dentro y fuera de la ficción, una inconfesable pieza del teatro del absurdo en tres actos ultrarretóricos con títulos rococós kikirikís (*Complacencias y cotejos/Gallo tiñoso no tiene partido/Gallo muerto gana a gallo herido*), una sátira solemne fascinada con cualesquiera caciques superfálicos, una íntima tristeza reaccionaria de la ostentosa carencia de lucidez y sensibilidad dramática ("Todas mis películas han sido hechas con los cojones": Cazals), un cínico desvarío reivindicador pifiante y antielocuente ("Soy un hombre providencial") con bases muy remotas en las investigaciones de Agustín Yáñez (*Santa Anna: espectro de la sociedad*) y de Enrique González Pedrero (*País de un solo hombre: el México de Santa Anna*) aunque para el caso con media ojeada de la estupenda biografía *Santa Anna: el dictador resplandeciente* de Rafael F. Muñoz (1936) hubiese bastado, una farragosa lección interpretación divulgación histórica que bombardea con juicios y datos antes de que los cartones visitantes empiecen a dar

rememorantes patadas e insinuantes palos de ciego alegórico, un conato de ópera bufa necrófila y exaltada, una apología circense del derrotismo ("por el desleal pincel de la historia", "que no hará avergonzarse a nadie de sus descendientes" sic sic), un postsalinesco rescate del perdido paradigma presidencialista desde neobastiones de la derecha radical más aberrantes que la Unión Nacional Sinarquista de 1937-1944, una magnificante idealización infamefétida de un figurón infamefétido.

Monólogo interior de la cónyuge para abrir boca eyaculando a bocajarro lo que debemos pensar del biografiado ("Un militar honesto pero equivocado"), atisbos tras cortinas y telones del teatro doméstico, livideces enfáticas de cuerdas flojas cual chillidos de gatos afónicos en la seudomúsica de fondo del Zbigniew Paleta, cobertura con frazada, búsqueda frenética de pistolita, monedas arrojadas como alpiste, aplausos y reclamos inducidos, grito cobardeanónimo de "Ratero", disfraces irreverentes hipócritas de José Carlos Ruiz y Salvador Sánchez como esos Benito Juárez y Porfirio Díaz que resultaron ¡viles masones coludidos con los reformistas y el clero!, escenografía palaciega rascuache, desenfoques y renfoques invasores a los hablantes in two or three shots, foto hiperbolekitsch de Ángel Goded creyéndose hipoLubezki o paleoMarkóvich, subida de Máximo Juárez en veloz jump cut coqueto, omnipresencia de los gallos vivos en grabado en escultura en estuco "que no se rajan", intermezzo de automoribundio cortejo luctuoso en b/n sin verborrea pero con más hipercontrastada fuerza visual que la película de hueva en su conjunto. Una confusa fusión de las tres grandilocuentes previas epopeyas lastre del director (*Emiliano Zapata*, 1970, en otro planeta de los simios; *Aquellos años*, 1972, vueltos *Aquellos daños*; *Kino. La leyenda del Padre Negro*, 1992, elevada a *Santanna Claus. La leyenavidad del Padre Regalapatrias*). Una refutación de la historia y del poder que respalda el engaño producto del afecto materno-conyugal ("Mi rey aquí no ha pasado nada": Cazals). Una esperpéntica agonía espermática, interminable y aplicadita, sin crispaduras ni gracejo, paliativa.

Sin sospechar la existencia del omniderrotado general don Antonio López de Santa Anna, el victorioso político francés Georges Clémenceau pensaba que "la guerra es una cosa demasiado grave para confiársela a los militares"; sin sospechar la existencia de *Su Alteza Serenísima*, ya podía pensarse que el cine histórico es una cosa demasiado grave para confiársela al grávido cineasta incoherente de *La Güera Rodríguez* (1977) y *Las inocentes* (1986). A semejanza y a diferencia del enigmático-poético Lenin en el *Taurus* de Sokúrov (2001) que más que en la política se centraba en el deterioro físico y mental del líder revolucionario ya en silla de ruedas, aquí la política ni se ve y todo se centra en el deterioro físico y mental de Cazals filmando, más que histórico, histerobeatamente a Santa Anna. Súplica, Contemplación, Premonición, Resolución, Anhelo, Angustia, Confrontación, Insurgencia, Aquiescencia, Petición, Augurio, Invasión, Scherzo, Resistencia, Invocación, Ansia, Resurgencia, Resignación, Trascendencia, Bendición. Una plegaria tibetana por mera acumulación desesperada e imprecatoria, sin estructuracón posible. ¿Por qué habrías de condolerte por un abominable y asqueroso dictador pre-Pinochet sólo porque está muriéndose?

El rosa rusomexicano

En un claroscuro de la luna de Sergio Olhovich (1999) o rosa que te quiero rosa. Rosa desmayado decorativo frenesí como las evocaciones e invocaciones en cascada del santón santiguado patrón bananero de importación soviético-tabasqueña Piotr (Piotr Vielamírov), quien ha vendido sus tierras tropicales y regresado al lejano terruño para

sentar ante idílicos paisajes desolados, en su sempiterna mecedora hand made, a su guapa hija pajarita Ana (Arcelia Ramírez elevada a pésima actriz de Rancho Grande), la catatónica viuda prematura del ingeniero español en broncas ecologistas Andrés (Jorge Sanz) que falleció en sus brazos sobre una playa idílica, de dos balazos perforado acaso por perforadores de Pemex, o por el vengativo nativo rival celoso Antonio (Mario Prudom), acarreando por añadidura la desgracia de la hermana menor Nilda (Tiaré Scanda) y de la madre Rafaela (Delia Casanova). Rosa desvanecido desviado reiterativo como los tibios rencuentros/enfrentamientos cincuenta venturosos años después con el solitario amigo de infancia Fiódor (Iván Kraskó), el hostil exlíder comunista sectario local Simeón (S. Miconov) y la palpitante exnovia desechada aún estremecible María (la mítica Zinaida Kirienko de *El destino de un hombre* de Bondarchuk, 1959), hasta la recuperación psicológica de la hija, gracias a los servicios amorosos del ofrecido rusito masoquista Serguéi (Andréi Egorov), amén. Con producción del Televicine de Chespirito aliado a su homólogo postsoviético Center TV y libreto en colaboración con Vladimir Valutsky y Sergio Molina basado en una novela rosa de la regionalista Edith Jiménez, el más acabado largometraje del inefable infumable cinecreador PRIoficial Sergio Olhovich (de *Puñeta reina*, 1971, y *El encuentro de un cine solo*, 1973, a *Cómo fui a enamorarme de ti* con los Bukis, 1989, y el nauseoglosolálico *Bartolomé de las Casas*, 1992) es una ficción primaria rosa con síndrome feérico que se cree realismo crítico-poético, un segundo pánel del tríptico iniciado con máxima torpeza en *Esperanza* (*Nadezhda*, 1988) y destinado a babear las añoranzas patriarcofeudales de un edipizante papito emigrado ruso (sí, mi pequenio colibrí sexagenario), una abominación rosa que no conoce la síntesis ni la elipsis porque quiere mostrarlo todo y explicar en especial lo más obvio, una megacursilería rosa donde todo debe

En un claroscuro de la luna, 1999

volverse ráfaga lírica por obra y gracia del forma-
lismo caduco del maestro fotógrafo Anatoli Mu-
casséi y la melaza acústica de Eblén Macari, una
destemplada confabulación del aterrador rosa
mexicano con el aterrado rosa soviético, una fehaciente demostración rosa de que lo único más
abusivodepredador que la mafia rusa sería hoy el
deliacuescente sentimentalismo postsoviético y de
que los colores de nuestra nueva enseña tricolor
PRIsoviética son dos: el rosa.

En un claroscuro de la luna o bonito que te
logro bonito. Bonito erótico autoexcitado como
las mostraciones de tetas bajo el camisón bailarín, tras el refajo mojado y sobre la hamaca cogelona, capaces de regresar hasta la etapa lactante
a cualquier puberto normal, por tiempo indefinido. Bonito esquizocósmico como la caída en el sueño, el inconsciente puro y el estadio mental en
"un claroscuro de la luna", presenciado coinci-
dentemente por el leit motiv de una luna vigilante
bendecidora y complaciente ubicua cual novela
de Tolstói (*La guerra y la paz*) siempre interminable a través del medio siglo narrativo. Bonito fol-
cloroso como esa bruja de Cacahuamilpa (Blanca Guerra ay ya) con ramas y mariposas enhiestas
en el greñero que saca chorritos de las rocas. Bonito sonoro como situar la acción exótica en la Ka-
relia finesorrusa para sambutir la homónima Suite
de Sibelius cual melcochoso aderezo sinfónico.
Con sólo veinticinco años de retraso por fin se logra el prototipo del cine bonito que exigía en vano
la PRIfuncionaria exterminadora Margarita López
Portillo. Lo bello se atreve a representar aquello
que podría no haber sido articulado jamás por la
imaginación fílmica; lo bonito se asoma cobardemente entre la maleza del servilismo dignificado.

En un claroscuro de la luna o ridículo que te
abrazo ridículo. Ridículo nostálgico-añorante como la mirada borreguna colectiva, la voz quebra-
da a la menor provocación, el enternecido acor-

En un claroscuro de la luna, 1999

deón juvenil en off oportuno y la mecedora curious en la inmensidad. Ridículo oscurantista como los paralelismos/identificaciones forzadas entre el tropicoso edén semifeudal tabasqueño y un desertado paraíso glacial ruso, entre el fanatismo de los malos augurios realistamágicos del rutilante subdesarrollo occidental (sangre en el traje de novia, cuervos en la iglesia nupcial) y el fanatismo del opalescente descolectivizado subdesarrollo oriental (viejas rencillas, casas ruinosas, albañiles intimidables), entre los hamponiles malosos de Pemex y el senecto comisario rojo en desgracia vuelto incendiarruinas no obstante benéfico, entre la victimación seudoheroica del ecologista internacional de hoy (ese episodio griffitheano naïf del cierre de la válvula a punto de estallar) y la victimación seudoheroica de los fugitivos prisioneros de guerra acusados de traidores por Stalin, entre la Virgen del Perpetuo Socorro y los iconos cómplices ortodoxos, entre curitas ensotanados, y así al infinito. Ridículo supremo como la obesilla madre incurable activándose un poco al dirigirse supersticiosa hacia el Camino de Luz que la hechicera y una piadosa tormenta le muestran para bien morir. Ridículo espectral como esa connivencia remate con la saludadora fantasmita playera de blanco impoluto. El miedo al ridículo de la herencia española inhibe y lo ridículo en última instancia "no existe, quienes osaron asumirlo de frente conquistaron al mundo" (Mirbeau); pero el abrazo al ridículo por Orolovich decreta falta de conflictos genuinos mediante loquitas lelas, paisajes preciosistas, diálogos/monólogos tautológicos (tipo "Recordar recuerdos hace recordar algún recuerdo que duele"), enfrentamientos babas y lerdos sufrimientos de mal melodrama. Parafraseando a Van Cauwelaert, el ridículo no mata: conserva y eterniza en conserva la caterva de los conservadurismos equivalentes temporales e intemporales.

En un claroscuro de la luna o triunfalista que te consumo triunfalista. Triunfalista ruboroso como romance a besos robados, a macetazos, a corren-y-corren-los-caballitos, a carreritas en el puente colgante, a rostros sobre musgo afelpado, a encumbrimientos sobre la peña de los indecisos ya dispuestos a enamorarse de cara al alba. Triunfalista milagroso como la cura a base de sucedánea ternura materna por la matrona koljosiana más que recuperada para edipizar hasta al padre edipizador. Triunfalista relamido como raptos lívidos con cámara circular, tilt-ups a posters de casitas y disolvencias para ateverse a ensartar jump cuts ya de patético lugar común videoclipero. Triunfalista poetizante como denuncia-elogio perestroiko tardío, turismo del alma, doble oportunismo/conformismo, beatitud beata, lo positivo a fuerza y la seguridad que da la ignorancia. Triunfalista henchido cual redefinición grandilocuente de lo sublime fallido, del cretinismo satisfecho y la paciente espera de la muerte.

La engañosa añosa intimidad

Primo tempo: El aliviane familiar

Escrito en el cuerpo de la noche de Jaime Humberto Hermosillo (2000) narra una historia de iniciación amorosa en el tapanco que pone en crisis positiva de crecimiento a tres mujeres y a un adolescente afeminado que así dejará de serlo. La raterilla nezayorquiana recién salida de una desintoxicación de drogas Isabel Martínez (cálida e intensa Giovanna Zacarías) se ha hecho pasar por ingenuota estudiante chiapaneca de música para devenir la alivianada alivianadora inquilina solovina Adela H. en el clasemediocre depto truffautiano con vista a las estrellas de la fumadora abue-

la omnicomprensiva faloañorante Dolores jamás Lolita (Ana Ofelia Murguía portentosa) y la madre frivolaza semiautista Gaviota (Marta Aura lamentable) que entretienen la cinefilia precoz de Nicolás (Ramiro Guerrero bobón). Cuando el despertar sexual se haya consumado, la traumatizada traumatizante chica será expulsada por eludir el pago de renta mediante costosos regalitos robados, e inopinadamente, el chico escapará también, por su lado, gracias al auxilio monetario de la abue, pero coincidiendo con su iniciadora en la estación de buses.

Con financiamiento del PRImcine terminal y basado en la pieza homónima de Emilio Carballido, el vigésimo largometraje del inmadurable ya anquilosado petit auteur de culto gay light Jaime Humberto Hermosillo (*La pasión según Berenice*, 1975; *Las apariencias engañan*, 1978; *Doña Herlinda y su hijo*, 1984) es una obra rosa gozosa y celebratoria que de pronto se desfoga en interludios de comedia musical preMing-liang con las féminas bailando chachachá en hilerita ("En el mar/la vida es más sabrosa") o embelleciendo la mendicidad guapachosa en la sala de espera indiferente ("Hoy que me voy/de tu vida"), un ensayo de teatro filmado en cierta escenoinvolutiva y videoevolucionada manera posmodernista (como ya lo eran el corto inconcluso *Antes del desayuno*, 1975; *Confidencias*, 1982; *Intimidades en un cuarto de baño*, 1989; *La tarea*, 1990; *Encuentro inesperado*, 1991; *La tarea prohibida*, 1992, y ¡uf!), un acopio de diálogos familiares chispeantes y chisporroteantes precedidos por cierto desmedido e inútil prólogo evitable por salud mental (flojísimo cuento del retorno al edén derruido, con director falsamente tuerto, estreno en Cineteca y cuates sabihondos de pésima dicción: nostálgica cinefilia pobrediablista de los sesenta), una trama edificante moral que vaga pero efusivamente se sitúa a principios de los izquierdistas tardíos años ochenta, una película malhechota al vapor y tan supuestamente frivolona

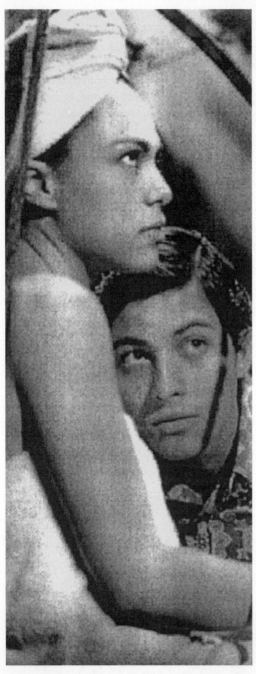

Escrito en el cuerpo de la noche, 2000

como mal equilibrada, una variación desenfadada y antiazotante de temas prexistentes ajenos y propios con autocitas de narciso poquitacosa.

Pero ahora resulta que todos los personajes cambian de personalidad del Cuerpo de la Noche a la mañana, sin decir Escrito va. Resulta que nuestra redentora Chica Teorema Pasoliniana inofensiva cayó en su trampa y renuncia al Amor. Que a raíz de una huelga inmostrada la valemadrista madre pajaroloca deviene más rojilla que su marido combatiente romántico de izquierda ya con esposa comandanta en Nicaragua. Que el chico sólo quería largarse *Más allá del horizonte* (O'Neill) como única opción liberadora y corretear en pos del falo perdido de papito activista. Que a la primera presión del nieto la abuela mórbida puede sacrificar su entierro lujoso de *Imitación de la vida* (Sirk, 1958). Que para estudiar cine hay que irse a Cuba o a Polonia como única opción, y que la desobligada madre provectopunk va a salir enloquecida a buscar a su hijito a la terminal de autobuses para homologarse con las filicidas morales madres histeroposesivas preRip de Hermosillo (encabezadas por la asesina por chantaje sentimental María Guadalupe Delgado de *Los nuestros*, 1969, y culminando con la Llorona muestrarretratito filial Ana Ofelia Murguía de *Naufragio*, 1977), quien así se venga, porque no hay bien que por mal no venga. El espejismo del

Entusiasmo (Larraín, 1999) de Hermosillo ninguna distancia crítica toma respecto a la dramaturgia demasiado habilidosa, astuta, mañosa, amañada, engañosa y excesiva del Carballido senil que más bien disfruta sacándose arbitrariamente de la manga temas, giros y golpes escénicos. Pero ahora resulta que la truculencia dramática es más contagiosa que la lepra.

A todo lo largo de su desarrollo *Escrito en el cuerpo de la noche* recurre a desenfoques y renfoques. Desenfoques y renfoques constantes, asonantes y disonantes. Desenfoques y renfoques muchísimo más abundantes y aun peores que en la todavía discreta en ello *Su Alteza Desenfocadísima* (Cazals, 2000). Desenfoques y renfoques como cambiantes vómitos al interior de cada tercera imagen. Desenfoques y renfoques inoportunos, sin ton ni son, arbitrarios, gratuitos, a la menor provocación. Desenfoques y renfoques cual efectismos de thriller chafito del montón ¡en una película pretendidamente intimista! Desenfoques y renfoques de ping-pong óptico al azar sobre los hablantes para que nada se muestre a cabalidad, nada se establezca, nada perdure, nada se equilibre o simplemente pueda verse con claridad, calma y tranquilidad introspectiva. Desenfoques y renfoques como procedimiento tan maniático idiota como la intemperante cámara con tortícolis de *Hasta morir* (Sariñana, 1994) y la grotesquísima

cámara en mano seudoDogma de *Crónica de un desayuno* (Cann, 2000) o de *Así es la vodria...* (Rip, 2000). Desenfoques y renfoques que anulan la magia sintética Rye/Griffith/Welles/Galindo/Athié/Kar-wai (campo total, profundidad de campo, montaje virtual), consagrando regresivamente la derrota de lo expresivo por lo técnico y del estilo por el recurso. Desenfoques y renfoques cual embestidas de hipopótamo en cristalería. Desenfoques y renfoques que a cada momento y con violencia separan, oponen e incomunican a las tres mujeres y al admirable chico hipersensible, pero ni la separación perpetua ni la oposición brutal ni la incomunicación antonioniana eran los temas principales de su elección y de la cinta, sino la separación superable, la parcial oposición incidental y la incomunicación profundamente comprensiva y afectuosa. Desenfoques y renfoques cuyo énfasis continuo sin sentido y abuso impiden cobrar cualquier eficacia emocional esos bellos instantes significativos de las dos viejas abandonadas vistas tras unos cristales opacos, espectrales, melancólicamente espectralizantes. La debilidad de *Carácter* (Van Diem, 1997) de Hermolindo ha permitido que el fotógrafo boniterro ya acabado ahora subLubezki pestekitsch Ángel Frido Goded lo avasalle y se apodere de su película, para saboteársela y deshacérsela, hasta muy cerca de la baratura y la insignificancia.

Escrito en el cuerpo de la noche, 2000

Manos con perpetua manía de encuadrar, alfiler de seguridad en la oreja sustituido por zarcillo, botas rojas, cazuela para partirse el lomo batiendo, culto familiodetantas a la batidora eléctrica y a los enjuagues coloridos, playera-camisón, husmeo amoroso, apagón y estrellas en constelación ensoñadora, bendito interruptus-indignación por temor paranoico al sida, oso de peluche y ejemplar robado de la *Historia del cine* de Gubern como atesorables signos de la "fragilidad masculina" (Carlos Bonfil en *La Jornada*), trastorno-ventura del catre crujiente, oda al segundo apellido y apoteosis conclusiva dentro de sets en continuum exterior/interior de la bus station/recámara cual vasos comunicantes espaciales (mejor usados aquí que en *De noche vienes, Esmeralda* de Hermosillo, 1997). Tras la alternancia melodramática-farsesca, entre la grandilocuencia de dramaturgias o de retóricas visuales equivocadas y la grandiosidad de una delicadeza posmachista, la familia alcanzará el aliviane cimero, fundiéndose por fin, como las viejas al fin solas, con el firmamento.

Secondo tempo: La necrofilia encantadora

En la escena única de *eXXXorcismos* de Jaime Humberto Hermosillo (2002) la parloteante encargada del céntrico Pasaje Iturbide (Patricia Reyes Spíndola) narra la historia de un viejo pacto suicida entre dos adolescentes homosexuales, apodados Marco Antonio y Cleopatra, familiarmente acosados, y sólo cumplido por uno de ellos, mientras instruye al nuevo velador (Alberto Estrella), quien bajo el falso nombre de Roberto no es otro que el Marco Antonio de la fábula a la búsqueda del antiguo amante de su lejana juventud, por mano propia malogrado. En el transcurso de una noche deambulará e invocará a su Pedro (Juan José Meraz), hasta reunirse con él, antes del trágico final.

Con ínfima producción de cuates y libreto original propio, el vigesimoprimer largometraje del esporádicamente innovador otra vez independiente Jaime Humberto Hermosillo (*La pasión según las apariencias engañan*, 1975/1978; *Intimidades en un cuarto de baño*) es una retoma de la estafeta del videofilme digital ripsteiniano como indigente patente de corso para el cine minimalista y la TVteatralidad descarada (en breves 75 minutos y sólo siete días de rodaje), una regresión a las épocas escénicas de *Encuentro inesperado* y *La tarea prohibida* ya superadas por el soberbio final de *Escrito en el cuerpo de la noche*, un guión deliberadamente tremebundo y altisonante al que debe realzar una puesta en escena adecuadamente ampulosa y grandilocuente cual vía oblicua hacia la intimidad torturada y el sentimiento de culpa como esencia gay, una "historia de amor y de fantasmas" (Hermosillo), un cuento de aparecidos dentro de la ancestral tradición literaria mexicana del padre Lanchitas por Roa Bárcenas y demás Riva Palacio del XIX, un ejemplar de cine electrónico gay rebosante de ejemplares homoeros empelotas a quienes debe llegar a vérseles hasta la ideología, un arcaísmo lleno de audacias echeverristas y actualizado con tecnologías mediáticas supuestamente avanzadas y redentoras, un simple homoporno lacrimoso que al fin se atreve a decir su nombre, una contrapartida del retroéxito comercial de *Sexo, pudor y lágrimas* (Serrano, 1998) ascendido/descendido a *Homosexo, impudor y lacrimones*, un anticipo del imprescindible Festival Mix de Diversidad Sexual que cada año convierte a la Cineteca en bar gay de la Zona Rosa durante su desinhibida semana (de ñoña Cafeteca a jugosa Peneteca Nacional), una precoz tardía aunque apenas sexagenaria soltada de pelo, un equivalente gay perpetuamente aplazado de la mitológico-maldita catársis-vomitona *Recodo de purgatorio* del Perro Estrada senior (1975), un desgarramiento prolongado hasta el infinito del autocortocircuito cual legendario monólogo de Tito Vasconcelos en sus aullantes tiempos heroicos pre*Danzón* (Novaro, 1991), una involuntaria e inconsciente relectura gay del cine porno heterosexual mexicano que tan flácidamente inició con inicuas películas inocuas de luchadores flácidos (*Las luchadoras del amor* de Ángel Rodríguez Vázquez, 1995) e ítem más aquí hasta con el luchador sexyestrella Alberto Estrella del estelar corto ironicoliseo *Haciendo la lucha* (De la Riva, 1993) como del remitificador *Santitos* (Springall, 1999), un testamento-souvenir exasperado y posmortem de toda esa generación de homosexuales clóset sesenta-setenta que nunca pudo pasar del patetismo desgarrador de vestiduras, una resurrección posmoderna de cierto modo de representación provincial ("El arte es el recuerdo:

el recuerdo es el deseo que se vuelve a representar": sabiduría de Connolly), una cumbre masoquistamente mexicana del cine del azote puro, una propuesta tan arriesgada como irritante, una épica antiépica de la autocompasión anómala que se sueña heterodoxa.

La dramaturgia fílmica de *eXXXorcismos* se estructura en tres partes bien marcadas, de distinto valor e invención. Una primera parte deambulatoria, visualmente la más sorpresiva, sugerente y hasta bella. Dorado brilloso en los exteriores (de la avenida Cinco de Mayo, prologales y luego captados desde adentro) y blanco de neón espectral en los interiores, para la ambientación bicromá-

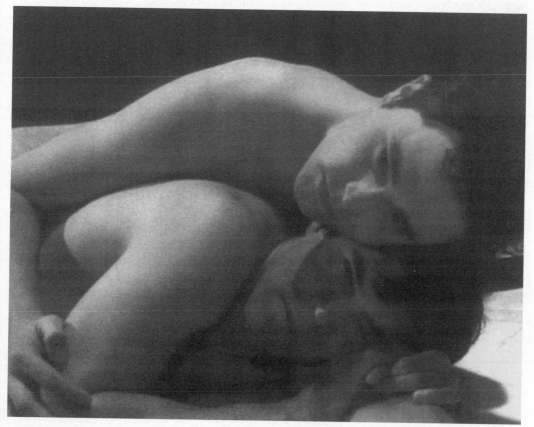

eXXXorcismos, 2002

tica a lo Almodóvar. Suspensión de tiempo durante una hincada a recoger las llaves. Continuidad entre la fotogenia del pasaje y el espacio simulado de una enorme fotografía en blanco y negro del pasaje con sujeto inmóvil, interpenetrándose mediante un lentísimo y sonámbulo panning circular. Ritual de ornamentaciones art déco. Apariciones fantasmales e irrealidad por contracampo a lo Buñuel. Brote de cosas en el paisaje del pasaje donde no las había: blanquísimos maniquíes de ridícula boda con roja boca embarrada hasta consumar un 69, altar con Cristo como icono gay, escaparate de sex-shop lleno de dildos. Presentación de los entrañables objetos cruciales para el juego escénico: la navaja del rastrillo de papá para afeitar pubis y la amarilla cinta métrica de mamá para medir el crecimiento de miembros púberes en competencia.

Una segunda parte invocatoria, la más retórica. Definición psicológica primaria y sumaria del protagonista desde una dominante afectiva que sólo reconoce dos estados anímicos: la soledad y la desesperación, el desgarramiento desesperado y la soledad abocada al suicidio. Monólogo central de quince minutos en big close-up cual reminiscencia sin máscara de la *Persona* de Bergman (1962). Desahogo autojustificatorio y confesión mentirosa. *eXXXorcismos* convertidos de repente en cinta semidocumental sobre un rostro convulso, descompuesto, deshecho y desecho, perdido de su cuerpo, extraviado en sí mismo más que en el delirio verbal. Parlamentos más bien anacrónicos ("No me dejes en este páramo") y hasta algún poema-letanía recitado durante el strip-tease del heroíno ("Canto del martirio, auxíliame/canto abismal, arrójame/y el canto sucumbe al alarido, y nadie sabe si es dolor placentero"). Ritual de grecas caprichosas en el suelo de mármol. Seudoculta música infecta de Omar Guzmán. Intensidad a huevo.

eXXXorcismos, 2002

Y una tercera parte en coitocircuito. Exteriorización de incrustados demonios interiores cuya doliente expulsión costará la vida hueca. Apariciones fantasmales hamletianas e irrealidad a lo sueca silente por sobreimpresión. Espacios que se deslizan sin fundirse, rumbo al estallido de la cópula y la pasión amoroso-crística. Angelote sin edad sorbiendo un chupón y hablando de su pitito. Sacrificio sin humor ni frescura con matadoras referencias al *Matador* de Almodóvar (1986). Expiación gay in extremis del falso casado con rompible foto de sagrada familia mediocre. Discreto y autocensurado homenaje al falo en reposo y en rasposo (con púdicos desenfoques).

Estos *eXXXorcismos* nada exorcizan ni liberan, porque su mayor encanto gay reside en su nada encubierta, más bien ostentosa necrofilia galopante. Érase la continuación diferida de un pacto suicida que veinte años después llegó por fin a consumarse. ¿Cuál era la verdadera ánima en pena, la del vivo o la del muerto? Dos almas en pena se rencuentran en el instante en pene de la muerte suspendida. Una Necrofilia cual Damisela Encantadora (sólo faltaría rúbrica con el tenor de la voz de seda Juan Arvizu). Marco Antonio recupera a su Cleopatra difunta y muere por ella dos veces. La doble muerte: una ensangrentada por la autoabertura de venas con la navaja de afeitar y otra estrangulada con la cinta métrica por el amante vengador tras venirse fuera de foco y acariciar consoladoramente a su otrora compañero. "En las horas más insignificantes, la vacuidad de la vida misma se me antoja más atroz que sus miserias, infernum deplorata silentia" (Connolly en *La tumba sin sosiego*).

La incoherencia exiliada

Otaola o la república del exilio de Raúl Busteros (2000) está banalizada y desintegrada por la incoherencia, una sintomática y sistemática incoherencia, representativa del cine cretinoficial ya en las postrimerías de la PRIdevastación también artística del zedillismo. Incoherencia biográfico-ensayística, o ¿quién era ese Otaola del que hablaban al principio unos borrachos floripondios de cantina baturra (en cierta videofilmación de época con Carlos Illescas como centro) y luego un par de barboncillos pomposos (Hugo Gutiérrez Vega, otro otro) que mejor acaban haciendo una nómina guanga del exilio? Incoherencia ficcional-churrealista de un desfile cansino de una multitud de irrelevantes acciones cotidianas y acartonados personajes sin definición supuestamente rumbo al velorio de la novela *El cortejo* del generoso escritor exiliado español Simón Otaola, paseos del desdoblado autor hispano con su otro yo feérico mexicano (ambos interpretados por Mario Iván Martínez) montando en *El caballito volador* (Joskowicz, 1982) que ahora habla con dislexia mental equina creyéndose en la novela *Los tordos en el pirul* del mismo ramoniano ramonista ramonesco Otaola. Incoherencia expresiva de la ineptitud fílmica que pasó de lo amorfo escolar irreverente seudomaldito (*Redondo*, 1984, sobre recuerdos de Paco Ignacio Taibo I en torno a una revuelta de monjas coronadas del siglo XVIII poblano) a lo senil raboverde irrealista irritante provocador delirante sin rebasar nunca lo menos que amateur, queriendo romper el récord Guinness de los mil primarios arrinconantes campo-contracampos que ninguna acción definen y nada establecen.

Pero una Incoherencia engolosinada con sus propias mamadillas, buscando el hastío infinito de la sangronería: dos veces una voz off asegura que no alcanzó para pagar la música de zarzuela que canta la buenona mesera prieta, dos escenas de tertulia de café con intertítulos de cine mudo, gestos alelados ad nauseam del niñín flechado por mejicanita y del adolescente alter ego lelo cual reypasmado perplejo fisgón en el figón/sepelio a perpetuidad. Incoherencia patentizadora del

Otaola o la república del exilio, 2000

dispendio del Imcine merecidamente terminal tocando fondo y fondos (quién aprobó la necedad, con qué propósito y provecho, a quién se destinaba). Incoherencia demagógica de gigantescas hoces con martillo decorativo en la oficina del trasterrado escritor marxista que sólo vende libros marxistas (los suyos qué delicia jua-juá), vigorosos poemas de Juan Rejano y Pedro Garfias y Luis Cernuda recitados hors-champ hors-texte hors-d'œuvre sin la menor motivación ni clima cultural ni contexto sociopolítico, una persecución callejera contra un bípedo citadino (porque ha decidido asesinar a su jefe en *El lugar ese...*) a lo Rubén Gámez (*La fórmula secreta,* 1965), y ese difunto (Héctor Ortega) que se yergue en su féretro durante la escena final para hacer exaltada profesión de fe republicana antes de retornar a su anónimo descanso ojalá ahora sí eterno.

Incoherencia histórico-literaria a años luz de la subjetividad poética del olvidado incipiente *En el balcón vacío* (García Ascot, 1961): ¿para cuándo una dignificación de esa imposible emigración española de los treinta y del remoto país que se creyó la Unión Soviética de América Latina al darles refugio, frustración, destino, fortuna y féretro?). Se ha logrado inventar un tedio incoherente en el grandilocuente cine nacional del 2000, la incoherencia exiliada de un ínfimo efímero Embusteros con desplantes explicativos de genio incomprendido hasta por él mismo ("Los entrevistados tocan temas muy del exilio, muy bien atisbados por Otaola en sus personajes literarios, el dinero y quién lo hizo, el comunismo, la poesía, los nuevos ricos del exilio. México. La chingada... —del *lugar ese* trata otra de sus novelas— y los personajes reales parecen literarios, incluso

Otaola o la república del exilio, 2000

cuando retratan a Otaola, parece que son retratados por él. En esta clave literaria de humor un tanto surreal, discurren las entrevistas"), una incoherencia de película-muégano, a imagen y semejanza de ese respondón empleado republicano de un explotador patrón gachupín, ambos tras el mostrador común de la tienda de abarrotes que los iguala.

El mentidero hepático

Vivir mata de Nicolás Echevarría (2001) describe sólo una jornada de los fracasados. Mientras se dirige en automóvil hacia una pinta hipotética en otra parte de la ciudad de México, al lado de sus amigotes, el fracasado crítico de arte canoso Helmut (Emilio Echeverría cual exguerrillero amorperruno ascendiendo a homo marrans) y el fracasado artista plástico vuelto vanguardista pintanuncios espectaculares de ¡Viva Zapato, la Revolución en zapatos! Chepe (Luis Felipe Tovar cual presleyerizante histeropolicía perdiendo *Todo el poder*), el fracasado artista plástico fabricabromas de hule Diego (Daniel Giménez Cacho perpetuando ya *En el aire* a su infraMauricio Garcés de *Sólo con tu pendeja*) evoca y revive su reciente acostón supuestamente sensacional con la fracasada locutora vial regalapavos Silvia (Susana Zavaleta cual *Sexo, pudor y lágrimas* menos destapable haciéndola de microfaldera chica seductora aún *Sobrenatural*), quien también evoca y revive el mismo acostón, al interior de su radiodifusora, ante la escéptica amigota Regina (Alejandra Gollás), enamorada secreta de un pomposo comunicador ciego (Guillermo Sheridan). Hacia el fin de la fatigosa jornada, Diego identificará a la huida Silvia por su

41 ∎

Vivir mata, 2001

Vivir mata, 2001

voz en la radio; ambos reconocerán que se aman, pese a haberse conocido por impostura doble, asumirán que sólo pueden llegar a hacerla el uno con la otra y se reunirán mágicamente en un confín del D.F.

Con producción privada de Titán-Argos-Videocine apoyada por el Imcine-Foprocine y guión original del fino cronista-novelista Juan Villoro debutando en la cinecomedia, el segundo filme ficcional del extraordinario docuindigenista intentando cambiar de registro en su cinta decenal Nicolás Echevarría (*Niño Fidencio. El taumaturgo de Espinazo*, 1980; *Cabeza de Vaca*, 1990) es una anécdota en extremo sencilla que es narrada de manera innecesariamente complicada porque de otro modo se desplomaría en cineminuto, una estructura de entrada interesante que llega a incluir hasta la visualización de los cuates participando virtualmente en el pasado ajeno y la de incidentes inventados (esa subtrama-patraña del invernadero) o exagerados para reactivar la decaída atención (episodio subliminal de inmediato denegado "Quiero que me metas la lengua hasta las anginas"), una comedieta rosa más en la línea provinciana-sonrojada de *Inspiración* (Huerta Cantú, 2001) que en la burdota-familiarista de *El segundo aire* (Sari-

ñana, 2001), una extenuante jornada en la Jaula de los Fracasados vuelta coche-recámara que avanza para que los patiños/patiñas y confidentes amigos/enemigos (el crítico culpable de haber propulsado talentos insostenibles) diriman sus nebulosas diferencias ("Fuimos a la cárcel por tu culpa, cabrón") con sexagenarios aspavientos guiñolescos ("galería de *Vitelloni* chilangos, en vísperas de la andropausia, que fatigan sus calles a bordo de una camioneta, macerando enconos, agravios y frustraciones" alcanzó a vislumbrar el cinecrítico Carlos Bonfil), una pavorosa reunión de los sobreactuadazos intérpretes protagónicos más hígados de tu cine actual (Giménez Cacho, Zavaleta, Tovar, Echeverría) aunque los Gollás/Sheridan/Bracho no cantan nada mal sus funerarias higadeces segundonas en la ciudad-tumba resplandeciente, un atisbo de dulzura farsesca con precipitada falta de ritmo y floja dirección de actores dejados a su sobreagitada suerte sin matices, un churrazo inclemente y tradicional revestido con grandes nombres y aun mayormente fallidas ambiciones expresivas, una desvaída fábula prevampírica que increíblemente nada tiene que ver con la homónima fábula draculesca del argentino Bebe Kamín (1991), un ejercicio de estilo exquisito y urgente que mal se aviene con la pretendida ligereza aérea y comercial del producto.

Ellos mienten, ellas también. Homo loquax: homo mendax. Mentiras son amores y no buenas razones. Por eso, él y ella fingieron identidades falsas para conocerse y ligarse; Diego la del novelista obeso Hugo Retama y Silvia la de una reportera veterana (Diana Bracho). Una superación cualitativa muy apenitas de cualquier sainete sobre trueque de identidades o la historietilla del recadero de abogados Resortes fingiéndose ínclito licenciado y millonario heredero expósito para acceder rocambolescamente a la mano de una hija de general pero prefiriendo a secretaria afeada por gafas Lucy González en *Cadena de mentiras* (Alejandro Galindo, 1957). Pero, en *Vivir mata*, a partir de esa mentira bastante inofensiva y babosa, se pretende hacer toda una metafísica de la Mentira, que si es necesaria para fundar el Amor y demás. Como si eso fuera suficiente base de especulación. Como si esa inocentada pudiera tener consecuencias determinantes y funestas para

Vivir mata, 2001

el surgimiento de la pareja. Como si el tufillo puritanoide en pro de la veracidad a ultranza cayera cual rayo fulminante sobre los héroes. Como si en la dinámica falócrata/posfeminista y en las relaciones de fuerza fassbinderiana de cualquier pareja no existiera una mentira más dura, cruel, nefasta e inextirpable como aberrante fundamento.

Insólito surrealista de una cicatriz en el pecho viril que comunica cual ojo de cerradura con las imágenes de la vaca ante el refrigerador y de la enigmática exnovia Lucrecia en las llamas (Luisa

Sáenz), ya quemadas en el rutilante montaje abismal de los créditos. Insólito invasor de un constante y mareante sobrevolar apantallador en sariñanesco helicóptero-leit motiv. Insólito pacotilla de un caos urbano muy insistente que incluye hasta ojete ataque obrero con soplete al solicitar desesperadamente el préstamo de un teléfono en plena faena nocturna. Insólito pintoresco de ubicuos turistas rusos en el hotel Alameda y en el Templo Mayor, entrega de pavos descongelándose, odiados limpiaparabrisas impunemente gritoneables ("Te juro que voy a matar a uno de estos cabrones"), vendedores de cuanto chuchuluco existe, asalto de disfraces variopintos, iracundo puestero enano sin brazos proveniente buñueliano-jodorowskiano de *Cabeza de Vaca*, desfile de avestruces orondas y choque de ambulancias fuera del cálculo de probabilidades, incluso a la mitad de ese agrio y descomunal embotellamiento a nivel metropolitano, y todo *En busca de un muro* (Bracho, 1974), señalará con cinehistórico humor José Felipe Coria. Insólito forzado de gags ibargüengoitianos como la heroína limpiándose las apestosas manos mojadas al abrazar a una colega o el forcejeo del galán ansioso con el brasier atorado (que luego se desatará por elipsis). Insólito inquietante de besos venenosos (por el matarratas o el fósforo mórbidamente chupados por Silvia). Insólito declarativo de solemnes frases ultraliterarias en invidente voz off mamonaza ("Y lo imposible no se entiende con los ojos de la carne") o en diálogos cursilones ("Mi escalofrío eres tú") e hiperexcitados ("No circular, no respirar: vivir mata"). Insólito hediondovisual de una fotografía de Pablo Reyes Monzón abigarrada por lamparones y cochambre. Insólito onírico de la música siempre transfigurante de Mario Lavista. Insólito chafa de un rockvideoclip recapitulador de acercamientos físicos hacia el clímax del relato ("Intoxícame/Intoxícate"). Insólito auxiliar de un taquero de oro con peluquín entrañable (Jorge Zárate el único aquí capaz de reírse de sí mismo) y verba prefijada ("La nalga es la nalga"). Insólito magioso de la reunión final con bajada en helicóptero ante la monumental seudosiqueiriana Cabeza de Juárez de Luis Arenal (de *Cabeza de Vaca* a la Cabeza de Juárez, certificará con sorna el propio cineasta Echevarría). Un tour insólito y semifantástico por la actual ciudad de México a años luz del descenso a los infiernos regiomontanos de *En el paraíso no existe el dolor* (Saca, 1994), un maltrecho viaje imaginario a través de lo imposible sin salir de tus escenarios cotidianos.

Hay que ver cómo esconde el encuadre la calvicie de Giménez Cacho (cuando no la oculta bajo su gorrita pinche de estambre) y subraya el enteco rictus zavaloco de la Zavaleta. Un cuarentón juega masturbatoriamente a *Y tu mamá también* (Cuarón, 2001) sin salir del D.F. con sus cuates y una aventadona traqueteada llena de tics en *La primera noche* (Gamboa, 1997) de los rucos. El amor decadente de quienes ya están para agarrar lo que sea parece ocurrir entre chavos chismositos e inmaduros del infilmado *Gazapo* de Sainz (1965) ("¡¿Eso te dijo?!") y mejor imaginable interpretado por los frescos actorcitos poco famosos de *Un mundo raro* (Casas, 2001). Esta rebuscada y grandilocuente historia de amor no se conforma con retomar la comedia romántica clásica sino además quiere reinventarla demasiado tarde.

Vivir mata, 2001

2. La grandilocuencia alergia

□

La grandeza del hombre reside en su de-
cisión de ser más fuerte que su condición.

Albert Camus, *Actuales*

La truculencia bifurcada

Crónica de un desayuno de Benjamín Cann (2000) o la desproporción inane. Al desproporcionado conjuro de "Huele a desayuno de domingo" que profiere desproporcionadamente nostálgico el hijo chiquitín Teo (Miguel Santana) obsesionado con radios y su walkman para evadirse de la desproporcionada realidad, tras el reciente escape desproporcionado de la hermana adolescente Blanca (Fabiana Perzábal) y ante el golpeador vaquetón hermano mayor Marcos (Bruno Bichir) con pinochesca nariz de esparadrapo desproporcionado y desproporcionadamente tiradote en un sillón con aventable jarrito en mano, se provocan las estentóreas risas desproporcionadas de la madre Luzma (María Rojo) desproporcionadamente abnegada y abandonada desproporcionadamente por todos, por eso abandonando desproporcionadamente a todos y sólo deseando desproporcionadamente el regreso del marido ausente Pedro (José Alonso), quien por fin reaparecerá con desproporcionado descaro al cabo de ocho desproporcionados años, para provocar el esperado crepúsculo wagneriano desproporcionadamente pinche de todos, ahora desproporcionadamente deseando que nunca hubiese retornado el desproporcionado irresponsable. Con desproporcionada pro-

ducción del clan actoral Bichir apoyado hasta en sus peores caprichos por el Imcine y con guión de Sergio Schmucler inspirado libérrimamente en la pieza teatral homónima (que formaba un tríptico urbano junto con *De la calle* y *De película*) del recién fallecido Jesús González Dávila, el tercer fallidísimo largometraje del veterano director escénico con gran oficio en TV/teatro/ópera Benjamín Cann (*Yo no lo sé de cierto, lo supongo*, 1981; *De muerte natural*, 1984-1996) es un elogio desmesurado a la desproporción estridente e inane en todos los órdenes melodramáticos y subfílmicos, una antiparábola bíblica sobre el Regreso del Padre Pródigo que disemina cien incidentes abultados y triviales por partida doble y poliédrica post-Stone, una exageración de sucesos nimios cual si cada elemento de la pieza duplicada pudiera cobrar fuerza e importancia primordiales sin conexión con el conjunto, una ciclotimia tremendista de las emociones obscenas por demasiado evidentes, un experimento escénico que ¡máximo lujo y originalidad de la grandilocuencia! presenta realidades afectivas bifurcadas una tras otra (a cada reacción triste de los protagonistas continúa la alegre, a cada acontecimiento real sigue uno imaginario, al infinito) pero sólo para remarcar obviedades, un rompecabezas inapelable inarmable con piezas pertenecientes a varios (como *Yo no lo*

Crónica de un desayuno, 2000

sé de cierto, lo supongo era ya el cine-quiz reiterativo circular de una ruptura amorosa sin término en cierto fin de semana campestre, como *De muerte natural* era ya el acertijo amorfo del linchamiento femenino a cierto tendero abusivo), un remedo de película dual sólo arriesgada porque busca plantea y arrostra todos los riesgos del ridículo para mejor caer en ellos abrazándolos.

Crónica de un desayuno o la teatralidad erizada. Cámara retrocediendo ópticamente ante el furioso avance femenino que se le viene encima y pasando bruscamente de la mano de la madre que seguía al aventar su bolsa negra junto al aparecido rostro de disgusto del hijo, y luego lame el movimiento del brazo viril que con desprecio cambia la bolsa al otro lado del sillón, y enseguida gira de chiflonazo de lado para encuadrar al niño recargándose en la pared para pronunciar su parlamento añorante, y al final retrocede ópticamente para descubrir a la madre pegando risotadas. Cámara agitada en mano a perpetuidad, con mal de san Vito congénito incurable y barridos de *Rompiendo a las olas* (Von Trier, 1996), ya tics modernos/posmodernos, mecánicos, amaestrados, amañados, dañados, inmotivados y sin concierto, sólo para subrayar juegos escénicos, forzados, autoexcitados, insustanciales, bajamente teatrales: treparse impulsivamente a los sillones para darles vuelta por encima, reptar, comerse la ripsteiniana mugre de las patas, gesticular, desmenuzar el pan, manotear, acomodarse el bisoñé despegado, entregarse a mal ejecutadas acrobacias niponas, o jugar tan temeraria y criminosa como incansablemente con el cuchillo eléctrico entre hermanos. Uso de rencuadrantes profundidades de campo para descubrir y remarcar impulsos de personajes en raptos súbitos gratuitos y sorpresivos de exasperación. Creaturas declamatorias en lamentación, en la-mentación o en irrefrenable sentimentalidad psicótica crispada crispante. Creaturas en invariable sobreactuación sobresaturación sobrexcitación emética. Sustituciones repentinas y revelaciones sin chiste, como la parejita del tren besándose rabiosa hasta descubrirse que la hembra es un travesti a quien emasculará duraderamente, tal como lo demuestra el miembro que sale por la ventanilla, mientras su dueño huye sangrando sobre el vestido. Irrupción de cuadritos de historieta acompletando, comentando, sustituyendo, paralizando la acción, como rasgo de posmodernidad eruptiva a lo *Corre Lola corre* (Tykwer, 1998) pero destemplada y sin dinamismo. Soliloquios de malestares y dolores verbalizados sin convicción. Una acartonada fétida mamarracha obra de teatro con ripsteinianas embarradas de cámara. Son los guiñolescos síntomas de una intolerable teatralidad erizada, anterior al cine o posterior a él pero siempre en el ámbito de lo para o lo anticinematográfico. Un caos mal iluminado y sin lucidez que retorna desmembrado a las tres unidades del teatro clásico con hartante música melancólica de bandoneón.

Crónica de un desayuno o la familia degenerativa. En una sola mañana dominical se concibe,

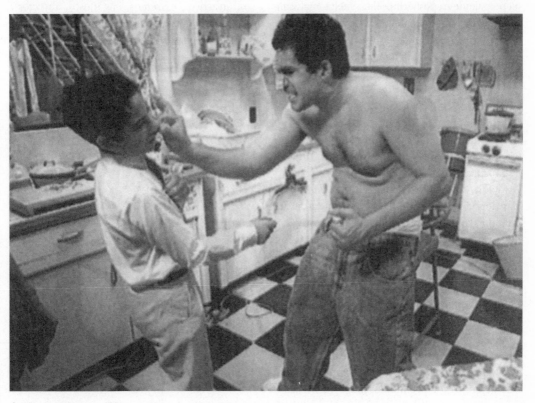

Crónica de un desayuno, 2000

transcurre y se concentra "un sórdido retrato familiar" (Melche). Disfuncional como todas pero apenas descubriendo sus contradicciones, esa familia vive por y para el azote, sin alicientes, en la frustración y el odio intestino, entre el sueño y sus deseos insatisfechos (o incestuosos inexpresados entre la madre cobardona y el insaturable hijo arribista con envidia de falo paterno), apoltronada en la soledad a solas y malacompañada (o estacionada en la banqueta como la rencorosa desdichada hija fugitiva con maleta), estallando de violencia interna o externa dentro de su caduco Zoológico de Cristal a lo Tennessee Williams donde mezquinamente no ha habido ni hay ni habrá más espacio para las ilusiones y las desesperanzas de nadie nada nunca. Una familia posbustilloriana-posgalindesca-poshermosillita vuelta marásmica, una familia todoabarcadora típica prototípica arquetípica estereotípica por excelenciotípica, una familia chilanga de edificio narvartense para acabar con todas las familias cinematográficas nacionales posibles, una familia de la nueva antiquísima anticuada especie de Cuando los Hijos se Quedan Solos y Cuando los Padres se Van porque no se vienen, una Familia de Tantas de Acá las Tortas a tontas y a locas y de tontísimos más, una familia abalanzándose sin reservas a su Verdadera Vocación de Magdalena haciéndose Confidencias después y Antes del Desayuno mientras rumia ubicuamente sus Intimidades en un Cuarto de Baño cambiándole a discreción la coloración anímica a su Tarea en el mingitorio ya planeando acometer la Tarea Prohibida. Y hay que articular como sea esa pretendida socavadora visión pesadillesca-finmilenaria-apocalíptica-infernal de la familia clasemediera mexicana culpable de todo, aunque apenas logre ser abrumadora y hastiante. Una grandilocuencia supuestamente crítica al fracaso innato de las aspiraciones ("Un poco más y a lo mejor nos comprendemos luego") y los falsos valores familiares de la cultura mexicana, su ima-

ginario cinecanoro pedroinfantilesco, su decencia en calzoncillos, su culto a las apariencias con uñas pintadas de azul, su arribismo reducido a trucos de cigarrillo que nadie pela, su globalizado estancamiento devorahijos, porque "para romperte la madre nadie como tu familia" (según la exitosa frase publicitaria del filme) y por eso la ficción arranca enarbolando un pene mutilado como oreja y rabo taurinos. Si la familia degenerativa no existiera, ya tendría un buen complaciente y autoirritado modelo a seguir.

Crónica de un desayuno o la flagelación paranoico-fascista. Afuera llueve sobre llovido, sin redención posible. Nada más por hacer bulto siniestro, fuera del núcleo microcósmico familiar rondan los vecinos, pululan los personajes más excéntricos, atractivos, extremos, engañosos, abyectos e inolvidables de ese panorama hasta ahora sólo esquizoide sin más: el travesti jodido y castrado (¿como todos los de su especie?) a la búsqueda del pene perdido en los botes de basura (Eduardo

Crónica de un desayuno, 2000

Palomo) cual si fuera el sufriente amor perseguido y extraviado por todos los demás, el estanquillero homosexual reprimido que vegeta absorto por sus trencitos eléctricos de juguete (Odiseo Bichir) en espera de alguna turbia conquista equívoca que castrar, la gordobia gelatina (Angélica Aragón) del palomar que vuela vestida de blanco cual leit motiv viviente para reflejarse en los cristales de nuestro depto de medio pelo realistamágico, un marido suicida más patético que depresivo (Héctor Bonilla) pero siempre salvado por su esposa por supuesto mártir (Arcelia Ramírez elevada a pésima actriz de Crónica Amarilla), un chofer sin rumbo con anacrónico taxi cocodrilo de los cincuenta (Damián Alcázar) y así sucesivamente. Esquizofrenia plena de los infraseres divididos por su truculenta sensibilidad bifurcada. Un aborrecible cuadro socioclínico en crudo indigesto y en bruto abotagado que querían ser irónicos y macrorrepresentativos, una neovanguardia bioestética-gay reducida a inoportuna mostración de panzas heladas, una lerda exhibición de Bruno Bichir y José Alonso con veinte kilos de más por lonja, una ostentación de hipertrofias físicas y mentales a falta de profundizar en los caracteres, un amasijo de cuerpos que picotean bufan crujen rugen mugen croan y vampirizan a su propio vacío, un autoflagelador exceso paranoico-fascista que no se atreve a decir su nombre ("Puto el que lo lea", rezaba la pinta ad hoc de una omnipresente cortina metálica).

Crónica de un desayuno o premia bien y no mires a quien. Y a última hora, después de su fracaso comercial como cinta shocking doméstica domesticada, auténtico depósito de clichés y lugares comunes seudocríticos, míseras sexofantasías retorcidas y autocomplacencias escénicas en el errante sofá rojo, *Chronik eines Frühstucks (Chronicle of a Breakfast)* obtuvo el otrora prestigiado premio internacional Caligari en el exigente Foro del Cine Joven de Berlín 2001, concedido ahora por un jurado provinciano alemán seguro de ga-

Crónica de un desayuno, 2000

lardonar un grotesk deliberado, con "poderoso simbolismo cautivante" y "opulentas imágenes teatralizadas que navegan en tiempo y espacio logrando una fluida transición entre fantasía y realidad"; un filme molestamente satírico que osaba mostrarle a los mexicanos lo que no se atreven a aceptar de sí mismos, pero reconfirmando de paso la idea que los europeos secretamente racistas tienen de nuestros connacionales como coloridos subhombres abestiados, que "viven en mundos privados artificiales, relacionándose apenas con los demás, incapaces de expresar sus verdaderos sentimientos y problemas". Neta cuataneta.

Las pretensiones multiadjetivas

Plásticas como una machacante obertura con enigmáticas convergentes pisadas septuagenarias, un disquisitorio ensayo sensualista sobre la comida con chinicuiles y los top shots maniáticos de la inaugural-lumièriana Llegada del Tren a la Estación con los invitados al banquete-simposio de cinehistoriadores, investigadores, pintores, curadores, músicos y una instaladora para recrear y especular sobre un episodio perdido de la funesta estancia de Eisenstein en México. Fulgurantes como la cámara manteniéndose enfrentada a la literata estadunidense que no cesa de escribir mientras el erizado fondo natural avanza y retrocede cada vez más amenazante. Miméticas como los legendaricónicos perfiles y figuras hieráticas de peones y hacendados secándose resecos bajo el Tiempo en el Sol a plomo, o como los campesinos enterrados expuestos a las patas de los caballos que han sido sustituidos por intelectuales viriles y hembras enarbolando signos comunistas ya en sí demasiado vistosos y grotescos.

Hiperdocumentadas como la fotografía inédita del ambiguosexual realizador ruso jugando a mariposear con sus cuates ante una escalera feudal aún existente. Ultraeruditas como las cartas pri-

vadas de las pintoras extraviadas cual compendio de artículos necrológicos que atestiguaron la estancia del obsesivo dibujafalos por el limbo del estado de Hidalgo cual exilio forzado e íntimo infierno del cine sin recursos, ni *Precaución ante una prostituta santa* (Fassbinder, 1970), en ese lamentable *Estado de las cosas* (Wenders, 1982). Fantásticas como una travesía anacronizante por el naïf a la Corkidi (de cena omisa de *Ángeles y querubi-*

Un banquete en Tetlapayac (A Banquet in Tetlapayac), 1998-2000

nes, 1971, a la exclusiva corporización de los *Deseos*, 1977) con oníricas larguísimas enseñas rojas sacudiéndose en los balcones, si bien a años-luz de distancia del filme *Eisenstein: fantasía mexicana* del ruso postsoviético Oleg Kovalov (1998), quien hace un montaje personalísimo de los materiales del inacabado *¡Que viva México!* (1931) estableciendo y diseminando fascinantes alevosocósmicas asociaciones visuales entre los cinco episodios

Un banquete en Tetlapayac (A Banquet in Tetlapayac), 1998-2000

a la vez, puntuadas con música electroacústica de una orquesta virtual o con el ruido de una mosca sobre las hamacas edénico-prehistóricas.

Congestionadas como querer meterlo todo y más en cien minutos de transposiciones dispares, incluso un repelente show doméstico que emula tablas gimnásticas poscallisto-fascisto-soviéticas, sin poder valorar nada. Desestructurada como una construcción por episodios-capítulos sin contundencias que jamás acaba de empezar, marcha aguerrida hacia ninguna parte, da un rodeo, jamás llega a ningún lado, nada afirma nada niega, todo bate y se prolonga más allá de lo tolerable. Snobs como una ronda syberbergiano-macabra light siempre carente de centro, aunque con Banquete platónico en torno a un desdibujado barboncillo Serguéi Mijáilovich Eisenstein (Roberto Turnbull), a una nariguda Frida Kahlo (Silvia Gruner), una crispante Isabel Villaseñor (Astrid Hadad) e inexistentes Best Maugards, Diegos Horriveras y demás banda familiar cual puñado de gordos y flacos pomposos, contagiosos fantoches seudointelectuales y anexas que añoran a los muñecos hitlerianos de *Hitler. Un filme de Alemania* (Syberberg, 1976-1977) y su fondo negro homenajeador del Black Maria de Edison. Pretenciosas como una cineinvestigación sesuda de la Universidad de Guacalajara (en especial *Del muro a la pantalla: S. M. Eisenstein y el arte pictórico mexicano* de Eduardo de la Vega Alfaro, 1997). Inanes como un involuntario antirrollero metasatírico *Nadie dijo nada* (1972) del chileno-francés Raúl Ruiz. Docuficcionales como una mezcla de documental de archivos *Memorias de un sovieticano* (Toscano, 1931-1999) más bien reconstruidos y una aborto-ficción criminal: esa encuesta sobre el intérprete del hacendado Félix Olvera (Israel Fernández Leal) de la Sinfonía Inconclusa de Eisenstein que parece haber matado cierta noche a su hermana, empantanando aún más el rodaje del filme y volver a este polisémico icono folclórico de culto universal (léase descifrable en inglés) a nivel de alto turismo coyoacanense.

Así pues, en el polo grandilocuente opuesto del documental tradicional tipo *Eisenstein en México: el círculo eterno* de Alejandra Islas (1996) y del pavoroso ensayo seudoescenificado *Otaola o la república del exilio* de Raúl Busteros (2000), se sitúan sin duda las fulgurantes miméticas búsquedas plásticas de la hiperdocumentada ultraerudita congestionada desestructurada fantasía eisensteiniana snob pretenciosa inane *Un banquete en Tetlapayac* (*A Banquet in Tetlapayac*, primer filme filmado en México en video digital, 1998-2000) del crítico de arte-novelista cincuentón no tan mal improvisado cineasta-hombre orquesta Olivier Debroise (*Diego de Montparnasse, Lo peor sucede al atardecer, Crónica de las destrucciones*), trabajando docuficcionalmente sobre el relato *Hacienda* de Katherine Anne Porter (1932) como texto pretexto.

La pifia iniciática

Piedras verdes de Ángel Flores Torres (2000) relata a su azotada y singular manera retrocultista una telemaquia femenina. Hija sin saberlo de una ciega muerta arrollada enigmáticamente por un tren en la estación Magnolia en el páramo tamaulipeco y de un chamán enlutado (Gabriel Retes) que

huyó por las vías hacia las cuevas de *Bajo California* al ver a su difunta esposa dando a luz sobre un tablón, la adolescente Mariana (Vanessa Bauche) nunca dejará de padecer a continuación innumerables desgracias. Será adoptada por el benefactor magnate farmacéutico con doble vida José Santana (Óscar Chávez) que morirá menos de dos décadas después ahogado en una alberca por el peso de su armadura de Hernán Cortés, será entregada a traumatizantes monjas con bigote, para luego ser educada fuera del país y, a su regreso a Mexiquito, quedará a merced de una histérica codiciosa madre adoptiva Dolores (Blanca Sánchez) que sólo pensará en desposeerla de toda herencia. Inerme abrazapeluches y fugitiva, será despojada del coche hogareño por un falso valet parquin en su primer intento de reventón por berrinche, será seudoauxiliada recogida ligada y sexoiniciada por el ultracosificante apañable dealer de cocaína Gallardo (Juan Carlos Retes) que la convertirá en su pareja madreable hasta que ella se desquite precipitándolo desde un quinto piso, será bienauxiliada ahora por el vendecollares artezángano guía selvático buenaonda Sebastián (Osvaldo Benavides) que la amparará un rato sin fijón, y por fin saldrá como peregrina a través del desierto, en busca de su padre, de sus raíces, de sí misma y de lo que se junte esta semana, sólo para que-

Piedras verdes, 2000

dar a merced de un grotesco carimarcado Gallardo que llega a recuperarla desde un más allá esquina con el más acá.

Película independiente familiar si las hay, apoyada por el clan Retes y basada en un guión del director escrito con su padre Ángel Humberto Flores Marini y ostentando desbocada fotografía de su hermano Eduardo, el primer largometraje del exdocumentalista videorockclipero con aspiraciones de auteur personalísimo aunque homenajeador posmoderno Ángel Flores Torres (clips para el Tri, "Chilanga banda", de Café Tacuba) es una acumulación de femeninas desgracias que hacen las veces de ejemplar indemne insigne sagrado aprendizaje vital para la muerte, una descripción realista de búsquedas juveniles mediante romances urbanos fallidos con violentos resabios telenoveleros que cambia de opinión a media película para culminar en "road picture pacheca" (según expresión confesión del propio realizador), un retrato de la chava típica/prototípica/arquetípica/estereotípica 2000 como perfecta hembrita dependiente auxiliable abandonadora envilecible/ennoblecible y redimible/irredimible al azar de la deriva y la fuga, un extraño bastardo de algunos postulados hiperfeministas medio virulentos light de *La ley de las mujeres* (Arellano/Padilla, 1996) en maridaje más que evidente con resabios

de las cosmogonías esotéricas de *Bajo California*. *El límite del tiempo* (Bolado, 1998), un desgarre de vestiduras purificadoras, la triste historia de una adolescente muy verosímil/inverosímil siempre atrapada entre la mafia y la pifia.

Pifia es la renuncia a toda pasión en el placer carnal para subrayar la manecilla de la chica comprobando el rompimiento de su himen. Pifia es un audaz continuum de tracks laterales en ida y vuelta enlazando monótonas visitas domiciliarias a cuates convidadores de cocaína sólo para culminar moralinosamente en un interrogatorio carcelario y la depresión postaborto. Pifia es una sucesión infinita de jump cuts en el agitado escape a través de la azotea sólo para poner de manifiesto su torpeza y fracaso por caída. Pifia es una práctica arbitraria de las elipsis en cadena, en desequilibrio con las inútiles mostraciones explícitas. Pifia es el recurso sistemático al contrapicado apantallagüeyitos y el ritmo jadeado. Pifia es un alucine con carnavalesconírica travestiputa madreada y saltimbanqui en zancos. Pifia es un bombardeo de flashbacks pulverizados, cual impresionista mar de misterios ahogados, que nada aportan ni a la trama ni a su sentido o falta de. Pifia es navegar sin brújula entre el efectismo baladista dulzón y la estridencia comercial-juvenil de los grupos roqueros más lugarcomún de ayer (Botellita

Piedras verdes, 2000

de Jerez, Maldita Vecindad, Resorte, Tequío, el Gran Silencio y "Me cago en el amor"). Pifia es la pomposidad de diálogos con inasibles resonancias eternas ("Te gusta sentirte maltratada"/"Uno entra a una búsqueda ¿para qué, para encontrar o para seguir buscando?"). Pifia es un forzado paralelismo turístico entre la excursión hacia frondosidad de la selva con zambullida en cascadas adánicas y la incursión en el desierto con aridaces barridas en tomas aéreas. La pifia de Flores Torres es el grado superior de la grandilocuencia mamila. Pifia centelleante/iniciática.

Iniciática como la enésima búsqueda de raíces míticas para escapar graciosa/desgraciadamente de la agresiva oprimente carnicera realidad social y resguardarse de cualquier forma de pensamiento articulado. Iniciática como la sustitución del concepto por el asalto de imágenes visuales posmo posBolado postStone posvideoarte posvideoclip posloqueras posloquequeras y bien reforzado por ellas. Iniciática como confundir la revelación y la estética visionaria (de Sokúrov o Béla Tarr) con el cartón de lo pintoresco y lo folclórico al servicio de tu inflexible trasnochada carta astral. Iniciática como seguir indigestándose a estas alturas con las lecturas alucinógenas neoscurantistas de Carlos Castaneda y sus chamánicas Enseñanzas de Don Juan, corregidas por ovnis new age al cabo de treinta y dos años de dictadas y bestselleriadas (sólo veintiséis en castellano). La iniciática de Flores Torres preconiza el grado complaciente más insufrible de la grandilocuencia esotérica. Iniciática regenerativa/degenerativa.

La desazonada mestiza Mariana de discretos mechones azules halla en la huraña vieja rulfiana Aurora (Alicia del Lago) un sucedáneo materno con quien tomar cafecito en full-shot contemplativo. El no tan casto padre adoptivo José recibía hidalgo consejo de un zorruno anciano pueblerino (Ignacio Retes). Y el buen Sebastián conduce por la selva chiapaneca al buscaextraterrestres

Cruz (Dagoberto Gama) y se topan con el indígena sabio Antonio (Damián Delgado), separándose de ellos espiritualmente colmado. Con la frescura ingenua de los primeros periplos exteriores/interiores de la joven María Novaro (*Una isla rodeada de agua*, 1984; *Azul celeste*, 1987), una serie de encuentros cruciales con seres corrientes que son a un tiempo notables, figuras compensatorias y la única poética trascendental del esforzado relato brincoteante y de otro modo vacío, pues los protagonistas parecen valer tanto como esas personalidades complementarias, jamás alter egos, o quizá reflejos-sendero alternativos, que los rodean, acaso porque ellos mismos resultan a su vez complementarios con respecto a la afligida heroína que resuena y madura gracias y a través de ellos.

Por último, desmembrada y aún sin otro camino que tierra y pasto, bipartida entre sus dos galanes recobrados in extremis en el desierto y ahora enfrentados inclinados sobre su cuerpo mudo, Mariana fallecerá arrollada enigmáticamente por un tren en la misma estación Magnolia del páramo tamaulipeco donde murió su invidente madre biológica. Otra mordida al emblemático collar de ámbar del amor baldío, un gran ojo abierto a la Morada Nada por tropezar con Piedras Verdes y sus *Amores piedras*.

La cretinada virtual

Son tres preanecdóticas hipótesis argumentales sobre las consecuencias del atentado en que pudo perder la vida, cuando firmaba autógrafos al término de un enardecido mitin proselitista, el ídolo cantante y candidato a la presidencia de un país latinoamericano imaginario Francisco Díaz apodado Pachito Rex (Jorge Zárate) en *Pachito Rex. Me voy, pero no del todo* de Fabián Hofman (2001). Cuarenta años después, el presunto cazautógrafos asesino Sobrino (Ernesto Gómez Cruz) sale por fin de la cárcel, sólo para enclaustrarse en

Pachito Rex. Me voy, pero no del todo, 2001

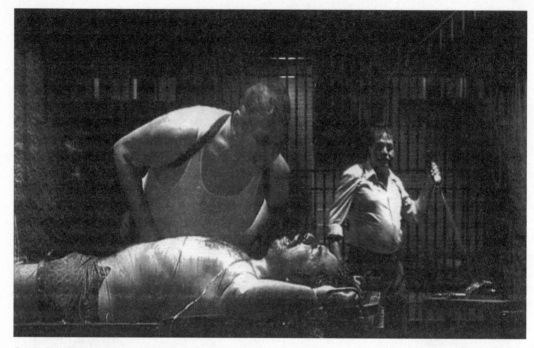

Pachito Rex. Me voy, pero no del todo, 2001

una triste covacha donde seguirá negando ante su exjefe ya paralítico don Genaro (Fernando Torres Lapham) haber escrito las confesiones homicidas que se le atribuyeron para condenarlo, pero siempre reiterándole a su antigua novia Rosa María (Ana Ofelia Murguía) que hubiera sido capaz de "cualquier cosa" para probarle su amor. Cinco años también después del atentado, el detective Estrada (Pedro Altamirano) se encarga de investigar la desaparición del cadáver del excandidato, sólo para perecer acribillado, a su vez, durante el forcejeo con la mascarilla mortuoria que lo igualaba con su ídolo sacrificado y tras averiguar que hubo un segundo tiro mortal que podría haber disparado la sofisticada viuda ambiciosa del difunto famoso Rumania Herzog (Yuriria del Valle). Y había una vez... el pobrediablesco arquitecto disidente Abel (Damián Alcázar) que era presionado por su esposa harta y al final abandona-

dora María (Lisa Owen) para aceptar la arribista encomienda de edificarle un mausoleo al ileso e intimidante dictador anciano perpetuado en el poder Pachito Rex, sólo para ser eliminado por bala anónima en la inauguración de su obra finalmente burlona y vejatoria.

Con producción del Imcine-CCC y guión destrozado hasta volverlo no guión de Flavio González Mello, la opera prima del docente argentino subdirector académico del CCC Fabián Hofman es una lerda ficción hipotética en regenerador si condicional (¿y qué tal si, y qué tal si, y qué tal si abaratamos al Resnais 1993 de Smoking/No Smoking?), un amasijo de tres historietas apenas esbozadas, un somnífero duro y seguro quizá provocador de probables daños narcolépticos irreparables, un seudoexperimental resultado de la primera etapa de cierta presunta investigación sobre atrasadísima tecnología de espacios virtuales, un "co-

Pachito Rex. Me voy, pero no del todo, 2001

mic digital" (según su propio realizador), un autocultivo yucateco a la porteña, un soponcio de mamonería garantizada por la mafia pampera rosa dominadoramente enquistada en el CCC (nunca tan patéticamente tercermundista) para seguir medrando con el presupuesto federal mexicano y con la perrada estudiantil haciéndola de staff gratuito como carne explotable (a la manera del *Moebius,* 1996, del profe Gustavo Mosquera de la Universidad del Cine de Buenos Aires que al menos se acreditaba como colectivo), una odiosa irritante costosa concentración-paralización-supresión de actividades creativas propiamente escolares durante más de interminables meses en todo un centro educativo fílmico mexicano para satisfacer egos pavorreales apantallacomplejados simuladores cretinos extranjeros, un producto hiperesquemático de antemano vacunado contra cualquier cuestionamiento porque toda vanguardia entra-

ña riesgos ché, un miniescándalo infrafílmico paraexpresivo incluso ante el nivel de la mediocrísima subTVnovelera primera muestra de prestrenos nacionales Guadalajara en México 2001.

El arquitecto socarrón lamesuelas malditoconformista envalentonado-sumiso como portavoz del sentido, abyecto encomio delirante al resentido servilismo mal premiado en interruptus, finales abruptos recurrentes monótonos que anulan el escaso interés de cada episodio, triple redefinición sumaria a lo Bernard Shaw del asesinato como forma extrema de la descortesía (con los asesinados/con las historias canceladas/con los consumidores incautos). Un engendro neoscurantista con disfraz de avanzada, un techno-freak de grandilocuencia importada torcida TVteatrera antifílmica estallada.

Colección de cromos subexpuestos o sobrexpuestos sin la imaginación deliranterrorífica horrorhammeriana de *Drácula, el príncipe de las tinieblas* (Fisher, 1965) que se filmó completa en un solo set, exteriores reducidos a casa de albóndigas chafas y al paso ante casona anunciada en renta, virajes electrónicos al b/n o sepia o azuloso o tintes monocromáticos, texturas fantasmales, espacios interiores virtuales cuyos fondos se sueñan computer animation de la TVserie infantil *Guerra de bestias*, apariencia hechiza a leguas sin la inverosimilitud desternillante de Supermán volando en su serial arcaico (Spencer-Carr 48), acabados ambientales inferiores a los de cualquier candorosa conjura siniestra de cualquier *Santo contra el cerebro diabólico* (Curiel, 1961), escenografías irrealistas sin gracia para impresionar prescindibles decoradores de interiores fílmicos pronto sin chamba, shots inconexos a los que no logra salvar ni la edición apretada sin película de donde cortar de Francisco Rivera Águila (notable sobre todo en la única secuencia en escenarios reales del atentado), desperdicio de ideas lindas como la de insertar epígrafes literarios sobre cierta franja de Pachito herido para arrancar cada episodio. Un henchido elogio a la virtualidad virtual, una tecnología virtual ya anticuada al servicio del vacío ficcional más indigente y sorprendentemente indigesto, una rudimentaria tecnología de punta pour épater les techniciens que se cree la más novedosa but of course desde *Ciudad en tinieblas* de Proyas (1997) o la *Matrix* de los hermanos Wachowski (1999), un despliegue de esfuerzos titánicos con opcionales pavoneos tan infructuosos como inútiles, un estropicio efectista que culmina en *Super agente 0013. Hermelinda Linda, 2* (Aldama, 1986) sin mayor encanto, una puñeta mental en imágenes-vómito.

Mientras Zárate se muestra en verdad carismático pese al filme y Alcázar caricaturiza su caricatura de *La ley de Herodes* (Estrada, 1999), el desastre monotemático divaga, sin redimir a este apresurado sucedáneo de la fiebre megalómana

y las geniales antiporfiristas vociferaciones brasileñas de *Tierra en trance* (Rocha, 1966). Dictador con discreto perverso bigotito mártir de la estrella apagada Luis Donaldo Colosio, viuda del magnicidio con exagerados atuendos de Madonna en *Evita* (Parker, 1996): tan vaga como cobardemente la ficción cínica se alimenta de carroña sígnica. "Por la renovación moral, la solución somos todos, vivan la solidaridad y el bienestar para tu familia, queremos relección": salvo este collage a base de lemas gubernamentales priístas (JLP/MMH /CSG/EZPL), con que el filme se despide cantando tan acariciante inaudible como banal e inofensivamente, ninguna referencia directa ni esencial se hace a ningún gobierno latinoamericano ni imaginario ni real (ni al de Menem, ni al de Bucaram) que puede ser todos y termina por ser ninguno polvo nada. *Pachito Rex* o la irreverencia castrada. Una entelequia pura y lata, una sátira política carente de peso y cualquier sustento realista o real, una denuncia de la demagogia en la máxima oquedad social y sin contacto con ninguna forma de vida cotidiana o simplemente articulada, una alusión burlesca anacrónica rancia e irrelevante al baladista roquerín-candidato gaucho Palito Ortega de los setenta (a años luz del feroz derechismo/antiderechismo gringo del *Bob Roberts* de Robbins, 1992), una película-mausoleo de drapi-caca (como la del relato) sepultada en sus propias pretensiones, un proyecto inicialmente concebido como CD-ROM interactivo que acaso hubiera tenido alguna gracia como tal, una inflada ilustración de la fábula filosófica tolstoiana según la cual ese Tiranosauro Rex estaba desnudo por partida quíntuple: formal ficcional expresiva dramática e ideológicamente.

La ingenuidad aventurera

Pirotecnias ficcionales de nitidez calcárea se entrecruzan en la extensión entera de *Serafín, la pe-*

lícula de René Cardona III (2001). Para salvar la vida de Panchito (Jorge Arizmendi) hospitalizado a consecuencia de un cerbatanazo lanzado a su cuello por la gárgola viviente Ojito enviada por el chiquidrácula madurito Lucio (Enrique Rocha) que codicia las alas del ángel de la guarda Serafín para lograr imponer su Reino de la Oscuridad y del Mal, la pandilla infantil de Pepe (Jordi Landeta) y sus tres cuates más la púber pegote Elisa (Sherlyn) convocan el auxilio del etéreo Serafín, engendrado en una lágrima para indicarles que deben buscar a su gemelo Fauno en el Bosque de la Ilusión, quien los enviará a la Cueva de la Discordia, al Lago de las Lágrimas y al mismísimo Castillo de Lucio, ayudados por el Tacho, el camioncito mutante, y sorteando las trampas sembradas por los compinches malignos: el ventrudo Roque (Miguel Gálvez) y el rucón Aníbal (Julio Vega), para recolectar las cuatro piezas de la Estrella mágica, juntarlas y consumar el milagro de que resucite al amiguito.

Basado en un reciente regio éxito del finmilenario fenómeno de las TVnovelas infantiles y adaptado por el propio realizador al lado de Manuel Fernández Buces y del veterano Xavier Robles (vieja garantía de incoherentes ocurrencias guionísticas de *Rojo amanecer* a la ignominia), el décimo quinto pero siempre primer largometraje del bueno para todo para nada multichafigenérico último heredero dinástico del extinto cine popular nacional René Cardona III (*Vacaciones de terror*, 1988; *El día de las sirvientas*, 1988; *Comando*

61 ∎

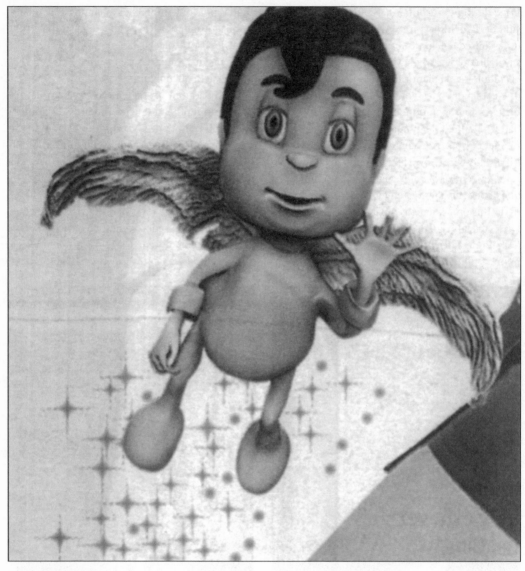

Serafín, la película, 2001

marino, 1990 aún prohibida; *Keiko en peligro,* 1990) es la primera película mexicana de animación por computadora en combinación con actores reales, un grandilocuente delirio por jugar aunque sea subdesarrolladamente en ligas mayores, un des-

templado esfuerzo de competencia antihegemónica estadunidense en pleno verano del magno cuento de hadas invertido (*Shrek* de Adamson-Jenson, 2001) y de la perfecta exploración neovernesiana (*Atlantis. El imperio perdido* de Trusdale-Wise, 2001) o la superdinámica boboperversa (*Mini espías* de Rodriguez, 2001), una reconversión póstuma de las series fílmicas de los Dead End Kids años treinta y los Bowery Boys años cuarenta cuyas versiones mexicanas aseguraron con cierta eficacia *Diablillos de arrabal* (Sequeyro, 1938) y *La palomilla al rescate* (Ortega, 1975), una película de imaginación y de fantasía heroica grupal incapaz de sostener ni la tensión de sus hallazgos ni el ritmo de sus encantos encantamientos e invenciones intermitentes y dispersos, un divertimento ya rara avis prefreudiano preperversidad polimorfa de los que aún creían en la inculcación temprana de los valores positivos (Bondad Armonía Esperanza y Valentía como puntas de la Estrella sobre las que apenas se insiste) y en la ingenuidad candor e inocencia aventureras.

Infantilismo muy mexicano y nacionalista angélico (sin las ridiculeces rurales seudoindígenas de *El caballito volador* de Joskowicz, 1982) pero cuyo imaginario feérico moderno-posmoderno deriva sin duda de siete décadas de disneyismo y sucedáneos, cultistas o no, aunque por fortuna jamás telenoveleros (incluso la presencia aplastante de los papás y las riñas entre pandillitas rivales de la TVserie original se redujeron al mínimo). Lo popular nacional deja de ser populachero para volverse pop. La ingenuidad de las aventuras en retazos y por retazos. Retazos del título pionero *Superman. The Movie* (Donner, 1978) convertido luego de mil repeticiones en *Serafín, la película.* Retazos de las simpáticas amigables/inamistosas gárgolas de piedra (alado Krako, robacorazones Ojito) de *El jorobado de Notre Dame* (Trusdale-Wise, 1997). Retazos de los objetos animados parlantes (Tinker, Sr. Baúl y ante todo el inefable infaltable omnipresente camioncito rescatista mutante/comandante Tacho) que arrancaron con la taza y el reloj confidentes de *La bella y la bestia* (Trusdale-Wise, 1991) y estallaron en la galería de juguetes pensantes idealistas solipsistas de *Toy Story, 1* y *2* (La-

Serafín, la película, 2001

sseter, 1995/1999). Retazos del club de Tobi en el baldío donde no se admiten mujeres de *La pequeña Lulú* en historietas jamás dignamente fílmicas (tema ultramisógino/antimisógino que se absolutizará en el monótono y previsible *Atlético San Pancho* de Gustavo Loza, 2001, filme gemelo de *Serafín, la película* aunque inferior a él). Retazos de la erotomanía de la Gatúbela de *Batman regresa* (Burton, 1992) y la Mystique adelantapubertades de *Hombres X* (Singer, 2000) en una mona punketa Flama toda látex (Nayeli Dainzu) supuestamente arrebatadora. Retazos de una viviente mansión maléfica, con calderos y súcubos emergiendo del fuego, a medio camino entre la morada de la bruja de *Blanca Nieves y los siete enanos* (Hand, 1937) y la cambiante residencia siniestra de *La maldición* (De Bont, 1999). Retazos de los territorios cósmico-maravillosos como inmortales campos de

batalla entre las fuerzas del Bien preservador y del Mal destroyer de *La historia sin fin* de Michael Ende libro y películas (Petersen, 1984/Miller, 1989/MacDonald, 1994). Retacería prestigiosa, probada/reprobada y reciclada hasta las heces. Por primera vez, por enésima vez.

Gag invención pura posdibujo animado del pintado a brochazos de un túnel hacia el mundo hechizado por donde atravesarán los niños pero se estrellarán los villanos que lo embarraron. Gag poético de las apariciones repentinas del Lago y el Castillo cual pantalla sobre la imagen dada en la pantalla. Gag en abismo de referencia fílmica a *Elisa antes del fin del mundo* de De la Riva (1997). Gags sonoros de una música de doble acción (horrores techno de Jorge Reyes y canciones de Litzy incluyendo el Himno de Serafín) que jamás convierten al filme en musical. Gags de seducción

Serafín, la película, 2001

colectiva cumpliendo a los chavos los deseos estereotípicos de sus apariencias físicas: una Flama al calenturientillo Tomás (Roberto Navarro), un tesoro al codicioso Cachito (Yurem Rojas), comida en abundancia al tragón obeso Edi (José Roberto Lozano), atuenditos de seximoda pueril Ted Kenton a la nínfula Elisa. Gag funesto pasajero del inmovilizador encierro de Serafincito en una burbuja (que era el objetivo buscado por la persecución a los niños). Gags de estricta asimilación clásica con efectos especiales como puntos supremos: encuentro con las florecillas y hongos parlanchines, Tacho metamorfoseándose en camión de bomberos para bombardear con su escalera de incendios, Flama estirando de súbito la lengua para tragarse al camioncito, Cachito redimiendo a los malosos teratológicos al ofrecerles parte de su oro, Lucio atrayendo con voz imitadora de Serafín y ese culminante duelo con pistolas de agua exterminadoras que apagan la Flama, descubren a los secuaces bajo los objetos parlantes, silencian a la fingida risa demoniaca y hacen arder el castillo. Gag metafísico del Tiempo de la Aventura como un No Tiempo para evitar el Memento. Gags que casi eliminan al sermoneo pudibundo y la moralina para niños estilo Televicine (tipo *La última batalla* de De la Riva, 1993). El secreto de la gracia y la eficacia para con el público infantil está en el Gag (algo que la metafísica futbolera del sermoneo pragmático de la reducación para el gane de *Atlético San Pancho* jamás entendería). Gags, gags, más gags, hasta canonizar a Serafín Finfín del Cielo y Confín.

Obediencia final fundamentada primigenia a una ecuación grandilocuente conceptual, tan atropellada esquemática rápida e instantánea como un reparto conclusivo de premios y castigos, según la cual, para la TV será la diversión efímera al ahi se va y el entretenimiento, y al cine le queda la elaboración calculada, destinándosele la magia.

Los regios nacomillonarios

Según *Inspiración* de Ángel Mario Huerta Cantú (2001), a quien menos la busca le llega la inspiración y modifica su vida para siempre. Deslumbrado por la apabullante hermosura de la supernoña niña bien Alejandra (Bárbara Mori) a la que ha atisbado en una disco fresísima, el improbable estudiante treintón de ingeniería en perpetuas vacaciones de alberca Gabriel (Arath de la Torre) sólo sueña con localizarla por todo Monterrey, le escribe facilones poemitas horrorosos en la soledad de su cuarto, se transforma en hazmerreír de sus relajientos amigos liderados por Rodri (Rodrigo Oviedo), busca maestro para musicalizar sus pendejadas y por azar vuelve a verla ante su perro a punto de ser atropellado, la sigue en taxi ocupado hasta su mansión, llama a su puerta, la invita a salir y le hace gracia aunque deban aguantar a una incallable Adri (Adriana Lavat) enjaretada por el galán al envidiamagias perdedor Rodri. Logra convertirse en amigo inseparable de la anhelada bella buenaonda, pero al declarársele con comprensible torpeza infinita en su Gran Marquis inexplicablemente será rechazado por ella y la plantará. Difícil le será recuperarla, madreándola por celos ciegos junto al enclenque amigo seudorrival José (Rudy García) en un boliche, penetrando en su casa disfrazado como repartidor de pizzas, irrumpiendo rosita en mano con mariachi desentonado en su fiesta de cumpleaños y sustituyendo por fin al nuevo cómplice José en la mesa para dos de un lujoso restaurante con góndola, hasta la reconciliación in extremis, por los signos de los simios, así sea.

Con guión propio sin esfuerzo ni duda y producción cien por cien regiomontana del productor también debutante Rogelio González Valderrama, el primer largometraje del lanzado ingenuazo de veintitrés años Ángel Mario Huerta Cantú es una comedia romanticona neoslapstick

y boba hasta la oligofrenia naïve casi desarmante que sólo aspiraba a ser cautivadora y divertida, una tierna y desesperante historia de amor loco de antemano domesticado, una jubilosa y conmovedora remembranza de la pesadilla de Sísifo en la conquista amorosa, un inflado sucedáneo de la moda actual de la TVnovela juvenil ("No mames, güey"), un pavoneo regionalista a lo bestia sin miedo ni sospecha del significado de la palabra pudor, una limitadísima chusquez de evasión en escenarios locales auténticos aunque en las antípodas del infernal tour noctámbulo de *En el paraíso no existe el dolor* (Saca, 1994) a golpe de top shots y rockbaladitas de Memo Méndez Guiú con Benny Ibarra sintiéndose con *Todo el poder* atronador (Sariñana, 1999), un monón mamón crowd

pleaser urbano con escondemonedas magia de mano y Grand Cherokee intercambiable por BMW e infalible rayo láser omniseductor mundiapantallador, una fábula sentida hablada bromeada en regiomontano (gusto por apuestas crueles con castigo inofensivo como obligar al cuate a salir con la "amiga arañada más lorenza" y bromitas pesadas como el falso asalto carro a carro por celular aterrorizante o los fingidos enojos histéricos), un pomposo lenguaje fílmico con cierta eficacia (anécdota bien contada, ritmo sostenido) consiguiendo que su producto fuera distribuido en México por la major estadunidense Fox al margen de las ineptitudes exhibidoras del prescindible Imcine foxista, una trepanadora operación antirrealista que ante todo elimina cualquier preocupación

Inspiración, 2001

social y fachendosamente se sitúa en un imaginario mundo de riqueza que puede remediar toda injusticia económica regalando una rosa blanca de José Martí a la ocasional esquinera maltiznada niñita *Vendedora de rosas* (Gaviria, 1998), un cuento de verano a lo pequeño Rohmer archisimplista, un ejercicio de psicoanálisis instantáneo e instantáneamente curable (el chico estaba enfermo de inmadurez incontrolable, la chica afectada por la muerte del padre vivida como abandono y pavor inconsciente a que sea repetible, chan chán).

Ridículo declarativo en el empleo de confesiones hacia cámara del héroe con gafas reflexivas que hacen arrancar la ficción y luego se vuelven su leit motiv. Ridículo infrahistriónico de la guaposa Bárbara Mori de unirrecurso arrugafrente

aún creyendo que por culpable cortesía eterna de TV Azteca y por esa linda cara ya todo su *Amor es querer con alevosía*. Ridículo sobreactuante de Arath de la Torre derrochando simpatía/sangronería de la buena deliberada y de la pésima consubstancial para compensar su patético miscast. Ridículo sentencioso de afirmaciones irresponsables que creen sonar bonito pero jamás corresponden al esquema muy apenitas que la ficción se conformará con desarrollar ("Cuando el hombre descubre el verdadero valor de una mujer, la odisea de la conquista dura para siempre" guau) y diálogos de retórica vivacidad ("Platícame de ti, qué haces, qué no haces, que deshaces"). Ridículo autoirrisorio de la verborrea peste Adri prodigándose y del machín puro Rodri conseguidor de "viejas"

Inspiración, 2001

para la casta prepasoliniana noche brava mientras el amigo de infancia José se enseñorea distante e hipotético. Ridículo nacomillonario descerebrado de sitios como el restaurante veneciano kitsch como máxima elegancia posible y plausible para regios. Ridículo de gags autoexcitados (batalla campal con cucharazos de puré a la cara en el restaurante Nirvana), gags saboteados por las exageradas actuaciones amateur de los comparsas (bolsazos de la señora del taxi ocupado, resbalones, caída del retratito, aparición de las gemelitas idénticas, sinrazón de la sirvienta besucona, huida ante la suegra con mascarilla nocturna a lo Cándido Pérez con música de Bizet) y gags melcochosos (profesor de conservatorio que sólo cree en la música del alma, obsequio del gigantesco oso de peluche blanco, unión en el canal artificial con agua a la cintura para el beso-chantaje del happy end). *Inspiración* o sin temor al ridículo de la grandilocuencia sentimentalista.

El tema central de la Inspiración se apoya en la patraña cazadora caballeresca provinciana en desuso del varón como conquistador unilateral de la mujer que contradice el supuesto antimachismo de la trama verbal de la reflexiva heroína vejada por la "compulsión machista" del galán madreador en el boliche. Dos tiempos narrativos se funden a la vez que se prolongan y anulan entre sí: el tiempo meloso del trovador chafa en presente remite al pasado su trova épica, el conjunto de flashbacks inolvidables, desde la felicidad familiarista de la esposita cargando su bebé con espectacular chupón de florezota, la dicha ñoña al fin conquistada y reconocida como Inspiración en el escenario y aplaudida de pie por el auditorio. Son viles pelusas umbilicales producto de hurgarse el ombligo buscando Inspiración con aspiraciones de récord Guinness de la contemplación ensimismada. Una reincidencia en la gratuidad de la Inspiración pese a que su abuelo se largó en pos de ella abandonando traumáticamente a su revolca-

dor comprensivo padre exigente (Álvaro Carcaño). Una oda al discurso autista-masturbatorio a la Inspiración con pretexto romántico. Un evocador ensayo sobre la Inspiración vital imprescindible para soñar y vivir, pasando de generación cilantroperejilera en degeneración macroplacera. Una vacuidad de la Inspiración tan henchida como poco inspirada para garantizar la buena salud y la continuidad del mundo convencional y negado a la autocrítica de la provincia mexicana.

La denuncia motorizada

Tal como lo asegura *Guerrero* de Benjamín Escamilla (2001), toda su existencia ha estado marcada por la machacona lucha anticaciquil. Ya de bebé, Félix cazaba y engullía simbólicos alacranes. De niño campesino, Félix guiaba la yunta, veía morir a su hermanita por falta de antialacránico refrigerado, llegaba tarde a la lejana escuela al aire libre y crece jalando un burro. De joven, Félix (Andy Valdez) rivaliza con un galancito de bicicleta por el favor de la pueblerina Mariana (Dacia Alcaraz), estudia porque descubre que "sólo con educación podemos ser libres" y participa en reprimidos movimientos de protesta universitaria. De profesionista liberal, Félix Salgado Macedonio (él mismo creyéndose estrella instantánea de un viejo cine popular ya inexistente) renuncia de sopetón a su primer empleo porque se niega a extorsionar a los pobres, funda su propia gestoría sin dejar de enamorar en los balcones pueblerinos a Mariana (la exfetiche del viejo género de cómico con nalguita, Lina Santos ya jamona) para casarse con ella y se lanza como diputado defensor de los derechos populares y como saboteado candidato a la gobernatura del estado de Guerrero, siempre enfrentándose al poderío del gobernador el Perro Chato (Jorge Reynoso), el cruel hijo del gobernador caciquil el Tigre (Manuel Ojeda), cual obvias traslaciones de los políticos

Guerrero, 2001

Guerrero, 2001

criminales priístas Rubén Figueroa padre e hijo, mientras el joven fotógrafo Eduardo (Víctor Carpinteiro) enamora a la casta sirvientita hija de abnegado denunciaserradorespriístas Flor (Andrea Torre) y registra en video la matanza de Aguas Blancas para mayor gloria de nuestro prócer denunciador Félix que al parecer la ocasionó involuntariamente con sus movilizaciones salvajes de campesinos en camiones de redilas. De figura legendaria, Félix ostenta cinturón y fetiches de heavy metal para montarse sobre su motocicleta calavera cual desafiante héroe de *Nacidos para perder* (Laughlin, 1967), con bienhechores gestos hipertrofiados e inasibles cortes de edición al estilo *Mad Max, el guerrero de la carretera* de Guerrero (Miller, 1979/1981), desde el prólogo hasta el epílogo de crepuscular alborada social.

Basado en un guión inspirado, suspirado, respirado, transpirado y expirado por el pirado senador perredista guerrerense Félix Salgado Macedonio soñándose Lolo el Trailero y contando con la complicidad de Gabriel Vergara Sosa y del propio realizador, el cuarto largometraje ultrabutidenunciador del exhistorietista hoy videohomero microescandaloso de caricatura Benjamín Escamilla Espinoza (*Lo negro del Negro*, codirección con Ángel Rodríguez Vázquez, 1984; *Casos de Alarma, 1/sida,* 1987; *Sucedió en Garibaldi,* 1995 aún inexhibible) es un autorretrato límite sin precedente en el cine nacional, un ego trip del pintoresco e inefable Salgado Macedonio ofreciendo su vida en espectáculo y ofrendándose a sí mismo en prenda primorosa, un desquiciado delirio de yoísmo nietzscheano antes de enloquecer (ecce homo guerrerensis: por qué soy tan honesto, por qué hago tan buenas obras, por qué me quiere tanto el pueblo, por qué me atacan tanto mis enemigos, por qué sólo quiero redimir de su mal estado a mi estado, por qué merezco tanto, por qué no me ven como el Bucharam del PRD, por qué soy un destino), una triste reducción al absurdo del más infatigable inflexible inviolable "fan de sí mismo" (diría Gabriel Zaid) con doctorado en sus buenas obras y una sola pasión/religión/misión: halagarse haciéndose querer de todos y de sí mismo por él mismo, un ejercicio de automitología cándida y emergente (incomparable hasta con *Raza* de Sáenz de Heredia, 1941, bajo libreto de tu mismísimo generalísimo asesino Francisco Franco, o con *Durazo, la verdadera historia* de Gilberto de Anda, 1988, consagrada al blanqueo canonizador del nuestro seudogeneralazo abusivo), un ejemplar

 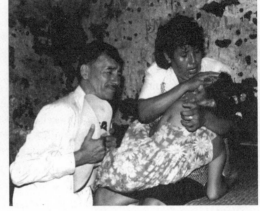

Guerrero, 2001

freak inédito pero gratuito de la colección par lui-même vuelto Por Luis Meme en el polo opuesto del amarillismo, una esquirla memoriosa del extinto cine de denuncia populachera de la iniciativa privada de los ochenta alguna vez prohibido por sus alusiones/recreaciones directas de la realidad tipo *Masacre en el río Tula* (Ismael Rodríguez hijo, 1986) y *Bancazo en Los Mochis* (Francisco Guerrero, 1989), una colección de estampitas patrias referidas al mismo tema y lema ("Como dijo Vicente Guerrero, la Patria es primero"), una monografía para álbum escolar que se equivocó de Benito Juárez el indito de Guelatao (¿o era de Las Querendas?) que llegó a presidente (si bien a años luz por debajo de la dramaturgia elemental de *El joven Juárez* de Gómez Muriel, 1954, o de la complejidad estática de *Aquellos caños* de Cazals, 1972), un desfiguro fílmicamente tan inepto como grandilocuente y redentorista, una jaladísima chusquez ínfima pero jamás infame.

Guerrero arremete contra la injusticia, la impunidad, la corrupción, la masacre, el fraude y la ley de hierro. Contra la Injusticia y la Impunidad de la guerra sucia institucional que realiza ejecuciones sumarias y ahorca ejidatarios uniformados con paliacate rojo, acribilla alumnas en las calles y quema vivo al disidente. Contra la corrupción que protagoniza el servilismo periodístico de Ladroncito (Roberto Ruy) y hace resbalar hasta al seducible abogado Justo (Joseba Iñaki). Contra la Masacre, contra el Fraude electoral volcado en costales con papeletas semiardidas en la Cámara de Diputados salinista de 1988 y contra la Ley de Hierro de los caciques ("Encerrar, desterrar o enterrar").

La estructura ausente pero ya precozmente desvencijada y divagante empieza focalizando al biografiado, se sigue con lo que sea, intercala lo que se le da su gana, se disemina en cien episodios distintos aunque ninguno verdadero, establece paralelos sin desarrollo (educación del heredero, romancito metido con calzador), permite la entrada franca de intrigas parásitas, se concentra en una historia colateral (el videofotógrafo y la sirvientita estudiando por fin en Iguala) y termina cada episodio abruptamente, suspendiéndolos sin conclusión, de manera arbitraria o verbal u oblicua y alusiva, siempre sin desviarse del rumbo señero hacia el atardecer con motocicleta y el letrero que reza "Esta historia continúa".

Un cine primitivo a rabiar, con narración a cuadros, tipo preBrighton en Neanderthal o historieta anterior a la invención del cine, que mezcla imágenes reales o reconstruidas (tan ambiguas como el papelón tras el secuestro y alcoholizamiento por policías en la Condesa) con escenas de vil ficción. Dispone en la misma escena longitudinal el robo de urnas por policías con metralleta y la protesta enérgica de la mami viuda, o banaliza involuntariamente la matanza de Aguas Blancas primero hiperfragmentando su dramatización artificial con rara diversidad de emplazamientos a modo de infrathriller y luego incluyendo el auténtico video denunciador difundido por los medios (incluso con fecha en el videocontador 28 de junio de 1995) a modo de su propio pálido anticlímax necrológico.

Escenas de acción abrupta sin direccional y violencia shocking de risa loca. "Una sucesión de anécdotas insustanciales que derivan en un discurso balbuceante y maniqueo donde Félix es el héroe impoluto mientras el Perro Chato es la encarnación misma de Satán" (Eduardo Alvarado en *Reforma*, 7 de octubre de 2001). Más que admiración, envidia o temor al dios motorizado reivindicador, se inspira pena ajena tanto hacia Félix como hacia sus enemigos. El político local como héroe, diría Adorno, o un Schwarzenegger *Terminator* (Cameron, 1984/1986) en motocicleta que corre en estampida loca por la costera de Acapulco, sorteando obstáculos y autojustificaciones, sin poder justificar ni el rearreglo de su propia nariz, pero prometiendo nuevas aventuras. Una oportunidad abortada de recuperar momentos perdidos y contradicciones extraviadas. Un cierto candor bienintencionado, simpático e insondablemente ineficaz e inútil.

El neobreviario de podredumbre

Soñando huirse a Veracruz con su novia la madre soltera Xóchitl (Maya Zapata) que le pone al cemento con sus cuates de las alcantarillas dejando a su bebé encargado con Amparo (Vanessa Bauche), el quinceañero niño de la calle medio cargador medio ayudatraficantes Rufino (Luis Fernando Peña en el papel de infraRoberto Sosa) vende al carnicero marchante Lencho (Jorge Zárate) la droga que le ha bajado a su sometida figura protectora la Seño (Cristina Michaus) y a su amante en turno el prepotente judicial narcorrupto el Ochoa (Mario Zaragoza) que mediante el terror controla el barrio y ahora ceba su emputamiento en perseguir al escurridizo hijastro postizo para resarcir el despojo. Pero a la urgente necesidad de huir del infeliz Rufino se ha superpuesto ahora, con mayor fuerza, la búsqueda de su verdadero padre, cuya pista le ha sido revelada por el lumpenprofeta loco Félix (Abel Woolrich) y alentada por el escupefuego filosófico el Globero (Alfonso Figueroa), por lo que aceptará participar en un fallido atraco tendero que organiza el tronado luchador de arenas al aire libre el Trueno (Roberto Ríos "Raki") de quien recibe soberana patiza, asistirá inmóvil a la incendiaria inmolación explosiva de éste en su carro abandonado-casa, pero debiendo cargar con la culpa, y descenderá a los infiernos teporochos del puente del metro Candelaria, donde será violado por su propio padre travesti el Chícharo (Luis Felipe Tovar sobreactuadísimo), mientras lo espera inútilmente en el columpio de un parque público Xóchitl, pronto también violada por el Ochoa.

La mayoría de los elementos significativos que disemina amorperrunamente *De la calle* de Gerardo Tort (2001) están ya en este resumen. Con producción terminal del Imcine zedillista y guión de la funcionaria oficial Marina Stavenhagen basado en la célebre valleinclanesca pieza homónima de Jesús González Dávila varias veces repuesta en su entubada puesta en escena primigenia de Julio Castillo (y ya sobriamente videofilmada como tal por Nicolás Echevarría en *De la calle*, 1989), el primer largometraje del ignoto poeta profesor de realización fílmica en la Universidad Iberoamericana Gerardo Tort es una saña violadora a la intemperie, una tautológica y acerba devastación anunciada de criaturas de antemano devastadas rumbo a la indesviable extinción devastadora, un fatigoso ejercicio con cámara acosadora embarrante de estridencias sin diapasón y colores herrumbrohediondos, un bombástico desfiguro apantallaextranjeros al gusto del más viejo cine truculento mexicano, una deambulación bárbara y desesperada ávida de extraer júbilo canino mordiéndose la cola, un desfile tremendista de personajes malactuados y sobremaquillados con tizne pero siempre sin carisma ni simpatía ni fibra ni vibra humanas pese a su ascedencia de pobres ismaelrodriguescos sólo mencionados por su apodo estereotípico (la Seño, el Chícharo, el Globero y demás Ceros), una falsa tragedia enfática postesperpéntica burda y obviota hasta lo obviómano y el guiñol, un escenario de forzadísimas coincidencias callejeras en decenas de cortas secuencias, una suma de crueldades gratuitas y previsibles.

Un falso panorama apocalíptico sociomoral urbano de fin de milenio, un asustado y esquemático corte sociológico transversal de las barriadas capitalinas, una exhibicionista mueca de interesada solidaridad metemiedo hacia los hipermadreados niños de la calle a nivel de anarcopunks

que sin ir más allá de *Ratas de la ciudad* (Trujillo, 1984) les saca plusvalía iconográfica meramente escenográfica o tipológica y vestimentaria (refugio en alcantarillas, inframundo de mujeres que tienden ropa ya seca, cadáver velado con veladoras a media calle, reiterado descenso a los infiernos en andrajos), un tratado sobre lumpenultras y nacolúmpenes que sólo existen para golpear y ser golpeados o a veces esquivar golpes, una correteada correlona tour turística de la miseria que hace alarde u ostentación de vanidad y jactancia en torno de ella.

Ni postexpresionistas-posrealistas *Escenas callejeras* (Vidor sobre Rice, 1931), ni toma imparcial del degenerado pulso o impulso de la calle, ni réquiem por las ilusiones deshechas de los jóvenes esperanzados, ni análisis de la desharrapada envilecida alma colectiva. En la descendencia de la abestiada abestiante *Crónica de un desayuno* (Cann, 2000) también inspirada en González Dávila, la fantasía psicoanalítica está cosida con hilo rojo sangre y sutileza de pavimento fatuo: obsesiva búsqueda humillada del padre, atrofia general de las máquinas deseantes de todos los héroes, el barrio como contrahecha terra infirma del inconsciente.

Alumbra, lumbre de alumbre, sobre la pobredumbre. La pobredumbre-ficción, la pobredumbre-espectáculo, la pobredumbre-objeto gran-

De la calle, 2001

De la calle, 2001

De la calle, 2001

dilocuente y la pobredumbre-lacra, haciéndose eco y reflejo de la hipocresía dominante del pensamiento de la derecha, según el cual denunciar en abstracto equivale a contribuir acabar con el cáncer de la pobreza y eso se considera un deber moral y estético, una obligación sociopolítica y sistemática en aras de la grandeza macroeconómica.

Con uñas arregladas en salón de belleza, casto recueste en el paso a desnivel, coito a besitos TVromanticones y tanáticos ensueños de activo en la azotea donde se aparece la Virgen Morena con resplandor de cartón corrugado (Dolores Heredia) sintiéndose en *La vendedora de rosas* (Gaviria, 1998), el lirismo fresa y las escenitas íntimas sacantesdeonda contrastan con la fiereza de la supuesta realidad brutal y muestra la verdadera índole del enfoque. Un lamentable haz de historias patéticas cual torrente de sentimentalismos, un tejido de puerilidades indigestas y momentos de ojetez gloriosa que interpretan actorcitas y actricitos sin espesor mezclados con genuinos niños de la calle. Hay algo de pretencioso y megalomaniaco en evocar problemas de pobreza ignorando hasta el dostievskiano *Lolo* de Athié (1992).

Sólo falta que el tumefacto Rufino mate de un vindicador navajazo en la yugular al temido policía patrullero y sea a su vez acuchillado por el traidor amigo el Cero (Armando Hernández) que se había quedado con el rollo de billetes malhabidos y peorescondidos en la alcantarilla de los chavos chemos. Sensato denunciador, alarmista bienpensante, justiciero ejemplar como el viejo cine jodidista (tipo *El Milusos, 1* y *2* de Rivera, 1981 /1983) que ha cedido su lugar a un cine podridista cuyo lema de ascendencia fascisto-ripsteiniana sería "Podrido eres y en podrido te convertirás". Y esta adaptación actualizada con cemento y mohicanos punk culmina en un discurso del regodeo chantajista donde los más recalcitrantemente malévolos acabarán recibiendo su castigo y los más inocentes la oscura muerte sacrificial del Jaibo en *Los olvidados* (Buñuel, 1950). Y este filme miserabilista vetusto y anticuado afirma un neorrealismo degenerado y vergonzante de ingenua eficacia que se cree desarmante. Cine de impudicia yuppie condolida con su propio morboseo indirecto en la marginación ("¿Qué pasó? ¿Encontró lo que buscaba?").

Las ciudades nauseadas

Primo tempo: La vulgaridad clasemediera

Escamotear en juego de manos por intercorte los calzones de algodón con telarañas sexuales de abuelita, o enarbolarlos desde el inmostrable piso del cubículo cerrado, he ahí el dilema de *El segundo aire* de Fernando Sariñana (2001). Durante un embotellamiento causado por activistas ecológicos del grupo-boletín Hoja Verde, el arquitecto exactivista de izquierda hoy anteojudo aspirante a cornudo Moisés (Jesús Ochoa gesticulante) demuestra con histérica furia el rencor envidioso que siente hacia los estudiantes que todavía persiguen ideales, mientras él desarrolla con su socio gordo motón pendejeable Héctor (Juan Carlos Vives) un proyecto habitacional en La Marquesa para el corrupto Lic. Santibáñez (Patricio Castillo) y en tanto su esposa cuarentona exfotógrafa ahora pobresora universitaria directora de tesis siempre guapisa Julia (Lisa Owen sobreactuando incluso con sus insondables ojos claros) flirtea con el alumno bombón ecológico militante pronto su pretendiente pretendejo Ricardo (Jorge Poza), con quien sostendrá un intenso aunque jamás asumido romance lleno de culpas y fajes remilgosos sobre el descalzonador sillón familiar y tras los descalzonados archiveros del cubículo académico, sólo para que, a raíz de un accidente provocado por el marido celoso y el joven baboso refugiándose en el domicilio conyugal por una corta inva-

sora ridícula temporada, el amasiato truene de manera sosamente natural y la pareja legítima se rencuentre al rencontrar por fin *Todo el poder* recalzonante del *Cilantro y perejil* (Montero, 1997) que le faltaba a su existencia.

Con producción cada vez menos exigente de Altavista y otro cursilazonzo guión seudoriginal de Ana Carolina Rivera, el tercer largometraje sin más pretensiones bombásticas del exproductor Fernando Sariñana (*Hasta morir*, 1994; *Todo el poder*, 1999) es un subeybaja de calzones reprimidos torpes intermitentes pero con alba pureza y sin mayor gracia, una comedieta supermamarracha con plastaligereza slapstick de las que nunca se le dieron al cine mexicano clásico de la antigua Asociación de Productores (como los subproductos del mediocre Alfredo Ripstein Jr.), una artificiosa inanidad anémica a dieta visual de enfáticos close-ups ad nauseam y música estancada que da cien vueltas subnormales al bolero de los cuarenta "Perharps, perharps, perharps", una colección de situaciones más que trilladas gastadas y diálogos efectivamente de asco ("A rosas huelen mis pedos"/"En la colonia no había teles y menos en las recámaras"/"A mi edad y circunstancia no puede gustarme"/"¿Dónde quedaron mi fuerza, mis ideales, mis sueños, mi romanticismo, mi vergüenza y mi honestidad?"/"Si no me vendo, se acabó"), un churro descomunal con actores-mueca casi humana y penoso clímax-mitin, un petardo mojado descaradamente comercial como en peores épocas de nuestro cine que incluso declinó participar en la archicomplaciente subcultural Guadalajara 01, una película-basura orgánica/inorgánica inseparable dizque cotorra condenada desde su título a sólo interesar de cuarentones para arriba, una impagable satisfacción para bodrionautas con insaciado apetito decenal (por fin como en los viejos buenos tiempos), una ruptura con la serie de víctimas anunciadas y consecutivas de la sobrepublicidad megalómana (léase fracasos llorones de las insignificantes películas privadas *Sin dejar huella* y *Demasiado amor*), una vulgaridad lerda pero apabullante como corresponde al arranque de una época foxista instalada en la negación de la realidad y del desastre neoliberal.

Un manifiesto y ensayo involuntario/voluntario sobre la vulgaridad clasemediera, la vulgaridad clasemediera enhiesta y puesta al día, la vulgaridad clasemediera por ella misma, la vulgaridad clasemediera después de la muerte del cine popular años ochenta y del cine clasemediero televiso/oficial años noventa, la vulgaridad clasemediera con un inflado Segundo Aire desinflándose, la vulgaridad clasemediera olvidada que parecía perdida para siempre, la vulgaridad clasemediera regresando por sus abyectos fueros, la vulgaridad clasemediera agachándose antes de tiempo en cualquier circunstancia, la vulgaridad clasemediera resurrecta rediviva y ya otra vez boqueante, la vulgaridad clasemediera en varias de sus principales vertientes aquí hoy.

Vulgaridad es la historia de cuernos, la comedia melodramática centrada en la infidelidad, el falso problema decimonónico de serle fiel a un hombre o a una mujer más allá de la concordia resistencia tolerancia de la pareja convencionalmente establecida rumbo a una versión derivativa tardía abaratante retrógrada acomplejada de *La amante de mi mujer* (Balasko, 1994) cuya originalidad surgía de ensayar y practicar todas las formas posibles del triángulo amoroso bisexual sin que ninguna se sostuviera.

Vulgaridad es la crítica encomiástica al conformismo reversible por desplante al cancelar el proyecto antiecológico en una junta o tirando rollo a los alumnitos en despoblado, el conformismo cuyo heroico pasado idealista se evoca con flashbacks deslavados y gracejadas del carademico don Moi sin bigote ni gafas pero con playerita del Che o de su doña Ju cuando chava más chavocha tomándole instantáneas a un jipismo digno del Jo-

sé Agustín de *Ya sé quién eres, vi tu película* (1970) incluso subversivamente por debajo de las disneyanas fantasías sesenteras de la animación *Llegó el recreo* (Scheetz, 2001), el conformismo reversible en torno a ese corrupto vejete ingenuo que sólo

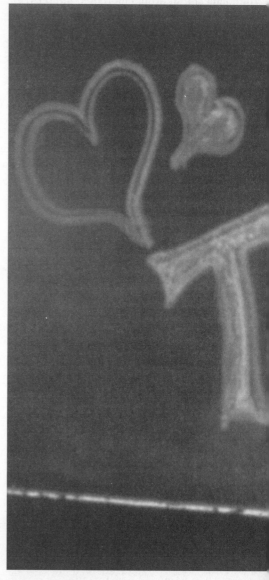

El segundo aire, 2001

quiere foto con la socia buenona, el conformismo resarcible luego de una sudorosa cascarita de básquet con el cuate, ese sofisma nada sofisticado camino a la moraleja conformista de una cinta conformista que cambia el conformismo laboral por el conyugal porque "si no nos hacemos ricos por lo menos nos hacemos rico", ese Segundo Aire de la señora caduca comprando ocultando calzones de lencería Madonna y confundiendo delatores rollos de película, ese Segundo Aire de la

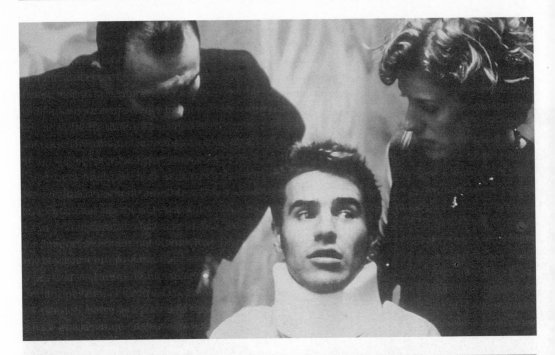

El segundo aire, 2001

El segundo aire, 2001

pareja disfuncional como todas pero milagrosamente recuperada después de la crisis aunque desde hace quince años ya no posea atractivo erótico mutuo.

Vulgaridad es la rivalidad generacional de hombres maduros contra homólogos jóvenes para quienes el nexo fuerte de la ternura se limita a pintas melosas en el pizarrón y arrobos ante fotofijas juveniles indefectiblemente parlantes.

Vulgaridad es el humor simplón con múltiples inoportunos anacronismos premodernos cuyos conflictos fundamentales (el triangular, el conformista, la rivalidad) serán sustituidos de repente por las subtramas que introducen estereotipos tan nuevos como la sexencaminadora hermana lanzada erotómana verbal Luisa (Fabiana Perzábal) a quien debe defender en su debut como bailarina de table dance el panzón Héctor erigido en Caballero de la Orden de la Virginidad y como la higa-

dita preadolescente internetómana con frenillos Ximena (Ximena Sariñana) repitiendo su numerito sabihondo de *Todo el poder* pero enamorada de a casto besito del novio carita de mamá.

No puede evitarse el sentimiento temeroso reticente remordido de que cualquier humanismo clasemediero que incluya a nuestros padres y vecinos está radicalmente equivocado. La vulgaridad como paisaje interior y exterior, filtrado a través de la visión y la vastedad grandilocuente de su representante sariñoña, en vista de que ni el naturalismo del XIX ni el cine mexicano del XX lograron agotar las posibilidades de la descripción topográfica de la bestia en el hombre. Y la pareja reconciliada se mete de la manita, sólo cogida... de la manita, al mingitorio del jardín público, allí adonde pertenecían ella y esa mentira que parecería Demasiado Amor si mínimamente funcionara.

Secondo tempo: La ciudad sin esperanza

Son flagrantemente contradictoros todos los personajes de *Ciudades oscuras* de Fernando Sariñana (2002). Flanqueada por su colega también soñadora madre en la trampa Lola (Dolores Heredia), la ajadísima puta *De la calle* Zezé (Zaide Silvia Gutiérrez) soporta con blandura cualquier humillación de judiciales, pero balea en los cojones al obeso boticario obsexo Juan (Ernesto Yáñez) creyendo que ultrajó a su hijita Susana (Ximena Ayala ya estereotipo de pelandrujilla violada sin *Perfume de violetas*). El extorsionador de la PGR Riquelme (Jesús Ochoa aún histérico por *Los maravillosos olores de la vida*) comete impunes tropelías tras homicidios siempre hipersensible ante la sangre por él derramada, mientras su esposa adúltera Rosario (Leticia Huijara) goza sus remordimientos por coger con el agachón subalterno policial Javo (Odiseo Bichir) y el atrabiliario pareja ojete Rubio (Alejandro Tomassi) atropella mortalmente a su propio hijo, según él "medio putito", cual fusilamiento insensato de *El prisionero 13* (De Fuentes, 1933). El adolescente sexoindeciso Fede (Diego Luna) sufre por las rompecoños exigencias machistas de su padre policía-boxeador pero, a punto de ser lúdicamente iniciado por una motita amiga lanzadona, prefiere violarla a lo salvaje para vengarse de sus presuntas burlas. El vagabundo de mal agüero Satanás (Bruno Bichir) recibe muy acicalado pero mentalmente desecho la visita en el hotel de su antigua novia Carmen (Ana Karina Guevara) deshecha tras ser violada hace quince años. El engolado barman Mario (Demián Bichir) se queja de incomunicación pero sólo finge oir a plañideros parroquianos del bar como el bambollero alcohólico gangoso Casimiro (Alonso Echánove) en eterno ofrecimiento de flores. El taciturno desempleado teporochito Pollo (Héctor Suárez envejeciendo sin arrogancia moralinosa de *El Milusos* porque ahora sí ya No Hay) despo-

trica contra el maldito encargado que lo despidió por platicador pero aún le ruega por teléfono y acaba suicidándose de tristeza con su hija cucha Julia (Eugenia Leñero). El aturdido marido drogadicto Vicente (Roberto Sosa) administra en el biberón una mortal sobredosis de pastillas a su bebé sólo para ser acribillado camino a entregarse y para que su esposa deshijada Maru (Lourdes Echevarría) se consuele haciéndose voyeurizar por el masoquista comandante seboso (Luis de Icaza) que se infarta por la eroemoción. Y la anciana Clara (Magda Vizcaíno) vive a lo Ionesco con el insepulto cadáver conyugal sólo para reclamarle su silencio. O séase, como en el viejo esperpento valleinclanesco, todos estos personajes marginales puro instinto están unidimensionalmente definidos por alguna manía o fobia o excentricidad, contradictoria con su naturaleza, irónica en virtud de un humor negro jaladísimo y mamila.

Con financiamiento de economía mixta Imcine-Altavista (ambos en quiebra) y reambientando en la nocturnidad del D.F. una docena de las cien *Crónicas del Madrid oscuro* del periodista español Juan Madrid adaptadas por el realizador en colaboración con Enrique Rentería, el opus 4 del ya pretenciosísimo cinicastra comercial Fernando Sariñana (poco después de *El segundo aire* e inmediatamente antes de *Amar te duele*) es un incesante pulular de náufragos totales en la máxima euforia aunque sin alegría, un desfile de tipos populares de *Nosotros los pobres* (Rodríguez, 1947) puestos al día en versión desagradable hasta lo putrefacto, una ultracomplaciente colección de abusos consentidos y abyecciones criminales donde quien no mata se hace matar o se suicida o ya está durmiendo el sueño sin fin muy acomodadito en su cama exánime, una demostración de que el esperpento español (así sea modernizado y urbano) viaja mal (y no sólo porque las putas sentimentales mexicanas deben parlotear de entrada como güilas despistadas madrileñas), una estruc-

Ciudades oscuras, 2002

tura tarantiniana sin carisma ni cohesión interna, una red de tiempos-rompecabezas demasiado abierta para poder atrapar la desgracia o la violencia al uso cotidiano, un inextricable enjambre de culpas que regresan y se endosan con tintes de *Amnesia* (Nolan, 2000) pretendiendo dar vueltas en gran sonata sobre sí mismas, una paranoica mirada circular a la Capital de la Perdición, una esencialista cine-meada humanística desde altura considerable contra la miseria moral citadina mexicana pero echándole porras porque existe a lo *México, México ra ra ra...* (Alatriste, 1975), una vuelta de tuerca a la sordidez exquisita de *Historias de ciudad. Lilí* (Lara, 1988) sin su arrobo ante los valores o disvalores fuertes aunque desviados, un simulacro de antivalores que se queda en simple mueca estridente y muda a la vez.

Fealdad extrema en Super 16 ampliada a 35 mm para mejor captar la mala vibra fotogénica, hediondas monocromías cambiando del amarillo anémico al verde vómito o al azul cochambroso, zooms súbitos, ostentoso grano reventado, imágenes desintegrándose a la vista, cámara en mano cual dedo barrenador de hímenes preadolescentes, puntuación en rojo, gota categórica como metáfora de las pulsiones de nuestros pequeños órganos asesinos. Un adefesio deliberado e involuntario por el mismo precio y desprecio, un tremendismo gratuito y abrupto con brutos en bruto, una tremebunda retacería nauseada, un bruto neotremendismo de seres brutales sin el motivo aparente que a nadie le importaría.

Tampoco nadie demanda justicia ni concede auténtica misericordia. Ni el chacoteo pintoresco de las putas entre ellas ni la complicidad descompuesta de los patrulleros con su pareja equivaldrán jamás a la solidaridad ni sus aproximaciones o sucedáneos. Ni las fotos de infantas-víctimas abrazando a sus verdugos vetarros servirán para nada. Todos los acontecimientos de la vida normal se han convertido en parapraxias o paraplexias, errores fundamentales surgidos desde deseos inconscientes pero más que al descubierto si bien todavía involuntariamente revelados.

El generoso rey de los pordioseros asesinos se hace quemar vivo ante un tugurio para redondear la atmósfera de fin del mundo que deberá estrellarse contra los protagonistas y así hacerse olvidar. Una loable y espejeante agresión contra el espectador normal. Una muestra de la anticomplacencia más autocomplaciente y complaciente con la mentalidad y la ideología dominantes en la crisis del foxismo a la que sin proponérselo representa sin duda. Una reconstrucción del ambiente obsesivo de la vida en el Centro Histórico del D.F. y el atascamiento de éste como paradig-

Ciudades oscuras, 2002

ma de gran urbe posmoderna y corruptora, dentro de la cual cualquier hombre común zozobra y se extravía, arrastrado por fuerzas ajenas a su entendimiento, aunque en las antípodas expresivas del *Berlin Alexaderplatz* de Fassbinder (1979-1980).

Ciudades oscuras, ciudades ocultas, de a cada quien la suya y la real objetiva en contra de todos. Grandilocuente ciudad sin esperanza (pese al demagógico lema perredista wishful thinking de "México: la ciudad de la esperanza"), hija putativa y mimética del neotremendismo gratuito de *Amores perros* (González Iñárritu, 2000) y de la teatralidad emética de *Crónica de un desayuno* (Cann, 2000) aunque más equilibrada que ellas en su desequilibrio, su furor plurinventivo de efectos y su boldly expressive violencia generalizada. En la ciudad sin esperanza priva y reina la necesidad de autocastigo. La necesidad de autocastigo abarca el filicidio con variaciones, el sometimiento rastrero, la convivencia con un difunto, el suicidio como solución existencial (mediante abertura del gas doméstico o con pistola salida de la nada) y espejismo de alcance en el más allá, la queja vana de incomunicación, la sublimación de la hitchcockiana transferencia de culpa y la súplica de encarcelamiento. La necesidad de autocastigo engloba todos los temas posibles por absurdos que parezcan y adopta todas las formas: sol negro sin melancolía, insaciable dios negativo, apoteosis autosuficiente y caricatura del ser parmenídeo. Una colosal necesidad/necedad de autocastigo circulando hacia un *Distinto amanecer* (Bracho, 1943) como alborada de putas con proyectos de huir any where out of the world aunque sea subsistiendo como putas.

Terzo tempo: El amor interracial

Residente en la exclusiva zona de Santa Fe asentada sobre los antiguos tiraderos metropolitanos y por ello viviendo en una supermansión rodeada por habitantes de ínfimas colonias populares que provocan la coexistencia de dos contrastantes ghettos pintorescos, la adolescente rica ricona loquita linda Renata (Martha Higareda) tiene como novio rubio de su clase social al arrogante golpeador loquito mierda Francisco (Alfonso Herrera) pero, a resultas de un ingenuo jugueteo sexy con sus amigas en el centro comercial, va prefiriendo la compañía afectuosa de beso robado inmediato del hijo de tiangueros loquito lindo dibujante de graffiti con aerosol Ulises (el exdelincuentillo con perrunos ojitos caídos Luis Fernando Peña de *Perfume de violetas*), a su vez asediado por la buenota nacona vil loquita mierda la China (Daniela Torres). En vista de los locos mierda prejuicios reinantes y la primero burlona luego activa hostilidad loca mierda de ambos estratos, tendrán que luchar por su amor loco lindo, provocar hospitalizables fricciones violentas, ser separados a la fuerza, pasar una sola noche juntos, hasta que la suprema dolorosa muera a tiros de madrugada, cuando deseaba huir en autobús foráneo con su homologado sufriente porque *Amar te duele* de Fernando Sariñana (2002).

Con guión de Carolina Rivera (esposa-colibretista alternativa del realizador desde *Todo el poder* y *El segundo aire*), el opus 5 del formalmente ambicioso Fernando Sariñana ya convertido por gracia de Altavista Films/Videovisa en relevo fresco del decrépito Rip antes único acaparador de películas anuales (o más luego de *Ciudades oscuras*) es una grandilocuente fetichización del centro comercial suntuoso como punto neurálgico de inevitables tensiones violentas hasta en atuendos/juegos/roces ("Pinches nacos"/"Naca tu puta madre"), un retrato psicosocial reducido a cierta bidimensionalidad en la que sólo existen los locos lindos (los dos protagonistas, quienes los ayuden o solapen: Solapar o no solapar, he ahí el dilema) y los locos mierda (el resto, incluyendo tanto a los padres barones de Santa Fe autoritariamente per-

Amar te duele, 2002

misivos como a los ignorantazos tiangueros de Ten Fe permisivamente autoritarios), una búsqueda autoral moviéndose otra vez del ultraconformismo a la hiperestridencia sin salir nunca de la hiperñoñez ultracomplaciente, un *Amor sin barreras* (Wise-Robbins, 1961) con esbozo acústico de pandillas rivales pero sin espacio basquetbolero común, un descarado drama lugarcomunescamente calcado a Romeo y Julieta, una facilona traslación alegórica de la lucha de clases exacerbada en esa área delictuosamente urbanizada por gobiernos priístas finiseculares siempre al viejo/nuevo modo populachero chilango (*Nosotros los lúmpenes ojéis* culpables de nuestra jodidez/*Ustedes los pentamillonarios roñosos* culpables de vuestro egoísmo dis-

criminador) cuyas bases ya estaban en *Ciudades oscuras* (ahora en versión rosa rosita), una perversa simbolización de las taras y límites de clase en el forzado alcoholismo precoz de la sangronaza hermanita Mariana (Ximena Sariñana) y en la "humildad" del hermanito mongoloide el Borrego (Alfonso Herrera), una dificultad juvenil vista por rucos que amontonan dieciocho rolas en off y cierta indiscreta promoción sensacionalista de papelitos con tacha en éxtasis perpetuo, una confusión de la excepción del chavo-artista y la regla ("En la regla encontrad el abuso": Brecht), una demostración blandengue de que para mostrar menores israelitas opulentos y menores palestinos en campamentos de refugiados no había que viajar hasta Medio Oriente a filmar el documental *Promesas* (Bolado *et al.*, 2001).

Pero el amor interclasista es también racial. Omnipresente, pocas veces había sido mostrado, exhibido, balconeado el racismo urbano con tal virulencia. No sólo se manifiesta en expresiones zahirientes de gran espontaneidad, predeterminando las frases más sabrosas del filme ("Ya ligaste aborigen"/"Que tal si apesta su boca a taco de suadero"/"¿Y qué? Es un pinche indio"/"Si te gusta el frijol"/"Estás muy ñero"), sino además configurando lo más memorable de su cháchara naturalista. Preside todas las relaciones humanas e inhumanas, afectivas y despectivas. Lo ejerce hasta el adusto e impersonal chofer, en un de repente respetuoso consejero metiche. Lo acepta la madre como algo dado per se ("Uno sabe con quién sí y con quién no"), aunque a veces consoladoramente sentenciosa ante lo irremediable ("Nadie dijo que el amor no duele"). Lo introyecta la China nacocelosa. Pero todo ha sido interiorizado para que jamás rebase los niveles de una exacerbación jocosa y una condena sentimental no del racismo sino de su psicopatía cachondeable.

El tiempo se ha hecho volátil mediante un hormigueo de imágenes sofisticadas a ras de repertorio posvideoclip. Imágenes programáticas-inaugurales del romance nacido tras los aparadores de las tiendas suntuarias. Imágenes combinatorias-espectaculares de b/n con color sin significado alguno por mero efectismo vistoso y gratuito. Imágenes desequilibradas-dionisiacas con cámara en mano de grano reventado e imágenes normales que alternan creyéndose montaje ideológico de *Y tu mamila también* (Cuarón, 2001). Imágenes interludio-montón shots como vehículo de baladitas metarock. Imágenes de la diecisieteñara parejita linda que desaparece y reaparece caminando por las calles. Imágenes llorosas-llovidas del chavo en la cabina telefónica a causa del absurdo flagrante de la chica que puede regalar de buenas a primeras una camisa lujosa pagando con tarjeta de crédito pero no comprarse un mugre teléfono celular. Imágenes metafóricas-crísticas de la cruz con neón bicolor sobre la iglesita del barrio, cual si hubiese presidido y ahora coronara la golpiza a nuestro mesías Jesusito autorredentor a quien han dejado como santo Cristo (pero nada madre tanto como los golpes del terco zoom). Imágenes reiterativas-trágicas que no contentas con mostrar la muerte femenina en brazos de su galancito tiene que culminar con éste llevándole florecitas a su tumba para no perderse la lenta grandeza del top shot desgarracorazones. El tiempo vuela para que el espacio se esfume y ninguna acción pueda tener densidad.

Amar te duele, 2002

La historieta animada en pantalla múltiple merece consideración aparte. De pronto la realidad toma forma de historieta, como las que codicia el amigo más próximo del héroe (o le retorna como máxima devolución de agravio) y éste lee en el puesto del padre y dibuja él mismo. Escape visceral, invitación al viaje estático y única utopía asequible y permitida, los comics representan el any where out of the world del poema en prosa de Baudelaire. Invención de una armónica realidad paralela en el planeta Efedra donde el tatuaje del guerrero cobra épico sentido igualitario. Huida cancelada, drama alegórico. Lo peor no será la muerte de la amada, sino la renuncia de antemano al planeta por venir ("Ya bájale de huevos, ¿no?").

El asesino era la suegra

La blancanieves cobalto el príncipe azul se encuentran al fin, aunque clandestinamente por supuesto, en el celestial cuartito celeste. Así, disculpando la imperdonable tautología, comienza *La habitación azul* de Walter Doehner (2002) en una inesperada e inverosímil Habitación Azul. En la habitación azul del fraterno Hotel de Mineral del Chico, estado de Hidalgo, donde hasta las sábanas, colchas, toallas, cortinas y gestos son azules, azules azules hasta la redundancia hierática, azules hasta el desnudo posado que atisba de nalguitas por la ventana a través de los visillos azules, azules en medio de la sobrevigilada rutina triste y del duplicador tedio pueblerino, azules del blue in the face como la mediocre intensidad del madrazo a mitad de la cogida que hará limpiarse una cachonda sangre del labio, para motivar azules situaciones forzadísimas y fabricados diálogos de enfática telenovela exageratodo ("¿Te dolió mucho? Se ve tremendo"/"Nunca me imaginé qué pasaría"), ocurren los semanarios encuentros sexuales del fabricante de maquinaria agrícola Toño (Juan Manuel Bernal) con la demasiado guapa tendera-pa-

La habitación azul, 2002

La habitación azul, 2002

nadera Andrea (Patricia Llaca), dos amigos de infancia y amantes adúlteros en la vida adulta luego de diez años de no verse, dos fieles de la infidelidad amateur, dos malcasados cada quien por su lado: ella más con la entrometida pero tiránica suegra sobretrabajada hasta lo agrio enteco Dorita (Margarita Sanz) que con el achacoso marido abrigadísimo Nicolás (Mario Iván Martínez), él con la españolilla Ana (Elena Anaya) que sólo funge como mamá babas de tiempo completo de la bodoquita Mariana (Amor Huerta). Pero no todo puede ser todo el tiempo azul sobre hojuelas, miel sobre orificios y eterno marido cornudo a punto de cachar a los responsables de sus cuernos. En el pueblo también han muerto tanto el infeliz Nico, por falta de oxígeno oportuno, como la esposita inofensiva Ana, presumiblemente envenenada con pan recién horneado, y la culpa, según la obvísima investigación en una buhardilla que conduce el comandante feroz pero buenaonda agradecida Maigret/Garduño (Damián Alcázar), recae sobre la parejita diabólica de la habitación azul y claves de cita con enormes sábanas en el barandal. Bastarán un nocturno interrogatorio agitando al sospechoso, doscientos flashbacks inútiles (que sólo abundan en lo que ya se sabía desde la primera escena) y una visita relámpago a la ladradora suegra amargada, para descubrir la identidad de esta sibilina histérica como resentida y codiciosa autora panera-panista del único asesinato comprobable del relato, rumbo a la terrible revelación final, apenas retorne la parejita infiel a la habitación azul del principio.

Con base en la novela homónima de Georges Simenon tan bella cuan célebre (tanto como su expropiadora superdiva hollywoodense Nicole Kidman) pero caducamente adaptada por Vicente Leñero, la opera prima fílmica del iniciador de la TVnovela política mexicana Walter Doehner (con esa antisalinista abominación TVaztequera *Nada personal* que acabó en *El amor de mi vida*) es una subculturalista engañifa colosal de Argos-Jornada, un patrañero relato-fraude absoluto que crea múltiples expectativas genéricas que nunca cumple ni remotamente, una churrera nueva trivialidad postindustrial y bajamente comercial, una imparable obviedad sobre otra obviedad aletargada, una dirección torpe y primaria al servicio de su propio espejismo narrativo, un pésimo guión septuagenario que rompe el récord de sólo incluir "ideas de libreto" y ni una sola "idea de realización" (según la sátira teórica del joven Chabrol), una vejestoria y penosa colección de escenas a ilustrar/malilustrar (el rencuentro en la tienda, la avería en la carretera, la explicación de la exhibicionista sábana blanca ya reproducida en cinco y uf) sin necesidad pero con abundante necedad dramática, una trama baldía que se vende desde el arranque para luego medio sostenerse jadeante arrastrándose y escamoteando no sólo la identidad meramente episódica de la asesina sino hasta el nombre mismo de la asesinada, un patético desfile de personajes caricaturescos (las profas prejuiciosas, los panaderitos sometidos, la afanadora resbalosa, la niñita imperdonablemente gritoneada con seis reiteraciones, el anónimo y el vidrio azul como personajes, el hermano hotelero miedoso José María Yazpik), una crónica de frustración amorosa vuelta adulterio intolerable que jamás quiere proferirse a cien voces como el de *La mujer de al lado* (Truffaut, 1981), una sofisticación relamida que pronto desemboca en preciosismo menesteroso, una cínica y estática telenovela indagatoria con inflado y perverso marketing de película vagamente azotadaza y declarativamente profundita ante la cual el intimidado que calla otorga y el que descalifica con sutileza o cómplices pinzas hipócritas publicita, un conjunto de jaladísimas motivaciones criminales (esa fortuna de 20 millones de pesos del difunto: y entonces por qué seguía escupiendo pedazos de pulmón en el pueblaco pudiendo hacerlo en la Montaña Mági-

La habitación azul, 2002

ca), un whodunit sin mayor enigma ni intriga ni suspenso cuya escasa sustancia humana se esfuma al adivinar que el asesino era la suegra, una inepta incursión en el mundo simenoniano de las corroídas almas torturadas (grisura/agobio/nudo de víboras/misterioso sumidero de felonías ocultas e inconfesables) cuya única criatura ortodoxa real vendría a ser el desahuciado marido violinista aunque bordee el guiñol, una pazguata declaración de odio costumbrista a la cerrazón moral de la provincia, un fracaso de cine policiaco en todos sus posibles niveles expresivos e inexpresivos.

Sin embargo, quiere *La habitación azul* ser reconocida ante todo como cine erótico. Pero éste existe apenas como aspiración y sólo porque representa the only game in town. Ni sensualidad ni atmósfera lúbrica. Ni se trata precisamente de una nueva versión de los amores pastoriles de Dafnis y Clítoris. Las fallidas escenas sexuales no valen en conjunto medio shot sudoroso de su cult movie modelo *Cuerpos ardientes* (Kasdan, 1981) y el enclaustramiento incidental para cumplir el "pacto pornográfico" no gestaría ni soñándolo el encule secreto de *Una relación íntima* (Fonteyne, 1999). Nada sorprendentes en la intimidad, con labios temblorosos y siempre encuerada aunque traiga suéter, las abochornadas redundancias estrelleras de Patricia Llaca se ofrecen al patético voyeurismo ramplón de la bonitera fotografía con mil filtros de Serguéi Saldívar Tanaka que lame y relame ese cuerpo como si buscara algo *más*, pero no va más, ya no hay nada más, siempre será su mismo culo mostrado con generosidad desde la primera escena (o tan profusa como ubicuamente en el dizque censurado cartel del filme), y su Punto G como castigo por mala actriz no aparece. Cuando mucho, una estética de poster, de omnipresente poster con nalguita infalible, a estas alturas. *La habitación azul*: un poster que tuvo su película y no una cinta que tenía su poster.

Y al final resulta que la falsa sumisa con mirada de perra con moquillo Andrea no había matado a su rival en amores legítimos pero sí, cual Loba de Bette Davis, le había siniestramente cerrado la válvula al marido en trance de asfixiarse. Como en las vetustas intrigas de nuestro ridículo cine psicología crimipasional de lujo de los 1940-1950 (desde el rollero seudocultísimo *Crepúsculo* de Bracho, 1944, hasta el desorbitado spotismo revueltiano *En la palma de tu mano* de Gavaldón, 1950), tiene *La habitación azul* un final sorpresa y tremebunda revelación que se huele a leguas. Y luego de la confesión de su amante recuperada, el viudo pasivo se da cuenta de que deberá lidiar el resto de sus días con esa viuda negra solapada y ya juzgada. El esquema triunfa azuloso, ancho y ajeno: el choque de dos cuerpos luchando también se desploma.

La crisis rucaila

Con una inconsolable pérdida inicia *La hija del caníbal* de Antonio Serrano (2002). Tras extraviar a su marido en el mingitorio del aeropuerto internacional y siendo acosada después tanto por la policía torpe/cómplice como por los secuestradores telefónicos hipotéticamente afiliados al grupo subversivo Orgullo Obrero que exigen la millonaria fortuna guardada sin ella saberlo en su propia caja de seguridad bancaria, la malcasada ficcionista infantil hija de un caníbal que resultará chafo Lucía (Cecilia Roth exchica-matrona Almodóvar ya con gesto eterno de "Yo vengo a ofrecer mi comezón" para prolongar el ridículo heleno-edipizante de las *Vidas privadas* del Fito Páez, 2001) se refugia en la amistad ocasional pero pronto poderosa del anciano exguerrillero antifranquista ya sin franquicia Félix (Carlos Álvarez-Novoa petrificado como el perfecto vecino samaritano asexuado de *Solas*) y del atrabancado estudiantillo de música de azotea Adrián (Kuno Becker prodigando dejos matadores de galancito televiso); en vano intentarán los tres entregar dos veces el dinero del rescate en un centro comercial y así luego se dirigirán a la frontera norte para averiguar los nexos del comando clandestino/delincuente y sólo hacia el final la mujer madura, ya amante del muchachito, logrará entrevistarse con su marido, el funcionario corrupto Ramón (José Elías Moreno), antes de perderlo de nuevo por una buena temporada.

Con hispano cofinanciamiento a nuestra desesperada dupla en quiebra Titán-Argos y basado en la novela homónima de la simpática articulista/cuentista de gracejo madrileño aunque novelista bestseller a la fuerza Rosa Montero, el muy diferido segundo largometraje del exTVdramaturgo de éxito Antonio Serrano (*Sexo, pudor y lágrimas*, 1998) es un fatigoso infrathriller fatigado que se dispara y dispersa en numerosos incidentes que nunca cobran relieve ni a cuenta vienen, un atropellado arranque impaciente por acelerarse y derrumbarse en el desierto de la trama en arenas movedizas a medio camino hacia el supererogatorio corrido fronterizo de a saltitos para tomarse la inolvidable foto del recuerdo porque alguna vez se soñó sombra rocambolesca de la subacción violenta, un borroneo psicológico repleto de ruborizantes citas citables (Jefferson/Sófocles/Eclesiastés/Deuteronomio/Confuciuf!) al que le hacen falta una poca de gracia y otra cosita (v. gr. alguna estrategia para convencer por encima de las sentencias apantallagüeyes y los discursos huecos), un marasmo de confusiones y digresiones de sainete truculento sin delirio, una anécdota que pica todas las vetas de moda por no poder concentrarse en ninguna, un itinerario humano aspirante a laberinto de personajes-shocking que oscilan entre el estereotipo inane (el panzón detective seudoprotector Javier Díaz Dueñas que ni cervecear logra en el restaurante del año nuevo para exhibir mejor su pendejez) y el acartonamiento que se cree sugestivo (el exradical germano Max Ker-

low vuelto provecto traficante de armas en silla de ruedas, el capo del coyotaje a lo *Pachito Rex* Jorge Zárate que hace a sus rorras pescar centenarios con la boca en la alberca), una megalómana pretensión de denuncia sin filo más bien por rutina TVaztecoide a la corrupción social/al secuestro protegido/a las organizaciones clandestinas/al abuso impune/a los fraudes estatales (al nivel de ese solemcínico subsecretario de la Segob de regia oficina Enrique Singer para poder entablar alianzas con la Ilegalidad), un gusto por los retorcidos tragediones tremebundos y gimientes cual esencia del cine español de hoy aunque pequeñas riñas y el cadáver sanguinolento de una perrita tras la puerta sin duda no bastan, un errático cálculo de marketing perfecto donde lo único que

La hija del caníbal, 2002

La hija del caníbal, 2002

fallan son el producto y los 6 millones de espectadores necesarios para que éste empiece a ser redituable en la mercachifle dictadura de los exhibidores/distribuidores tiburones de cara a un gobierno maniatado y sumisos productores en total desventaja.

Adaptación literaria muy apenitas del propio realizador, auxiliado por la libretista en serie Marcela Fuentes Beráin. Pésimos gags en la invasión del mingitorio para caballeros y en las persecuciones con pistola que no dispara, sistemáticos desenfoques inmotivados, autocorrección no pedida de la fábula mendaz. Sexo romanticón, grititos y lágrimas ya sin pudor. Sólo el ritmo de mugre programa de TV y cierto oficio en la dirección de enfáticos actores a la deriva salvan al relato de caer en los abismos de ineptitud de *Acosada* (Fernández Violante, 2001), pero no de su ineficacia dramática y formal, donde predomina una compulsiva necesidad anacrónica y baturra de explicarlo todo todo, a lo Amenábar/Díaz Yanes/ Villaronga-Zimmermann-Racine, incluso lo más arbitrario y jalado de los pelos narrativos. Hasta los ribetes del thriller soso, mediante falsa agrupación maoísta y desfalco a Hacienda sacado de la manga. Hasta la manía de citas literarias, mediante libro de frases célebres mostrado en el juvenil cuarto de azotea. Hasta el enamoramiento sin esperanzas del viejo esperando regresar a su añorado terruño. Hasta la mitomanía esporádica de la heroína con tres colores de cabello pero grandilocuentemente desmentida por su antipática voz off. Hasta el final con despedidas conmovedoras para dejar el espacio libre.

La *Crónica del desamor* se ha vuelto tediosa *Función Delta* para *Amantes y enemigos* por igual, puesto que "El amor es una mentira pero funciona" (Montero). Pero aquí no funcionan ni el amor ni la mentira. En amores, a Serrano lo único que le excita son los besitos furtivos ruca-chavo a lo *Mirada de mujer* y la cogida-pesadilla en la árida montaña con eructo de disolvencias eruptivas ("El cielo, si es que existe, debe ser un instante de sexo"). Y en la búsqueda mendaz, de mentira en mentira se llega a la mentira de rebote y al rebote de a mentiras. Todo lo que ves y verás mentira serás.

Una película de rucos telenoveleros con problemas ero-sentimental-onírico-mamilas de rucos telenoveleros (como el *Vivir mata* de Echevarría, 2001) y publicidad para rucos telenoveleros con corazoncito aún querendón ("Y a ti, ¿a qué te sabe tu vida?"/"¿Sabías que todavía te puedes comer al mundo?") pero que ya nunca van al cine en un ámbito de consumo dominado por ese público joven que se impresiona hasta con el naturalismo vacuo y las gratuidades posvideocliperas de *Amar te duele* (Sariñana, 2002) con tal de que incidan en su entorno. Un replanteamiento de la mujer en la crisis de sus cuarenta-cincuenta a modo de premenopáusica autorreflexión de antemano acotada ("Estoy perdida en la mitad de mi vida") y cancelada ("¿Cómo he llegado a esto?"). Una solidaridad con las mujeres que al parecer sólo puede proponerse en términos de abandono, ignominia, decadencia y desamparo. Por eso, aprovechando la racha emocional de *El segundo aire* (Sariñana, 2001) y protagonizando otro patético episodio del culto/autoculto tardío a los escritores ibéricos (al fin tocaya de la *Lucía y el sexo* de Medem, 2002), la heroína acabará superando sus cuentos pueriles con animales antropomórficos, para acometer por fin guau ¡su primera novela! con animales humanos, y recobrará con ese acto simbólico su libertad, el sentido de la vida, la soberana militancia del ego inflado, la consolación en la ruquez asumida, la dignidad autonómica de su apellido Romero (ya no más señora Santoscoy), el sublime masoquismo solitario en "la edad en que las mujeres comienzan a ser invisibles" (Montero), el valor de una sonrisa, y todo lo que se junte esta semana.

UN PUNTO
QUE MARCA...
EL FINAL
DE LA INOCENCIA !!!

PUNTO y APARTE

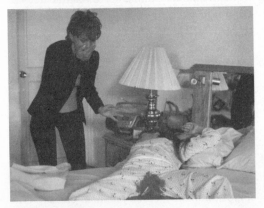

Punto y aparte, 2002

3. La grandilocuencia subproducto

□

*¡Pero muévale, son bueyes y lo que urge es
prisa!*

Ricardo Garibay, *Diálogos mexicanos*

Subproductos providenciales. Subproductos ínfimos a veces hechos con cierto oficio pero que aun así representan lo más inauténtico, chafa, conformista y deleznable de nuestra expresión fílmica durante el periodo abarcado. Subproductos enfáticos que son preferencias mínimas elevadas a curiosidad impotente y a perversión del gusto, de la voluntad y del deseo. Subproductos límite de sí mismos y de sus propias grandilocuentes pretensiones y convenciones. Subproductos del Fidecine foxista y quienes los preceden, anuncian, acompañan y circundan.

El subproducto antiabortero

Punto y aparte (2002), primer filme para cine del exactor secundario vuelto prolífico videohomero moralino Francisco del Toro (un antialcohólico *El Chupes*, 2000, además de *Drogadicto. De lengua me como un plato* y *Milenio, el principio del fin*), se basa en un libreto original escrito en colaboración con Verónica Maldonado y sigue los pasos ingenuos de la rubia chica popis Aline (Margarita Prats) que es seducida como trofeo por su novio machín moscamuerta Valentín (José Luis Rezéndez), tiene un embarazo no deseado porque (como decía tu abuelita) al primer tapón zurrapas, se hace practicar un aborto aséptico, se hunde en pavorosos sentimientos de culpa y sólo gracias a su por fin enamoramiento de un providencial galán respetuoso logrará recuperar tanto su dignidad como su pureza, todo ello en contrapunto con el destino paralelo de su semejante, su hermana en Cristo, la aventadaza púber pelandruja Miroslava (Evangelina Sosa) a quien se le hace fácil coger sin protección con su novio el madreador vago basquetbolero superchachista Sergio (Mauricio Islas), pero también resulta preñada, es botada a la calle tanto por el amante como por su familia, decide tener su bebé en un rapto de valentía, padece discriminaciones y despidos sin término en sus empleos como dependienta e incluso sufre el robo de su infante, hasta que, al borde de la desesperación, vuelve suplicante sus ojos al cielo, se le aparece un ángel de la guarda con forma de doña Cuquita (Lucila Gallart) y es convertida al cristianismo iluminado ("Sal de tu prisión de amargura y rencor") por una humilde señora agradecida que la adopta ("Dios está dispuesto a perdonarte") y la ampara del modo más desinteresado ("Inclina tu cabeza y cierra tus ojos"), para que la fortuna y la suerte de la linda madre soltera cambien benefactoramente, por arte de magia.

Subproducto de un rancio naturalismo didáctico, sucesor francamente medieval de nuestro cine franquista de adolescentes (esa recién abor-

tada Aída Araceli aún muriendo ante las muchachas inmaculadas que ofrecen flores en la iglesia de *Juventud desenfrenada* de Díaz Morales, 1956). Subproducto del más pesado superculebrón telenovelero, interminable, retacado de episodios redundantes, de risa loca, pero con ritmo superior, mejor ambientación barriobajera y diálogos integrando un precario discurso de prejuicios ancestrales-novísimos ("El hombre llega hasta donde la mujer lo permite"/"Si no te gusta, por atrás"/"Ya no me interesas"), y más atenta descripción bipolar de las familias mexicanas marcadas por la violencia y la miseria que *Amar te duele* (Sariñana, 2002) o que cualquier drama humanitario o sátira realista pretendidamente de izquierda panfletaria (esa sirvientita violada Yara Patricia aún metiéndose ganchos de ropa intentando abortar en contraste con la afelpada maternidad bien atendida de su exquisita patrona güerita Cristina Moreno en *Los pequeños privilegios* de Pastor, 1977) y remate con estadísticas apabullantes ("20 millones de abortos clandestinos al año").

Subproducto sin una sola ambigüedad, ni un suave estremecimiento intelectual, que incluso prescinde mañosa y deliberadamente de todo empleo o referencia alusiva al condón para consumar su afán demostrativo ("No se menciona por

Punto y aparte, 2002

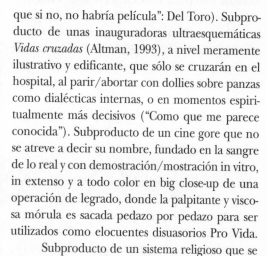

Punto y aparte, 2002

que si no, no habría película": Del Toro). Subproducto de unas inauguradoras ultraesquemáticas *Vidas cruzadas* (Altman, 1993), a nivel meramente ilustrativo y edificante, que sólo se cruzarán en el hospital, al parir/abortar con dollies sobre panzas como dialécticas internas, o en momentos espiritualmente más decisivos ("Como que me parece conocida"). Subproducto de un cine gore que no se atreve a decir su nombre, fundado en la sangre de lo real y con demostración/mostración in vitro, in extenso y a todo color en big close-up de una operación de legrado, donde la palpitante y viscosa mórula es sacada pedazo por pedazo para ser utilizados como elocuentes disuasorios Pro Vida.

Subproducto de un sistema religioso que se desmorona y por ello más que nunca a la defensiva insensata. Subproducto de un neofanatismo proliferante dentro del eje Abascal-Fox y, postsinarquista, sin mucho que ver con el viejo fanatismo de la derecha radical de los cuarenta mexicanos, ahora derivando de las sectas importadas de Estados Unidos que se hacen llamar inofensivamente "cristianas" y ostentando mentalidad de clínicas redentoristas para la desintoxicación de jóvenes drogadictos. Subproducto de un providencial *Pequeño tratado de las grandes virtudes* de Comte-Sponville leído al revés, o más bien sólo intuido y atropellado: la Temperancia como represión de los deseos sensuales y no como potencia libre y arte de gozar, la Valentía como dominio pecaminoso del sexo que ensucia trágicamente y no como riesgo aceptado y firmeza decisiva, la Generosidad como magnanimidad del corazón hueco lleno de basura y no como "Hacer el bien y mantenerse en la alegría" (Spinoza), la Compasión como obligatorio amor triste y no como sentimiento horizontal y oposición a la crueldad (empezando por el deber hacia uno mismo), la Gratitud como complacencia autómata y no como alegría de la memoria y de lo que fue, la Pureza como absoluto rapaz y no como dulzura del deseo y evidencia del misterio, y finalmente la Buena Fe como prueba mentirosa de la mentira y no como sinceridad transitiva y reflexiva. Subproducto de un antiabortero cuento de hadas tan abortado como abortivo ("Matar la bendición de Dios es rete feo").

El subproducto cínico

Asesino en serio (2002), primer largometraje del cortometrajista-animador tapatío ya cuarentón Antonio Urrutia (*De tripas corazón*, 1995; *Sin sostén*, 1998), se basa en la baratona novela homónima de Javier Valdés (adaptada por él mismo en compañía de Carlos Puig) y sigue los pasos del atrabiliario comandante policial Martínez el Marciano (Jesús Ochoa malafeitado antipático omnipresente), quien, para distraer sus tequileros problemas sexuales con la insatisfecha ninfoputona Yolanda (Ivonne Montero), se obsesiona por la serie de prostitutas asesinadas sin violencia, aparecidas con invariable gesto de placer infinito, y cuya indagatoria lo hará toparse repetidas veces con el cura vasco expulsado por la iglesia pero vuelto impostor chinchachoma erotómano Gorkisolo (Santiago Segura alias Torrente), en realidad el hirsuto padre Mamaro autor de los crímenes gozosos por haber heredado de un antropólogo suicida (Da-

niel Giménez Cacho fiel a su tiesa higadez hasta inhumado) el secreto de un prehispánico megaorgasmo letal, antes de morir también él al rodar por unas escaleras y de que nuestro antihéroe experto en maquillar homicidios utilice esa revelación ancestral para liquidar a la querida infiel y a su padrote encajuelable el Bonito (Eduardo España), dando por solucionado el caso y quedándose mejor con su quejumbrosa amiga ramera ya rucaila Delia (Gabriela Roel).

Subproducto de comedia-thriller con baboso whodunit sin suspenso e inverosímil asesino en serie/en serio para funcionar cual vil inoportuno intento de cotorreo/traslación/banalización/explicación machista-oportunista de las Muertas de Juárez (en las antípodas de *Señorita extraviada* de Lourdes Portillo, 1999, y del corto *Ni una más* de Alejandra Sánchez Orozco, 2001): no importa, sigan con el feminicidio, al fin que las están haciendo gozar como nadie nada nunca. Subproducto de aquella testeria colosal del enloquecido jefe policiaco hipercorrupto Jesús Ochoa (ya calvísimo y estereotipado) de *Los maravillosos olores de la vida* (Ruiz Ibáñez, 2000), aunque aquí la explosión corporal-estilística a la Kurosawa degenera en peninsolente visceralidad vomitiva a lo Guillermo Del Toro (quien funge como supervisor-garantía del "profesionalismo" del filme). Subproducto de la superficialidad desmadrosa de los polares exportables de Paco Ignacio Taibo II, con desfile de excéntricos pintorescos como el suegro legista motón Vivanco (Rafael Inclán) y el yerno diagnosticador mamonazo Sampedro (Diego Jáuregui), café de chinos, misoginia alevosa como patada en los ovarios, antro rojizo con infrashow de *Cabaret* (Fosse, 1972), travesti empinado instantáneo, interrogatorio-apachurrón de testículos con esta manota, escatología arqueológica y humor negro resobado cual mortal mezcla de cocaína más curare bombardeados por las narices del espectador.

Subproducto de un juego deliberado, hi-

Asesino en serio, 2002

perconsciente y concertante/desconcertado con los clichés del cine policial a nivel de historieta (ese arranque con una motivosa piruja anónima haciendo sonriente strip-tease hacia el gran angular de la malvada cámara bienhechora que la devastará sobándole estratégicamente las nalgas). Subproducto de una fantasía viril tan retorcida como sosocretina que se pretende absurdo urbano, metafísica del megaorgasmo y profética versión Prefeco del mítico Punto G mesoamericano.

Subproducto de una cabrona fábula cínica más que cinecómica sobre la curación mágica (o casi) del cornudo judicial villano que era ante todo eyaculador precoz incapaz de satisfacer a sus mujeres. Subproducto de una moraleja difusa en torno del frenético farolón infeliz que, para comunicarse realmente con los demás (para admirar por fin el nuevo pasito bailarín de su asesor médico) y hacer feliz a sus sexoservidoras ("Casi me matas"), debió asumirse como subproducto de

Asesino en serio, 2002

imposibles criaturas aún más detestables que él, como si eso fuera posible.

El subproducto claustrofóbico

Mónica y el profesor (2002), tardío debut como director del neogalán sexagenario desplazado televiso Héctor Bonilla (ya coproductor del pretencioso *Rojo amanecer*, 1989), adapta una obra teatral de Nacho Méndez y sigue los pasos de leona enjaulada de la millonaria de veinticinco años víctima de un secuestro Mónica (María Rebeca con entusiasmo de pena ajena), quien, en compañía forzosa de su fallido defensor ocasional ("Me entró un ataque de heroísmo") el vanidosocialista profesor universitario de sesenta años Vladimir (el propio Nachito), vegetarán durante un mes, acaso olvidados por sus raptores, en un sótano inmundo, aunque con modesto baño integral, croquetas para perro, morral prodigioso con libros zapatista-marxistas y abundante dotación de condones, para hacer más llevadera la estancia, abandonados a su verborrea y encerrados con un solo juguete (diría Marsé), hasta la llegada providencial de un despistado reparador de cortinas (Sergio Bonilla) y el rescate por la policía rodeada de Paty Chapoys, amén.

Subproducto de una morcillera subpieza con dramaturgia muy apenitas, que se reduce a la interacción evolutiva de solamente dos personajes, dos criaturas descubriéndose mutuamente y aprendiendo a respetarse y valorarse entre sí, sin la sobria excelencia de otras películas TVescénicas del mismo tipo (en tono coloquial desgarrado como *La lavandería* de Altman, 1994; en tono romántico a tientas *Lo que pasó fue...* de Noonan, 1993), pero en torno al diván comodín de la marsupial *Crónica de un desayuno* (Cann, 2000) y añorando la calamitosa ruptura amorosa en week-end perpetuo de *Yo no lo sé de cierto, lo supongo* (Cann, 1982). Subproducto terriblemente anacrónico que se cree

devastadora crítica-regodeo al acelere izquierdista años setenta (tipo relación torturador-torturado *Pedro y el capitán* del uruguayo García Gutiérrez sobre Mario Benedetti, 1983), al tiempo que una agriada *Sucedió una noche* (Capra, 1934) del sexo liberado-deshipocritizado, escrita of all people por el infraTVsonsonetero Méndez y escenificada hace poco sólo para mayor gloria de su autodesprestigio ególatra. Subproducto de un lenguaje residual televisivo, con pavorosas sobreactuaciones y errores técnicos elementales, dispareja iluminación brillosa, fotografía amateur, sonido deficiente e incapaz de armar una secuencia exterior, pero con flashazos-recuerdos y pantalla dividida en dos o tres para las escenas de acción que enmarcan al relato. Subproducto de una intelectualidad pobrediablesca de mezclilla mental. Subproducto de un humor basto que debe recurrir a una serie de apariciones TVperiodísticas del payaso Brozo en su programa *El Mañanero*, apoyarse en la morcilla y un gritoneo a celebrantes sordomudos en el exterior, masturbarse para pegar con semen un recado en cierta paloma mensajera y transmitir en clave morse para demostrar conocimientos de la Facultad de Ciencias.

Subproducto de una estereotipia sexual primero rejega pero pronto vuelta *Mamónica y el cogedor* donde la seducción deberá discutir de entrada diez puntos de impedimentos al acostón amistoso propuesto primariamente por el profe (racismo, clase social, discriminación por edad, gusto) y luego, tras diecinueve días de encierro, ella solita se le eche encima al verlo jodido por aventarse contra la puerta, copulen alegremente hasta proferir absurdidades ("Quiero un hijo tuyo") y acaben organizando una cena-celebración Big Brother del Último Condón. Subproducto de un cervantino intercambio de personalidades donde el Quijote se sanchopanziza y la Sancho Panza se quijotiza, o más bien el rollero se pirruriza y la pirrurris se rolleriza, para soñar juntos en cons-

Mónica y el profesor, 2002

truir la Utopía de un mundo sin pobres. Subproducto de una interminable argumentación teológica con irónica polémica circular sobre la existencia de Dios ("Dios mediante"), con rezo en inglés, confesión católica de culpas, descubrimiento burlón (de las torpezas) del Otro (el Diablo en coitocircuito permanente, Dios siempre en la lela papando moscas) y advenimiento final del ángel salvador del encierro redundantemente llamado Ángel. Subproducto de una connato de farsa woodyallenesca o fábula autoconsciente modelo años sesenta que se apresura sarcástica a copular in extremis para lograr deliberadamente "un final de película".

El subproducto alivianado

Sin ton ni Sonia (2002), primer largometraje del también cinepublicista egresado del CCC Carlos Sama, se basa en un guión suyo desarrollado con Luis Felipe Fabre y finge concentrarse en las patéticas tribulaciones peripatéticas del prominente infeliz director de TVdoblaje especialista en series B y noticieros estadunidenses Orlando (Juan Manuel Bernal), aparejado con la insufrible güera new age Sonia (Mariana Gajá) y descubriendo el inconsumable amor loco al rencontrarse con un ligue interruptus del pasado, la insatisfecha exactriz René (Cecilia Suárez), también en crisis de pareja y refugiada en un cuarto de hotel, hasta donde acudirá para recuperarla su amante bello indiferente, el diseñador de páginas web Mauricio (José María Yazpik), pero, en una segunda incursión hotelera, ronda también por allí mismo, perseguida por una banda de policías internacionales, la peligrosa enfermera castigadora de parejas desavenidas y asesina serialátexano-narvartense Mamá Rosa (Tara Parra), quien no tardará en tomar como rehén a la erodispuesta chica linda durante el ajuste de cuentas final, mientras la malcasada etérea encuentra la posibilidad de comunicación al nivel místico deseado con el telépata ayudante de los detectives Ariel (Donald Cortés sensacional) y nuestro despistadísimo antihéroe intenta convertirse al hinduismo en un centro holístico sólo para volverse inofensivo y quedarse literalmente como el amorperro de las dos tortas.

Subproducto de película multigenérica cínicamente sin ton ni son, con atropellante tono indefinido y atropellada Sonia inexistente. Subproducto de un conjunto maniático de tramas disparadas y sumarias. Subproducto azaroso de una ronda de encuentros casuales e historias entrelazadas de manera tan arbitraria como complicada, con nefasta asesoría auxiliadora del guionista Guillermo Arriaga (el de *Amores perros* de González Iñárritu, 2000). Subproducto de un estereotípico repertorio de neuróticos sicasténicos y maniáticos sin mayor ingenio ni densidad más allá de su grandilocuente caricatura: la cretina macrobiótico-budista que deseando quitar todo lo tóxico le quita el sabor a la vida (sobre todo a la de los demás), el cibernauta antisocial casi autista, la insatisfecha añorante de su autoestima y el dictadorcete de cabina de grabación, todos rodeados por excéntricos punto más que mirones.

Subproducto pretendidamente delirante y abierto hasta lo congestionado donde se supone que todo puede suceder. Subproducto de una aberración pretendidamente alivianada/neoaliviana-

da que deseaba echar un irónico vistazo nostálgico al México de los años setenta, recreando su espíritu popular ("Se llama René como la rana"), y sólo consigue evocar enumerativamente algunas de sus más olvidables inolvidables series B televisivas (*Ultramán* y demás). Subproducto una vivisección del mediocre pero temperamental mundo del doblaje, reducido a una cabina de órdenes jerárquicas, caprichos, desahogos sentimentales, catarsis e inclemente invasión de la vida privada, ligues, apapachos de neurosis y fulminantes despidos colectivos. Subproducto de un drama de búsqueda amorosa más bien desesperada que se reduce al problema de la elección de la pareja equivocada. Subproducto de un melodrama lamentoso y plañidero sobre la soledad al interior de las actuales parejas de clase media post*Sexo, pudor y lágrimas* (Serrano, 1998) en la ciudad de México. Subproducto de una comedia romántica juvenil que se propone reciclar un cuarto de siglo después los neochurros escritos por la onda precozmente senil de José Agustín para solazar los viejos acartonamientos baturros de Carlos Velo (*Cinco de chocolate y una de fresa*, 1968; *Alguien nos quiere matar*, 1969).

Subproducto del infrathriller rebotadísimo, híbrido y autocomplaciente, a nivel blockbuster clasemediero con aspiraciones de Tarantino-Tykwer-De la Iglesia instantáneos, que se confunden con los enfáticos doblajes engolados, la voz off ultraexplicativa y el TVhomenaje explícito al inefable gallego cubano Juan Orol (*Gángsters contra charros*, 1947) en el clímax agitado. Subproducto de una farsa supuestamente hilarante en torno de la benefactora anciana desquiciada vuelta asesina serial con secuaces espiando en máquinas de fotos y la ametralladora más improbable del cine mundial, inquilina omnipresente en los TVreportajes con traducción o a imitación de la nota roja yanqui y realizando a voluntad ritos satánicos y descuartizamientos en vivo para el trasplante de ór-

ganos destinados a redimir al universo postamor-
perruno sin salir de los compartimentos secretos
del restaurante chino o de los sótanos del viejo
hotel Bamer en la avenida Juárez. Subproducto
de una disparatada persecución detectivesca a
base de ineptos policías burlescos cual teratológicos asaltantes de cualquier *Pandilla de fracasados*
(Russo y Russo, 2002), con superdotado adivino
al rape de cuyas visiones mentales (bien visualiza-
das-digitalizadas entre brumas cerebrales) los demás dependen, atrabancado inspector del FBI filosofando necedades en inglés (Byron Thames) y
ascendente chaparromental comandante autóc-
tono (Silverio Palacios) con gigantesca metralleta
en el ascensor cual sustituto perjudicial del fálico
órgano pensante del que todos ellos carecen.

Subproducto de una película ambiciosamente dispersa donde cabe todo y cualquier cosa, menos alguna idea inteligente. Subproducto de una
sátira feroz y coruscante en torno a los grupos de
meditación, la macrobiótica y la esoteria, al mismo
nivel que la capacidad telepática comunicando de
un teléfono-cabeza a otro, aunque con líneas ocu-
padas, cruzadas o bloqueadas. Subproducto una
sofisticada comedia screwball, con acostón reteni-
da para ir primero a consultar la opinión de los
amigos a medianoche y acuario metafórico de peces humanos agonizando fuera del agua o asfixia-

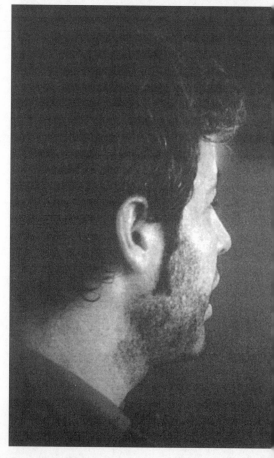

Sin ton ni Sonia, 2002

dos por los interludios ilustrados con cancioncillas de Benny Ibarra. Subproducto de una sexicomedia silicona del Caballo Rojas con nombre de calambur para el restaurante chino (Ku-long), resobados nacochistes verbales sin gag ni chispa ("Léeme la mente: chin-ga-tu-ma-dre"), héroes desvirilizados, acuario hirviente, gratuitas monedas de I Ching, dominatrix abordada en una barra de bar, despertar expuesto al látigo sadomasoquista, cogida frenética en acelerado y comparsas entrometidas a la menor provocación (la dictaminadora cajera del supermercado, los chismosos empleados gays del hotel, la regenteadora china del restaurante).

Subproducto de un establo de actores noveles esforzados en vano por levantar personajes en la lona anímica permanente e irrecuperable: la Cecilia Suárez de *Todo el poder* (Sariñana, 1999) como nuestra flaquita encantadora sucedánea de Audrey Hepburn otra vez desperdiciada como posmoderna chamacona desparpajada (por más que su personaje secundario supuestamente creció por encima del protagónico), el Juan Manuel Bernal de *La habitación azul* (Doehner, 2001) siempre desdibujadísimo y sin ligereza como estereotipo del puchero eterno con ojiazul mirada perruna, la debutante Mariana Gajá como rubita insignificante, el sobajado José María Yazpik sólo alcanza a mover las fibras de su masoquismo irredento y la legendaria Tara Parra resurrecta en *Una de dos* (Sisniega, 2001) devuelta al ostracismo.

Subproducto de subproductos, aunque cualquiera que quiera de ellos bien desarrollado hubiese bastado para estructurar una comedia ligera, alocada y simpática: autosuficiente. Subproducto del primer fraude cultural del Fidecine (Fondo de Inversión y Estímulos al Cine) con dinero cedido por el zedillato pero muy tardíamente ejercido. Subproducto de un involuntario ensayo verosímil/inverosímil sobre la miseria sexual y relacional de los treintones mexicanos en el arranque del siglo XXI. Subproducto que se conforma y alboroza con ser un subproducto indigesto y una suma de aberraciones sin ton ni gracia. Subproducto caótico sin la digna grandeza del Caos.

El subproducto intercambiario

Dame tu cuerpo (2002), el filme 16 del preveterano Rafael Montero (luego del morigerado éxito de sus *Corazones rotos*, 2000), se basa en un argumento de Giorgio Avataneo y del actor Pedro Álvarez adaptado por el socorrido Enrique Rentería (*Todo el poder*, 1999; *Amar te duele*, 2002) y sigue los anómalos pasos paralelos pero convergentes a regañadientes de la guapa hija de familia diseñadora de modas Jacqueline (Luz María Zetina a veces deliciosamente naïve) y el vulgarzazo perpetuoadolescente entrenador de futbol americano Alex (Rafael Sánchez Navarro ya con arrugas aunque todavía precozmente desprovisto de gracejo grácil), quienes han descubierto cierta mañana que sus cuerpos están intercambiados, por extraña e incógnita coincidencia astral, siendo él un ladilloso amigo inseparable y ella la delicada prometida fuchi, respectivamente, del alto ejecutivo de publicidad Germán (Pedro Álvarez Tostado), tan entusiasta de sus próximas nupcias que había llegado a formular en voz alta su deseo de

que ésos sus mayores afectos congeniaran; pero, también ahora, poco importan las dificultades y los trastornos causados por la horrible situación insostenible aunque omniaceptada, tanto el show de la boda como una lujosa exhibición de modas y el crucial partido deportivo deben seguir, y siguen, y en Puerto Vallarta, para que otra astral coincidencia, ahora a la inversa, se produzca en la playa y todo retorne a la normalidad.

Subproducto de un enésimo engendro del subgénero comedias sobre intercambio de cuerpos al despertar que el gran Minnelli sorpresivamente inició como *Un amor de otro mundo* (1964) y ya culmina en *Este cuerpo no es mío* (del debutante TVguionista Tom Brady con el sangronazo Rob Schneider, 2002), una cinta menor con trama sospechosamente idéntica a la de nuestro filme aunque estrenada en México casi al unísono.

Subproducto pretextual de un subproducto de esa moron comedy con premeditada tontería slapstick, humor sexual deliberadamente grueso y acentuada onda escatológica como fin-en-sí que pusieron devastadoramente de moda por todo el mundo los hermanos Bobby y Peter Farrelly (de *Loco por Mary*, 1998, al *Amor ciego*, 2001), donde el nuevo cuerpazo del varón vuelto mujer debe luchar por acomodarse en la taza del mingitorio para orinar, debe pasársela reprimiendo las ganas de manosear a las modelos semidesnudas que se alistan para el desfile de modas (cual neoMauricio Garcés o subGenio Zayas), debe agarrarle sin pudor el pene a su verdadero cuerpo supuestamente para comprobar el estado de su excitación en un pasillo o debe salir gritando del baño de su depto para que lo lleven al hospital porque se está desangrando ("Ay amiga, es tu regla, no seas exagerada"), y en compensación el nuevo cuerpecito de la mujer vuelta varón debe soltar en toda ocasión palabrotas bienaceptadas por la inmoralidad cristiana establecida ("No mames, güey"), debe animar a gritos virilistas al equipo de bestias como indispensable condición para un entrenamiento eficaz, debe resistir la ingestión de numerosas copas de licor en las numerosas recepciones y debe soportar erecciones súbitas en circunstancias y sitios inopinados, todo ello bendito por la ambigua omnipresencia bisexual del novio plasta que en buena medida sólo puede relacionarse a través de su amigote "inútil".

Subproducto de una comedia neoburlesca con apoyo en situaciones cómicas lugarcomunescas mediocremente planteadas, mal desarrolladas y peor resueltas, si bien jamás llevadas hasta sus últimas consecuencias y dinámicas intrínsecas, por-

que siempre necesitan la mirada testigo de las convencionales criaturas ultraconservadoras y normales como los infartados suegros popofones (Margarita Isabel, Patricio Castillo), o de la suculenta cuñadita en negligé Rosa María Vázquez hoy posfeminista cómplice entre chavas Grace (Verónica Segura), o del machazo asistente de entrenador Tieto (Daniel Martínez), o de la guapachosa madrina cubana (Amalia Aguilar), o incluso de un filosófico líder de vagabundos caricaturizados con gorritos de Peter Pan (Roberto Cobo) y hasta de algún jugador de futbol soccer con fama efímera sacado de la manga (Jorge Campos pateando el

Dame tu cuerpo, 2002

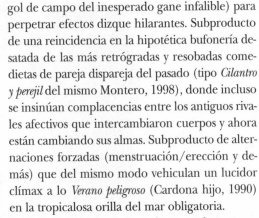

gol de campo del inesperado gane infalible) para perpetrar efectos dizque hilarantes. Subproducto de una reincidencia en la hipotética bufonería desatada de las más retrógradas y resobadas comedietas de pareja dispareja del pasado (tipo *Cilantro y perejil* del mismo Montero, 1998), donde incluso se insinúan complacencias entre los antiguos rivales afectivos que intercambiaron cuerpos y ahora están cambiando sus almas. Subproducto de alternaciones forzadas (menstruación/erección y demás) que del mismo modo vehiculan un lucidor clímax a lo *Verano peligroso* (Cardona hijo, 1990) en la tropicalosa orilla del mar obligatoria.

Subproducto de mundos cerrados supuestamente el colmo de la sofisticación moderna en pleno siglo XXI ya acomplejado: pasarelas de modas/juntas importantísimas para campañas de publicidad/feroces entrenamientos de futbol americano rompehuesos/despedidas de soltero con presencia de chamán brasilero chafa y regalo de rorra transferible/encuerable por cualquiera. Subproducto de una sátira al día de los roles sexuales de la clase media acomodada en la ciudad de México, cual quintaesencia de lo mexicano 2000, si bien limitados a una ronda bufona de los signos externos de la virilidad (provocadores des-

Dame tu cuerpo, 2002

plantes machines a la menor provocación y además perpetuo de agarrarse los testículos para comprobar que se tienen muy bien puestos) y de la feminidad (voz exageradamente aflautada y gestual amariconado) que más bien vehiculan una enésima burla a los retrógrados estereotipos eternos de la jotería reprobada y el exitoso lesbianismo hombruno que a los nuevos aunque inalterables desempeños del gender en sí. Subproducto de un cine de petit auteur en ciernes que reduce ad absurdum uno de los discursos urbanos más consistentes que ha conocido el cine nacional reciente: el discurso chilango/antichilango de realizador de los excepcionales *Corazones rotos*, ahora sin la amargura crítica de un proyecto tan personal como el que se asomaba desde *El costo de la vida* (1988) e incapaz de retomar la posneorrealista vitalidad descriptiva de *Ya la hicimos* (1993), a nivel de subproducto de ínfimo chacoteo a los TV-programas con predicciones astrológicas (aunque las TVemisiones transcontinentales tipo Walter Mercado sigan siendo las mejores e insuperables parodias untuosas de sí mismas), en las antípodas de *Un mundo raro* (Casas, 2001), y proponiendo que la única manera de comprender al otro por la mexicanidad profunda consiste en ponerse en el equivocado lugar del otro.

Subproducto que culmina en las torpísimas apoteosis de la heterodoxa boda entre tres por la iglesia (porque "uno se casa con el alma y no con el cuerpo") y la triple reconciliación final. Subproducto del viejo cine mexicano intentando perpetuarse gracias a los palos de ciego del Fondo de Inversión y Estímulos al Cine, después de *Sin ton ni Sonia* (Sama, 2002) en su misma línea dispersa y a final de cuentas capulinesca, aún tratando de definir por allí qué es eso de un comercial, desenfadado, ligero, intrascendente e inocuo, sin conseguir nada de ello, salvo una clonación de modelos caducos, del Televicine años ochenta, muy poco venturosa.

El subproducto gastronómico

Corazón de melón (2003), opera prima tardía del excuequense con bidecenal experiencia televisiva Luis Vélez, se basa en un libreto original del chileno José Ignacio Valenzuela y finge interesarse en los lerdos pasos de apertura al amor de la muchacha pueblerina particularmente obesa y aficionada a la cocina Rosa-pero-me-gusta-que-me-digan-Rosita (Christina Pastor), que en franca desventaja logra bajarle su multideseado novio a la linda paisana tan hueca cuan envidiada Fernanda (Ludwika Paleta): el guapo-rico-famoso TVchef aún pelele de papi y en crisis de recetas Tomás (Daniel Martínez); gracias sean dadas a la astuta complicidad mendaz de la leal mejoramiga Lucero (Aldonza Vélez) y a un torpe accidente biciecuestre, a resultas del cual la rubia presumida queda en estado de coma y amnésico su prometido en crisis, circunstancias que aprovecha la gordis enamorada para hacerse pasar por la imbatible rival, hasta conseguir, mediante acoso protector, impostura de embarazo y guisos de su invención, el interés afectivo, la atracción sensual, el resarcimiento televisivo, la emancipación familiar y la preferencia matrimonial del varón por fin feliz y en armonía consigo mismo y con sus expectativas de vida simple.

Subproducto de una anécdota descabelladamente verosímil/inverosímil de revancha revaloradora femenina a lo *Legalmente rubia* (Luketic, 2001) vuelta a la vez *Legalmente rosa* y *Legalmente gorda*. Subproducto de una jugosa idea avanzada y un noble proyecto posfeminista para reivindicar tanto la valía como el derecho a ser amada, deseada y preferida de cualquier jamona culinaria y querendona, echados a perder por falta de gracia y ritmo lo único que lograrían reivindicar, retrospectivamente, serían la gracia espontánea y el buen ritmo eficaz de los desdeñados revalorables realizadores de albur con nalguita de los noven-

Corazón de melón, 2003

ta, con el Güero Castro a la cabeza. Subproducto de un inepto y confuso antiescarnio/escarnio/autoescarnio involuntario de la Rosita-soñadora parabolo-bíblica del retorno triunfal de la hija pródiga, Rosita-amorosa masa amasando, Rosita-mujer aceituna, Rosita-helado de fresa, Rosita-sopa aguada, Rosita-aroma olfateable con gusto a vainilla y hierbas de olor seductor, Rosita-pasaporte a la existencia sencilla y feliz, Rosita-enrachada con delantal; criatura de ficción roma y sana, acentuadamente optimista y positiva, arriba corazones, tengan fe, pero jamás con mínima vibración humana.

Subproducto de una conquista amorosa estructurada en capítulos o segmento-platillos, como menú filmonarrativo a la carta, con "El entremés" (ensoñando con el programa del TVchef), "La sopa" (el baile bipartido entre Cenicienta y Barbie), "El plato fuerte" (vicisitudes de la suplantación-conquista), "El postre" (el restaurante gastronómico después de la boda) y, no se vayan todavía, "El café" (la redención paterna que tira el celular al agua del florero). Subproducto de una seudofábula gastronómica feérica-realistamágica tipo *Como churro para chocolate* (Arau, 1991), esterizada por la preparación de empanadas de salmón o pastel de elote salado en la vieja cocina de fogones, ya neo-hollywoodizada a lo Mexican Frida curious, sin siquiera la irreverente bizarrería milagrera de la inexhibible en salas *Recogiendo los pedazos* (Arau, 1999), porque nada más "le encanta la tragadera".

Subproducto de un simplón cuadro de costumbres de la tiranía familiar ya de salida y feneciente, con dos histriónicas parejas disfuncionales envejecientes: la del broncudo cazador norteño de verbo golpeado ismaelrodriguesco Lautaro (José Alonso higadazo) con ultracursi cónyuge modista Martha (Alma Rosa Añorve), y la pareja consentidora del padre ñoño Omar (Patricio Castillo) con esposa aún sin enterarse de nada Lucrecia (Paloma Woolrich), a las que se agregaría

la del padre millonetas esclavizado al teléfono celular Arturo (Juan Carlos Colombo) en reprimido romance comelón con su afable chofer emisario milusos Anselmo (José Carlos Rodríguez). Subproducto de una fallidísima semifantasía con revoloteo de mariposas de dibujo animado en la barriga contenta y en el acto liberador, retórica de shots desplazados-explicativos e imágenes viradas al azul con facilón regreso del color dichoso, personajes congelados en el baile donde sólo siguen moviéndose los fondos, flashes memoriosos y sueño caricaturesco en el imaginario pueblo farsesco de Monte Alto a la manera de *El brazo fuerte* (Korporaal, 1958) o *Calzonzin inspector* (Arau, 1973) que hoy aparece sobrexpuesto, con omnipresentes flores y frutos edénicos de coloración intervenida, mojiganga, banda y velos negros, esperando festivamente la apoteótica llegada con megáfono romboidal del autobús foráneo. Subproducto de un monólogo en off que se habla a sí mismo, se da órdenes ("Dile que la odias") sólo para contradecirlas y aplaude en tercera persona los besos del galán ("Órale, hasta que se te hizo"). Subproducto de una infracodificación a lo teatro infantil o festejo en kindergarten del lenguaje estúpido de los adornos y objetos: las trenzas recoletas y el estrecho suetercito amarillo de la amiga grandulona con liga-resortera, el vestido rosa redundante con visionudo moñote cual cenefa sobre los chamorrazos, la canción-tema sobre un viejo chachachá rearreglado por Botellita de Jerez y así. Subproducto de rolling gags de envidia o celos que reactiva la superbuenona TVreportera chismosa Bárbara (Anastasia), cogida-comida suculenta de zarzamora entre los voluminosos senos y gotas de naranja en los hombros de *9 1/2 semanas* (Lyne, 1985) y conclusivo sainete de reality show más bien ominoso.

Subproducto de un nuevo género fílmico nacional al que, tras los desfiguros de *Sin ton ni Sonia* (Sama, 2002) y *Dame tu cuerpo* (Montero,

2002), también financiados en buena medida por el Fondo de Inversión y Estímulos al Cine (Fidecine) constituido por el gobierno federal el 8 de agosto de 2001, podría denominarse comedia light escapista-inocua-oligofrénica, socialmente castrada y deliberadamente hipersangrona. Subproducto del cine característico de un foxismo zombie, manipulador, mercachifle y abocado a la extinción cultural, removiendo banalizadoramente todo sin comprometerse realmente con nada, salvo apoyar las metas de la derecha radical.

Subproducto de un cine predeterminado, determinado y posdeterminado por su apariencia y procedencia televisivas, con inversión, mentalidad y actores mezcla de Televisa y TV Azteca, sólo aspirando a ser una prolongación de *Otro Rollo* o *Una familia con Ángel*, hermanados al mismo nivel babosamente TVserial. Subproducto de un retazo

de alucine culinario propositivamente digestivo, si bien bastante indigesto a fin de cuentas, con diálogos tarados ("Te conocí el alma y me gustó") y mensaje reiterable al cansancio, desde el prólogo hasta la conclusión, para que pueda entenderlo hasta el más reacio espectador conformista ("Lo importante no son los ingredientes, sino la pasión y el corazón con que se combinan"). Subproducto de una vivisección de la mentalidad abismada y el comportamiento miserable de la feminidad obesa, en las antípodas de otras cintas actuales como la francesa provocadora *La hermana virgen* (Breillat, 2001) o la neoargentina desolada *Tan de repente* (Lerman, 2002) o la infranaturalista chicana *Las mujeres verdaderas tienen curvas* (Cardoso, 2002), suculentas gigantas conmovedoras junto a este corazón tan indigesto y sin sabor, ni siquiera de vil melón.

Corazón de melón, 2003

4. Entre la grandilocuencia y la grandeza

□

Difícil encontrar un gran espíritu sin una
semilla de locura.

Séneca,
De tranquilitati animi

La ciencia-ficción crash

Utopía 7 de Leopoldo Laborde (1995) convoca a la chaviza audaz. En la grisura tumefacta de las calles desiertas y en el acoso de omnipresentes naves achicharrantes llamadas seekers, la corretiza y rescate de un niño solovino (David Valdés) revelará la premiosa situación dominante. En 2032 unos cuantos niños organizados en ejército clandestino lograrán sobrevivir entre ruinas urbanas a la natalidad prohibida en un mundo sin sol y, apenas apoyados por guarurescos rebeldes mayores guiados por el simbólico preanciano cansado Lumière (José Luis Ramos), sólo ellos desafiarán a la tiranía de la computadora gólem Utopía 7, hace décadas inventada por humanos y ahora gobernando mediante el terror personificado en el vociferante dictador carcomido Spactum (el ex-buñueliano anacoreta autista Claudio Brook en su postrer aparición) y el aterrado subalterno sudoroso Lusmoc (Manuel Escoto). Así pues, al mando graniento de Su Majestad el coronel (Juan Luis Badillo) y su segundo el comandante Tigre (Roberto Trujillo), quien fornica a escondidas con Liz (Mónica Gómez), niños audaces hurgan en la basura, saquean tiendas a lo *Asesinos por naturaleza* (Stone, 1994), punzan los ojos de un cyborg infiltrado (Rogelio Castillo) y acabarán haciendo estallar a Utopía 7, gracias al sacrificio kamikaze del mártir voluntario el Mudo (Francisco Ruiz) en el edificio inexpugnable, hasta la devolución de la luz.

Con inconcebibles guión, diseño de arte y de maquetas, producción, edición y efectos especiales propios, el quinto largometraje aún en video del ahora ya también prolífico joven cineasta independiente Leopoldo Laborde (*Angeluz*, 1998; *Inesperado amor*, 1998; *Sin destino*, 1999; *72 horas*, 1999) es el plato fuerte de nuestro sorpresivo sorprendente Festival Crash de Arte Visual Alternativo, 2000, una tardía novedad marginal ya multigalardonada en certámenes especializados en cinefantasía o en video alternativo (menciones en el Mecyf 1995, Montferrier 1996 y París 1998; premio del público Mecyf 1996), una obra maestrita de la ciencia-ficción mexicana pese a la precariedad de sus efectos especiales y a la potencia de una plástica más bien "conceptual" (tipo el madmaxiano *Comando de la muerte*. *Infernofinis* de Gurrola, 1990: ahora con selva de luces saprofitas y asfalto), un cult film paralelo o videocult film para la chaviza adepta al comic y a la ciencia-ficción, una cumbre iluminista de nuestro arte mimético iluminado con crudos faros buscadores trepando paredes, una fábula infantil moderna entre *La historia sin fin* y los minigángsteres de *Pequeños delincuentes*

Utopía 7, 1995

(Parker, 1976) con abusos sádicos del *Señor de las moscas* (asignación de estrictas tareas perpetuas e hiperjerárquicas, pánico a la gravidez de cara al délfico infracoronelazo autoritario), una cinta de anticipación que se ha anticipado inclusive a los clásicos del género (*Ciudad en tinieblas* de Proyas, que parecería su modelo, se filmará hasta 1997), una joyita deliciosa, una narrativa crash "tensa y fluida en la mejor tradición de John Carpenter y Steven Spielberg mostrando abiertamente un sentido prodigioso de la invención" (Arturo Castelán del Festival Crash), una aventura que es su propia parodia deliberada y propositiva, una carica-tura de la parafernalia y esos recursos o hazañas sacados de la manga en las historietas interplane-tarias o de mutantes, una fresca superación del conformismo represivo de la cultura cienciaficcio-nal de los cincuenta y de las distópicas fantasías blockbuster-terminators de los ochenta, una re-ducción al absurdo diminuto aunque delirante po-deroso y espectacular a su manera, un carnaval maligno de ingenuidades darketas (por supuesto con instantáneas playeras negras para engañar a los detectores de presión arterial infantil), una superproducción posvideoclip de las imposibles series B/Z fílmicas nacionales en estado de gracia.

Utopía 7 o la imaginación naciente. Tiene su elemental gusto de la atropellante acción por la acción pura, con arranque-tributo obligado a *Blade Runner* (Scott, 1982), navecitas, asedios aéreos, programadas misiones imposibles, tiroteos, cápsula acoplable, parquedad de diálogos e invocaciones altisonantes ("Somos los hijos de dios olvidado, una esperanza"), ofrecimiento dovchenkiano de los pechos obreros abriéndose repentinamente la camisa a los microbombardeos, subjetivas motoras en video, angustiosa muerte de Lumière oscilante en el monitor, feroces explosiones que culminan en incendio de fosforito, godardismo de Alphaville en el presente y entrañable caricia al vientre hinchado, mutables espacios virtuales y robots pregrabados por Miramar Image, conclusión con cielo otra vez abierto. Tiene su instinto impetuoso y temerario: sistemática cámara en la mano y rasantes tracking shots estudiados plagiados abaratados por cualesquiera infames *Amores perros*. Tiene su primario placer del exceso ostentado con economía de medios (como el jamesbondismo naïf de *Cuatro contra el crimen. Operación Muerte* de Véjar, 1967, en el polo opuesto de las neanderthalescas cintas populacheras de el Santo). Tiene su humor básico: cotorreos a la hora decisiva, se me cayó el bloqueador pulsera dicktracyesco, se me olvidó el crucial chip noescierto noescierto, choque de naves correteantes a la vuelta de la esquina. Tiene su paranoia alucinatoria continua: voltear y descubrir con certeza otro perseguidor flotante, sobrevuelo hitchcockiano sobre las cabezas, texturas leprosas, continuos virajes monocromáticos totales o parciales en colores hediondos, suntuosa fotogenia hueca del Munal. Tiene su primario erotismo virilista, lejos de la sofisticación de los exterminadores besos secaenergías de Rogue o de las frenéticas distensiones corporales adelantapubertades de Mystique (las dos mutantes magníficas más memorables de la neoparadigmática película-historieta

Hombres X de Bryan Singer, 2000): trucutuescos jalones de Tigre a Lys para irse al rinconcito y ternura a ras del ascenso final a la banqueta desolada de los futuros padres abrazados. La imaginación del talentoso niñote veinticincoañero Laborde cumplía con todas las exigencias y dimensiones de una desatada vindicadora reivindicada fantasía infantil par elle-même, como si tu sobrinito de doce años pudiera expresarse cinematográficamente a plenitud, en guerra definitiva e irreversible contra el mundo de los adultos.

Utopía 7 o la poesía antiutópica. Tal como lo vaticinaba el torrencial poeta profético Armand Robin (1912-1961) de *Mi vida sin mí, Los poemas indeseables* y *El mundo de una voz*, "en nombre de nadie se suprimirá al hombre/se suprimirá al nombre del hombre/ya no habrá más nombre/en eso estamos". Pero, herederos del miserabilismo neorrealista de los *Limpiabotas* (De Sica, 1946) que aún añoraban huir en caballitos voladores, a falta de atacar amenazadores en cápsulas sobrevolantes, y descendientes del naturalismo truculento de las *Ratas de la ciudad* (Trujillo, 1984) que emergían de las alcantarillas, a falta de brotar ocultarse pulular organizarse en el omnisciente peligro sobrevigilado de una ciudad baldía, estos niños labordianos terminarán enfrentándose heroicamente a las zonas oscuras de la realidad y de sí mismos, en el estilo más deseado por Valéry: "Expuesta el alma a las antorchas del solsticio,/te sostengo, y admirable ajusticio/con la luz de las armas sin piedad".

Utopía 7 o entre la grandilocuencia y la grandeza cinemáticas. Del conato de historieta inexistente a la plétora historietista ultradinámica y de la grandilocuencia infantilista a la grandeza infantil, sólo hay un paso, y el filme de Laborde lo cruza de ida y vuelta y de vuelta en revuelta y de revuelta en fuga tantas veces como se le viene en gana, hasta la saciedad y la soledad sin sociedad, a la velocidad timburtoniano-edwoodiana del deseo.

El juego de la urna

Por la libre de Juan Carlos de Llaca (2000) o en busca del abuelo perdido. A resultas de una colosal rabieta en un banquete familiar que le impide seguir citando a Kant como guanga frase publicitaria ("El amor no es el deseo del otro sino el deseo del deseo del otro"), muere infartado el alivianadísimo abuelo médico refugiado español ya septuagenario don Rodrigo Carnicero (Xavier Massé), dejando prácticamente desheredados a sus tres ibargüengoitianos vástagos rapiñosos, el abandonado ninfófilo en trance de casarse con otra chamaca imbécil Luis (Alejandro Tomassi), el cretino conservador tiránico devaluahijos Rodrigo (Otto Sirgo) y la anteojuda solterona apocada Purita (Pilar Ixquic Mata); pero legando sus despojos mortales a las aguas acapulqueñas y los restos de su fortuna al enigmático paisano restaurantero Felipe (Héctor Ortega con arrugas verdes en los ojos), y relegando en el desamparo moral más absoluto a sus diecisieteañeros nietos chilangos: el primo apretadillo subsumido por completo Rodri (Rodrigo Cachero) y otro primo Rodrigo redrogo mitad rebeldón mitad timidonanista con complejo de pene chico apodado Rocco (Osvaldo Benavides) que pretendía huir del insoportable hogar paterno para mudarse con el difunto porque "era la única persona con la que se podía hablar". Largándose de escapadita a Acapulco para cumplirle la última voluntad al anciano cual si buscaran recuperar su espíritu, Rocco se decidirá a perder la virginidad con la bella jovenaza mucama de hotel que es en realidad su ignorada tía bastarda María (Ana de la Reguera), y Rodri muy valedor logrará por fin medioenfrentarse a su padre. Con producción de Altavista Films y guión ingenioso demasiado ingenioso sólo ingenioso del dramaturgo Antonio Armonía, el segundo largometraje del excuequense fascinado por el mundo juvenil de ayer y de hoy Juan Carlos de Llaca (desde sus cortos edípicos *Debutantes*, 1986, o *Padre nuestro*, 1988, y luego *En el aire*, 1994) es una comedia negra semimacabra light que abortó volverse road picture en verano perpetuo, un desarrollo caricaturesco frivolón de ciertos motivos del genial minithriller weberniano-surrealista *Me voy a escapar* de mismo De Llaca (1992, en torno a un hombre transportando cierta urna funeral) aunque ahora sin hampones ni torturas, una colección de gracejadas bobaliconas e inofensivas (ese precoital lavado de patas apestosas cual si Rocco estuviera masturbándose) para consumar el incesto lejano pero a fin de cuentas consentido, un sostenido

Por la libre, 2000

tono ligero liviano ágil que rehuye cualquier tipo de azotadas "complicaciones" (De Llaca dixit) en su invitación al viaje múltiple (salvo al destrampado acapulquito ácido joseagustinesco del *Se está haciendo tarde* de los ya tan remotos setenta re-motos), una "anécdota de humor fresco" (Julia Elena Melche en *Reforma*) con malicia jamás amarga, un apuesta a la carta exclusiva de la sencillez (por vez primera en la productora privada de las trepidantes *Todo el poder* de Sariñana, 1999, y *Amores perros* de González Iñárritu, 2000) que termina ganándose hasta la simpatía más reacia.

Por la libre o la rara gratuidad. Un tercer film-

me de Altabasta con todos los defectos acumulativos e insufribles tics aumentados que ello implica: temas supuestamente candentes supermodeinos, acabado main stream a la gringa acomplejada, nauseabunda ultracomercial invasora vomitiva sobresaturación de la banda sonora roquera muy acá (a la que ni las puntuaciones con cello de Gabriela Ortiz logran adecentar), hiperfragmentación narrativa, iridiscencias tipo videoclip trompe l'œil. Cinefotografía bonitera truculenta de Checco Varese que se concentra en una concentrada reconcentrada retórica irritante de primeros términos desenfocados omnipresentes y de últimos

Por la libre, 2000

términos perdidos difuminados que no dice ni añade ni resta nada a las imágenes, sino todo lo contrario. Cámara siempre a punto de alocarse, e incluso haciéndolo, aunque sólo en breves escenas (travesía carreteril en planos oblicuos desbalanceados viniéndosele el coche encima, giro vertiginoso del top shot sobre los jugadores de perinola con barridos subjetivos a nivel) que se antojan bastante raros y gratuitos. Pero curiosamente el resultado no será ni el montaje recurrente acelerado de *Me voy a escapar*, ni el ritmo precipitado evocativo mentalista de *En el aire*, sino la tranquila croniquilla realista cual si *Los jóvenes* (Alcoriza, 1960) quisieran reinventar el buen intimismo injustamente menospreciado con mínimos elementos y mayor libertad, el fantasioso apólogo familiarista/antifamiliarista un tanto intrascendente que jamás desciende a la banalidad ni a lo anodino al defenderse heroicamente de la estridencia seu-

docrítica (*Todo el poder*) o abyecta (*Amores perros*) que lo amenazaban.

Por la libre o la doble llama meada. Para ponerle alegremente con su insípida noviecita güereja Irina (Alexia Witt) o por mero instinto de reprimido explosivo, los primos domesticados comodinos prefieren viajar pagando cuota por la Autopista del Sol, que hacerlo simbólicamente "por la libre". Son chicos virilistas y jodidos por la familia, representantes de una sociedad posfreudiana preinternet ya permisiva pero aún falocrática; acompañados por chavas deficientemente trazadas que sólo resultan existentes validables y elogiadas por ofrecidas cogelonas, en el coche iluminable por las linternas policiales o en el cuarto de hotel desvestido por la recién conocida aventada (e inclusive hasta la mustia Purita en el gag final de su embarazo). Historia de una amistad viril nacida de la ligazón sentimental con el abue-

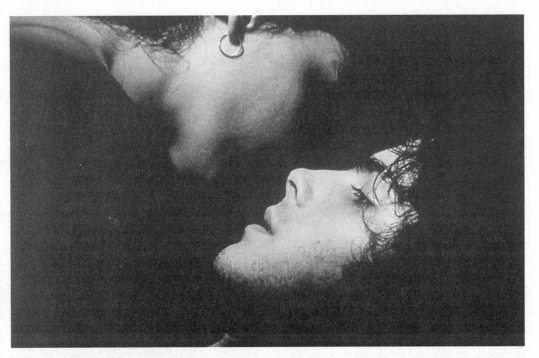

Por la libre, 2000

lo regalacondones, cebada en la interdependencia polanskiana de las meadas mutuas o juntos y la hawksiana de los rasguños playeros pero conjurada por la solidaridad. Y *Los primos* (1959) que chabrolianamente padecían a sus repelentes familias, antichabrolianamente se reconciliarán al final. Surgimiento a la vista de una amistad a partir de oposiciones nunca permutables pero al cabo coincidentes. Una visión no demasiado complaciente de los jóvenes clasemedieros hundidos en un bloqueo afectivo hecho de molicie culpa cobardía castración e indolencia. Una demostración de la superioridad sensitiva de los jóvenes sobre el estragamiento de los adultos archiconvencionales. Una reflexión sobre el atisbo de la verdadera libertad juvenil: la anormalidad antifamiliar hará libres a los primos fresotas e inseguros.

Por la libre o la urna multiforme. Como en *Me voy a escapar*, una humilde gozosa danza macabra en honor a una urna. Funeraria urna renuente a los devotos rituales islando-japoneses coleccionados y efectados en *Fiebre fría* (Fridriksson, 1994). Urna-perinola, urna-copa brindadora, urna-fetiche que rola en la disco Baby'O, urna-balón de playa, urna-coctelera, urna-trofeo. Urna ubicua, urna protagónica, urna triunfalista, urna obsesional. Cenizas de la urna robadas, probadas con el dedo, secuestradas, compartidas. Como el agua lírica de Nervo, la urna multiforme toma la forma del recipiente y la función que la contienen, para obtener la desacralización caníbal del abuelo real, multiconsultado, espectral. Con el Mercedes Benz recién heredado ya en pedazos y tras vestir significativamente las camisas-signo del finado, el espíritu libertario de éste rencarnará en los primos. El juego de la urna como antes el juego de la oca o *El juego de la manzana* (Chytilová, 1976), juego de la tentación y la verdad, juego de la vida, juego del rostro misterioso propio, juego negado a la familia carnicera moral que formó el abuelo Carnicero, el juego juvenil necesario por excelencia, el "frenétco proceso adolescente de ajustar cuentas con el porvenir adulto" (Gustavo García en *Letras Libres*, diciembre de 2000). El juego como forma de inactualidad seudohipermoderna que asegura la existencia de este curioso filme cojeante y atractivo: por lo visto no habrá que seguir teniendo muy bajavista para gustar de las películas de Altavista, entre la inane grandilocuencia y la gracia grandiosa, como esa rebeldía reducida a desafiar al padre exigiéndole otra bofetada para dejarlo atónito sembrado en el muelle antes del entrañable esparcido de cenizas en lancha, ahora sí definitivamente Por la Libre.

El viaje introspectivo

Entre la tarde y la noche (2000) propone un nuevo, dignísimo episodio del fértil género nacionalista sesgado, de moda cultoexistencial posroad picture, sobre el homecoming de mexicanos con cruda anglosajona en busca de sus raíces (género brillantemente iniciado por *Bajo California. El límite del tiempo* de Bolado, 1998). Aquejada de esterilidad creadora, la novelista cuarentona compulsiva Minerva (Angélica Aragón traqueteada) abandona a su inútil amante estadunidense y maneja en automóvil hasta su Mazatlán natal, sólo para evocar dolorosamente a la niña que fue (Martha Lorena Osuna soberbia), la relación difícil con su inafectivo brutal padre pescador Francisco (Manuel Ojeda) amargado ab aeternam por la muerte/huida de la esposa amada, la compensatoria tierna relación afectiva con el donjuanesco nómada tío Alberto (Francisco Gattorno), la forzada estancia en un estricto internado de monjas inhumanas con sadoscurantista Superiora (Rosa Furman) y la alivianante amistad cómplice nacida en el cuarto de castigos con la pequeña Beatriz (Ariad-

na Islas), sacando de todo ello fuerzas para visitar a esa vieja amiga, ya convertida en una lamentable divorciada llena de mocosos (Silvia Mariscal), y enfrentarse con el anciano padre, más intolerante que nunca. Con financiamiento parcial del Imcine y libreto en colaboración con el hispano Álvaro del Amo (*Amantes/Intruso*), el cuarto largometraje del excuequense tercoindependiente Óscar Blancarte, es un pausado y categórico relato subjetivista poético en la tradición memoriosa del desarraigo/rearraigo de *En el balcón vacío* (García Ascot, 1961), un extraño cuento de hadas intimista en donde el mundo secreto de las niñas adquiere mayor verosimilitud potencia hondura a través de la espontaneidad que el mundo rencoroso de los adultos a través del remordimiento, una elocuente comprobación de que ninguna fábula puede ser dañina para sí misma ("excepto cuando alcanza a verse en ella alguna enseñanza":

Entre la tarde y la noche, 2000

Monterroso), un paisaje de lirismo bien dosifica-do entre la fotogenia autárquica y la tarjeta postal de lujo crepuscular postkitsch.

Ensayística transfiguración provinciana a lo *Owen. El poeta olvidado* (1979), tensión fabuloso-po-pular que va del folkingenua grotecidad fantásti-ca de *Que me maten de una vez* (1985) a la estiliza-ción egregia de *El Jinete de la Divina Providencia* (1988), y el predominio de un crispado esfuerzo de introspección femenina siempre recomenzada de *Dulces compañías* (1994). Pero también: la cur-simaginería elemental del corto estudiantil *Llan-to de gaviota* (1971, con sus marinas lamartinianas y sus muñequitas enterradas en la arena), digre-siones constantes, incidentes pocoaportadores como la evacuación del hotel pueblerino por una presa rota o la inmersión en la roulotte de los ti-titeros, figuras definitivamente gratuitas como el suicida salvado a empujones o la gitana ligable en la pelea de gallos (Claudia Pezutto), y el leit motiv del sobreviviente exmarino loquito (Roberto Cobo) repitiendo por años la misma frase. Sin du-da, aunque no siempre en buena mezcla, he aquí una pintoresca síntesis perfeccionada y depurada de lo mejor y de lo peor del cine de Blancarte, des-tacando su humor más entrañable y esencial. Ya sin la coartada de sus adaptaciones de Óscar Lie-ra, su coherencia y su riqueza de auteur.

Tal como lo anunciaba el detonador litera-rio de la relación con la hijita del hotelero bilioso (Luis Felipe Tovar), la amistad de esas peque-ñas aprendices del *Veneno para las hadas* (Taboa-da, 1984), genuinas inofensivas *Criaturas celestiales* (Jackson, 1994) sin ironía criminal, se impone, aunque las haga acabar hundidas pero solida-rias, autoindulgentes y tolerantes entre sí como las fraternas conformistas kosher de *Novia que te vea* (Schyfter, 1993). Sin embargo, lo fundamental

Entre la tarde y la noche, 2000

123 ■

será el marco de su trayectoria. Botellas arrojadas al mar, escritura invisible con tinta de jugo de limón, cíclope con lanza en su único ojo, niñas-Reinas Midas volviendo de oro las camitas del dormitorio, diminutas flautistas de Hamelin precipitando a las monjas-ratas desde el acantilado, seducida monja maestra-miel matildiana (Lumi Cavazos) que escapa de madrugada con el imaginario Capitán Sainz en un idílico auto descapotado, cruciales mensajes folletinescos de amores desdichados y desencuentros románticos que se hallan cual barquitos en polvorientos cascos de vidrio. Un magnetismo envolvente, una delicada imantación, un irresistible opulento realismo mágico sinaloense ("Mis películas siempre tienen que ver con los mitos, los sueños, las fantasías, los cuentos populares, las voces corales que narraban los cuentistas anónimos y que yo escuchaba de niño en Mazatlán": Blancarte). Un luminorgulloso viaje introspectivo hacia la develación de un vergonzoscuro enigma familiar, una sublimación de las huellas imborrables de la infancia doliente y vulnerada, un rescoldo de visiones.

Contraste entre la ternura cómplice bienandante del tío y la permanente violencia agria del supuesto padre. Violencia sexual de las monjas, evidenciada ante todo en el duro castigo-penitencia para recobrar la pureza del cuerpo tras el es-

Entre la tarde y la noche, 2000

pantado descubrimiento de la primera menstruación bajo la regadera. Violencia racista xenofóbi-
ca y tumultuaria profunda como una revelación
de la injusticia dominante debajo del aparente
país intemporal, estallando en la corretiza-captu-
ra del gitano presunto asesino pedófilo (Fernando Sarfati) y su posterior linchamiento en la prisión por una turbamulta en la que participa el ya
también homicida padre virulento Francisco bajo la mirada espía de las paralizadas niñas atóni-
tas. Si todo el relato no es sino la confrontación
de la heroína con la violencia exterior, la conclusión no podrá ser sino el encuentro de esa misma
heroína con la violencia interior, con su propia
violencia reprimida, que estallará en el momento
crucial de la magnífica sesión de intercambio de
bofetadas con el padre ("Nunca vuelvas a poner-
me una mano encima"). Aunque se trate de una
violencia amarga y destemplada, "sólo la violencia ayuda donde la violencia domina" (Brecht).
Una antiautoritaria antifalocrática y liberadora,
moralmente subversiva. Las sirenas han roto su
silencio y han cantado por primera vez, cual primera menstruación ética, en la vida de Minerva.

Sólo "por el placer de contar, para recuperar
mi paraíso perdido y rescatar a las sirenas que por
las noches me llaman de altamar" (Blancarte). Cada quien sus fantasmas, sus ilusiones perdidas y sus

Entre la tarde y la noche, 2000

frustraciones irritantes, su paso de la vida primigenia a la madura sin nada en medio acaso. Desmitificación de las figuras paternas (el padre impostor, el tío padre), epopeya recóndita de abandono y el rencuentro en la derrota. Entre la grandilocuencia del realismo mágico expandido y la grandeza de la crisis de identidad (¿o viceversa: entre la grandilo-

cuencia de la crisis de identidad y la grandeza del realismo mágico expandido?). Gracias a sus invocaciones y tras fundirse con la imaginación infantil, la retornante heroína recuperará su capacidad creativa: ella era la sirena de sus narraciones y a quien rescatará de la red, para devolverla y devolverse al mar, en el trópico recobrado.

Entre la tarde y la noche, 2000

La zozobra agorera

Zozobra para regocijo del cenzontle impávido. Zozobra que es vinagre del alma y ecuménico dolor de holocausto. Zozobra de raigambre lopezvelardiana con olor a sudario y hierba machacada. Zozobra agorera de corazones sin brida por el desfiladero de la muerte.

Primo tempo: El retorno maléfico

De ida y vuelta (1999), primer largometraje del CCC egresado Salvador Aguirre (cortos previos: *Con los pies en la tierra*, 1985; *México, ciudad amiga*, 1987; *Un arreglo civilizado para el divorcio*, 1992), narra la zozobra del tiempo del retorno al pueblo michoacano de Tzurimícuaro, luego de tres orgullosos años en Estados Unidos, del altanero joven trabajador indígena migratorio Filiberto (Gerardo Taracena estoico) para hallar muerta enterrada a su madre y a su exnovia palomaherida Soledad (Tiaré Scanda indiofernandesca *Enamorada Pueblerina Malquerida*) casada con su mejor amigo pronto perseguido Luis (Ricardo Esquerra), quedando sólo en posesión de una camioneta aún por liquidar y un televisor inservible, con la única compañía de la madura ramera dionisiaca Bárbara (Claudia Michaus), todos en el pueblo debiendo luchar por sus tierras y su agua de manantial en contra del codicioso cacique heredero Heriberto (Arturo Ríos) apoyado por los burócratas ejidales, antes de la huida de Filiberto y Luis a la anonimia y la transa en un deshuesadero de coches de la ciudad de México haciendo trámites infructuosos, y después el segundo retorno al pueblaco natal para someterse a la autoridad, intentando levantar las ruinas quemadas y borrar ilusoriamente el pasado, mediante el racismo/autorracismo y la traición, rumbo la temida hora de la verdad asesina a tiros contra el antiguo amigo aliado.

Zozobra de un mejor será no regresar al pueblo. Zozobra de un edén subvertido que se calla para no morir en la raya. Zozobra de un realismo rural finmilenario pero siempre agreste y próximo a la torpeza de lo primario. Zozobra en las modestas e sentimentales antípodas del patriarcalismo seudobíblico y resobado de aquel

De ida y vuelta, 1999

De ida y vuelta, 1999

De ida y vuelta, 1999

Tiempo de lobos que se volvía *Temple de bobos* (Isaac, 1981). Zozobra de una irremediable pérdida de identidad vernácula y cultural. Zozobra de una antiepopeya campesina que ve escalonarse impertérritas una desgracia tras otra. Zozobra de una recóndita resonante e irredimible tragedia social.

Zozobra de un joven villano bien mal actuado y convincente por anticlimático pero tan malvado como su pésima dicción, con su ejecutor maldito (Mario Zaragoza) más preocupado por las suelas de sus zapatos que por la rapidez de su crueldad. Zozobra como perfume y tósigo y cauterio en el crítico umbral del cementerio.

Zozobra de un estilo folletinesco y casi declamatorio a la manera del cine silente italiano. Zozobra de una fundamental pero conflictiva relación fraterna del bastardo Filiberto y el hermano legítimo Heribertito, aunque sólo descubierta en la conclusión revelada con tremendismo des-

provisto de melodrama y humor. Zozobra de los esposos fugitivos en el llano, cargando a un niño y haciendo altos en el camino polvoriento, que remiten tan pudorosa como poderosamente a la rulfiana narración aleatoria de *El despojo* (Reynoso, 1960). Zozobra de la sensación de aridez y desolación interna/externa de los desplazados. Zozobra de la visión de los vencidos en fuga. Zozobra de una persecución con acoso final y balacera en los maizales, como reminiscencia del gran cine plástico-dramático chino (*Sorgo rojo* de Yimou, 1987), irónicamente bajo un sol inexorable, alegre y tónico. Zozobra como perfume y tósigo y cauterio en el crítico umbral del cementerio.

Zozobra del drama del impune racismo explotador e introyectable. Zozobra de los roles invertidos consumando la paradoja del mestizo que parece indio puro pero discrimina e insulta a los indios. Zozobra de acciones a lo historieta Libro

Vaquero con muchachas frescas y humildes como humildes coles al ovillarse a llorar el cadáver del marido. Zozobra del desarraigo vil y el campo de la esperanza deshecha. Zozobra de una juventud y un pueblo sin opciones ni posibilidad de regularizar sus tierras en Morelia o el D.F., lumpenizándose de a 5 pesos por noche y en la venta de autopartes, sólo para ser privados de la baleada camioneta por saqueadores y golpeadores policías judiciales. Zozobra del absoluto del desamparo ilegal y forzoso. Zozobra de lacónicas imágenes-clave reminiscentes de *La fórmula secreta* (Gámez, 1965), como aquellas nada incidentales de los campesinos despistados mirando a cámara, o la efigie concluyente del héroe apoyado sumido en sus pensamientos apoyado sobre una lámina de la pick-up que lo conduce como res enchiquerada de nuevo hacia el norte. Zozobra de otra vez el cuento del Conejo que desvía la atención para que los demás puedan cruzar la frontera de mojados. Zozobra grandiosa de una íntima tristeza reaccionaria.

Secondo tempo: Mi corazón se amerita

Angeluz (1997-2001), primer largometraje en 35 mm del prolífico videoasta y 16milimetrista independiente enseguida legendaria Leopoldo Laborde (*Utopía 7*, 1995; *Sin destino*, 1999), remite la zozobra de los esfuerzos del estudiante fresita Luis (José Luis Badillo) por salvar a su amigo dark mitad ángel mitad luzbel de largas mechas en la cara Miguel (Roberto Trujillo formidable) que cae en trance de gritos psicokinéticos y retorcimientos con baba meteorológica cada vez que alguien quiere lastimar a sus amigos, sean los chavos banda en la calle, en su desvencijada guarida colectiva donde será degollada la noviecita Sandra (Silvia Ramírez) o en la clínica de alta seguridad, en donde por orden del antiguo feroz inquisidor hoy tartamudo doctor Vera (Hugo Stiglitz tarado productor reeditor de la película), el Angeluz será crísti-

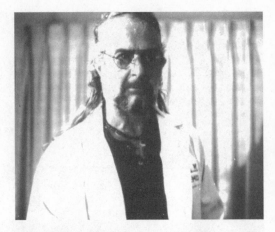

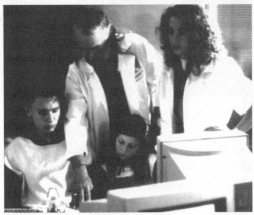

Angeluz, 1997-2001

camente encadenado, hasta su paulatina transformación en demonio fuera de control y autocontrol, su escapatoria y su redención final por el amigo fiel, amén.

Zozobra de una insólita, maltrecha e irritante fantasía negra naïve. Zozobra de la sangre devota y el sueño de la inocencia como nostalgia posmo del horror a lo Fernando Méndez-Carlos Enrique Taboada. Zozobra escalonada en el metafórico bombardeo-flash de estatuas de ángeles con cuernos y estampas de masivas rebeliones luciferinas hasta ganar el perdón y la gloria.

Zozobra del guerrero salvador conservado en reclusión de una casona misteriosa con madre postiza medio tuerta (Tina French), purgando la condena de regresar a la tierra para hacer obras buenas y hacer el ofertorio de la llama entre las manos a un niño de la calle. Zozobra de una parodia inoportuna de radares de juguete, brazos sangrientos sobre la hermanita Gloria (Sophia Stiglitz) y pleitos a la hora del derribo por acoso. Zozobra de un despliegue calculado aunque pueril de técnicas y factores rutilantes fuera de la rutina de la retina: grandes angulares, encuadres inclinados, voz con reverberaciones, espacios amenazantes a fuer de mal iluminados, montajes subliminales de grabados y esculturas modificadas, huida a tiros por un centro comercial, bufidos y crujidos irrealistas, exageración de reflejos, música sacra e rockimitaciones de Quinta Raza en off, luces laterales, y manchas y llagas y púas sobre o bajo la piel.

Zozobra por deseos de daño realizados de *Ensayo de un crimen* (Buñuel, 1955) y una triple persecución a lo *M el vampiro* (Lang, 1931) del angeluzalien por paramédicos asesinos con bata académica de la UNAM, un chavo banda ebrio de venganza matachina y los peleoneros hermanitos que sólo buscan su redención. Zozobra que exterioriza, estructura y maneja de manera inquietante el delirio del personaje central (como en *Utopía 7* y *Sin destino*). Zozobra del corazón dark que se ameri-

Angeluz, 1997-2001

Angeluz, 1997-2001

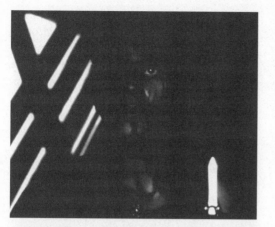

Angeluz, 1997-2001

ta en la sombra. Zozobra de peripecias arrancadas a la historieta popular de el Santo y Blue Demon, más atmósferas-injerto de la TVserie canadiense *Escalofríos*. Zozobra grandiosa pop de una extraña religiosidad hecha de recuerdos-ecos visuales de Inquisición, tortura y hoguera, en pos de la beatitud con plumitas en el bosque de la final ascensión del Angeluz redimido por la luz de Luis con fondo del *Parsifal* de Wagner. Zozobra que es la mitra y la válvula en la síntesis de su propio zodiaco.

La franqueza juvenil

Ahora los desmadrosos héroes chilangos diecisieteañeros de *Y tu mamá también* de Alfonso Cuarón (2001) deben vagar sin rumbo en coche prestado por las bahías localizadas entre el lomerío de las costas de Oaxaca. Con mentalidad de frustrados *Kids. Vidas perdidas* (Clark, 1995) que, a falta de desflorar ávidamente chamaquitas, sólo pensaban en fornicar con sus intercambiables novias ahora de viaje por Europa, el finolis hijo desbalagado de prominente papito PRIcorrupto Tenoch Iturbide (Diego Luna guiado aún por *Un hilito de sangre*) y su amigo naco clasemediero semiabandonado Julio Zapata (Gael García Bernal sobreactuando en lo que confunde con *Amores cachorros* cachondos) se aburrían a rabiar hasta que conocen en un lienzo charro a la caricaprina madrileña mini Luisa (Maribel Verdú prematuramente desencajada), compañera del ridículo primo copabañable Jano (Jorge Vergara tu ordeñable socio mecenas también), la invitaron de vacaciones a una playa inexistente y ella, de pronto cornuda y en fuga, acepta sorpresiva, formando por el camino un ménage à trois, en virtud de las iniciativas femeninas, muy a pesar de todos e insostenible, aunque a fin de cuentas desinhibitorio y revelador en más de un sentido.

Con financiamiento de sus Producciones

Anhelo y otra vez reincidiendo en un guión de su hermano Carlos (ya cortomentalista del infrachistosito comercial vergonzante sobre condones *Noche de bodas*, 2000), el apenas segundo largometraje nacional de Alfonso Cuarón tras un paréntesis hollywoodense para llegar a ser el cineasta independiente que siempre soñó (*Sólo con tu pareja*, 1991; *La princesita*, 1995; *Grandes esperanzas*, 1997) es una carcajada congratulatoria por el destrampe de los chavos calenturientos, un urgente virilista falomaniaco destape mexicano con ayudadita peninsular (como si se tratara de otra Consumación de la Independencia "nuestra"), una fantasía wishful thinking de juniors huecos, una versión subdesarrollada tardía acomplejada gratuita de *Jules y Jim* (Truffaut, 1961) sin las adherencias falocráticas desafiantes hipermisóginas vejatorias de *Les valseuses* (Blier, 1974), una ficción superficial y banalizante que retrocede con terror ante cualquier forma de transgresión erótica, una nueva mamona aplicación de la fórmula exitosa de *Amores perros* (González Iñárritu, 2000) ya repitiéndose al infinito resobado (trama estridente, ritmo apantallapendejos prehongkongués, soundtrack pegajoso e invasor, hiperfragmentación antipsicológica aunque el fotógrafo kitsch Lubezki adopte aquí el plano largo para filmar en continuidad, complicidades segundoairescas, publicidad desproporcionada), una road picture discretamente turística con escapada al inventado paraíso tropical Boca del Cielo adonde se llegará por chiripa predestinada para convivir con la familia del pescador buen salvaje Chui (Silverio Palacios) que narra hiperbólicamente cual tránsfuga de *La perdición de los hombres* (Rip, 2000) el partido de futbol que él está jugando, una escéptica insistencia en la imposibilidad de las criaturas para sostener las reglas que ellas mismas se dan (los chavos violando el decálogo de valemadristas "charolastras" que pregonaban y la españolita infringiendo sus normas conciliadoras de abstinencia tras imponerlas

divertidamente), una loa jamás caricaturesca al humor acondicionado estallando en el pleitazo por celos/infidelidades retrospectivas/presentes a mitad de la carretera y masturbatorio con cada quien puñeteándosela sobre su respectivo trampolín en el club deportivo vacío ("Muera el amor, viva la chaqueta"), un buen retrato realista de los gritoneantes chavos inseguros con permanente necesidad de autoafirmación "típicamente mexicana" a la hora de la peda tequilera ("Verdad que sí, Chui?"), una comedia pornolight donde todo funciona graciosamente menos la mentalidad.

"Pop mata poesía", afirmaba el quinto mandamiento del decálogo charolastra a fin de cuentas sólo por el filme obedecido, pero príapo mata pop y pompa mata príapo, pop, poesía, y así sucesivamente. Pop lo tanto, las cópulas que empiezan cuando tú llegas serán shocking y uncensored, o séase higiénicas, de noviecitos en la posición del misionero, a la antigüita, sin protección, y luego las supercogidas serán *Sólo con tu pendeja* feladora y compartida a la fuerza, vistas desde la perspectiva del inflamable culo viril sin toalla. Pop consiguiente, el continuo cínico delirante elogio ingenuo a la cultura adolescente del consumo de drogas se limitará a la decana euforizante embotante mariguana y alguna mención a importadas pastillas de éxtasis, con amigo negativo por ellas idiotizado, a años luz de la pionera ambigüedad azotadísima retorcida perversa ya itinerante de *Las puertas del paraíso* (Laiter, 1970). Pop ende, el título mismo autocensura una frase abrupta del relato ("Y a tu mamá también, cuando me hizo una limpia", ya que no sólo me cogí a tu novia) y contrasta con la ostentosa franqueza verbal de la cinta, esa inofensiva fábula juvenil que fue tan injusta cuan paradójicamente autorizada sólo para adultos según el ansiado flamante reglamento foxista de cine 2001 para inaugurar su censuradora interpretación timorata y homofóbica. Y tu mamá, ¿también censura tan sutilmente?

Y tu mamá también, 2001

Franqueza sexual juvenil, frescura grandilocuente que no te la acabas, babas. Diálogos llenos de vergas y alusiones a otras patoaventuras
coñiles inmostrables, una valoración indirecta de
los detalles explícitos que serán sólo verbales si
genitales ("¿Te la mamó mi novia?"/"O sea que
nos la hemos pasado removiendo el atole") o de
a tiro elípticos si afectivos (regalo por una nonagenaria de la ratona de peluche que se heredará
a la chiquirris playera). Un poema eropedagógi-
co a lo Makarenko para tomar el sexo más a la ligera y así apreciarlo en serio ("Trabajen más la
resistencia"). Una memorable inaplazable redu-
cación/desbestialización/humanización sentimental de los machitos unidimensionales preCaballo
Rojas (aunque con reminiscencias de *Tres lancheros
muy picudos* de Gilberto Martínez Solares, 1988,
según el crítico Gustavo García) que debe angus-
tiadamente recurrir al auxilio de las chicas más libres del mundo que se dan en la madre patria
cual conquista de la lucidez brutal en las necesidades pulsionales aunque carentes de toda sensualidad. Una vivisección de los chavos gays reprimidos
que se poseen a través de la invitada ("Gilipollas,
mejor váyanse a follar el uno con el otro") pero
se deleitan con su beso de machos probados en

Y tu mamá también, 2001

El lugar sin límites (Rip, 1977) y se levantan al día siguiente de chiflonazo, ayudados por la cámara rápida, asustados y asqueados, con la peor escarmentadora irrepetible cruda moral de sus vidas.

Se siente como chorreo de semen en la alberca cada vez que quitan el sonido ambiental para que entre la pésima voz del narrador truffautiano en off (locución de Daniel Giménez Cacho por fortuna inmostrable) que, tan inoportuno como mecánico, a través de intervenciones ineptamente escritas, va revelando un haz de trágicas historias alternas posibles (ese albañil atropellado en la vía rápida, esos campesinos detenidos arbitrariamente por un retén militar en la carretera), infelicidades acechantes (ese triste futuro como sirviente hotelero del pescador ya no más feliz) y el lado oculto de las cosas cual convocatoria de una gravedad a huevo. Gravedad hechiza del paralelismo tipo la noveleta *Las batallas en el desierto* de José Emilio Pacheco entre la despreocupada vida íntima de los chavos y la apremiante vida mutable del país. Gravedad ejemplar en ese proceso de maduración más preciso y acabado que el de los primitos antinecrófilos de *Por la libre* (De Llaca, 2000). Gravedad anacrónica de seudoaudacias sexosociales cuando hace treinta años que las anticomplacientes fantasías hipercríticas (desde el freak radical *No es el homosexual el perverso, sino la situación en que vive*, 1970, hasta el frívolo musicoferoz *Los virus no saben de moral*, 1985, de Rosa von Praunheim a la cabeza) suelen comenzar donde éstas terminan. Gravedad chantajista de Luisa sollozante a escondidas con cáncer terminal cual sida-gag irresponsable del primer Cuarón (elevado a *Sólo con tu puñeta*). Gravedad súbita en la crónica de una amistad despedida en el café porque apenas alcanzó para el arranque de este neocostumbrismo abrupto y para concluir este réquiem al humor charolastra que nunca pudo salir por completo de su estadio onanista ni de su grandilocuente regodeo en él.

El apremio defeño

Aquí todos cargan con el fardo de sus *Corazones rotos*, según el filme homónimo de Rafael Montero (2001). El cesante socioidealista sacrificafamilias Horacio (Rafael Sánchez Navarro) tiene el corazón desgarrado porque no cuenta con dinero para pagar la colegiatura de sus hijitas y su mujer harta Eva (Verónica Merchant) pretende emigrar al norte. La anciana anticarismática doña Fide (Carmen Montejo) tiene el corazón hecho trizas por no poder pagar la renta de su cuartucho a la desalmada arrendadora doña Sol (Martha Navarro) y su hijo inútil megaobeso Mateo (Luis de Icaza) es incapaz de ayudarla. El sensible puberto superedipizado que fabrica móviles de azotea con palomas muertas Santiago (Jairo Gómez) tiene el corazón fracturado porque su venerada madre prostituta guiñolajadísima Celina (Ana Martín) lo condena a la soledad y ya empieza a ceder retadoramente a pulsiones travestis/gays por andar espiando al atractivo homolanzadazo Billy (Pedro Sicard) cuando éste hacía ejercicio y para equipararse con su madre derrumbada de borracha. El evangélico inventor Josafat (Salvador Garcini) tiene el corazón fisurado porque le dan eternas largas al financiamiento de un artefacto hidráulico suyo que soñó abastecería de agua a todo su pueblo del desierto irónicamente llamado Paraíso. El sanitario Tulio (Odiseo Bichir) tiene el corazón desgarrado porque debe transar con medicinas prohibidas para satisfacer las exigencias de su arribista esposa Diana (Cristina Michaus), quien compensa sus complejotes ("Si no compras una cama nueva, te olvidas de esto, ¿eh?") haciéndose nombrar presidenta del Comité de Seguridad de los condóminos y sólo se excita escurriéndose billetes hincada en la cama. El emprendedor florista señor Cano (Jorge Galván) tiene el corazón quebrantado, acorde con su negocio en quiebra, tanto que le dará un infarto y quedará paralítico he-

Corazones rotos, 2001

mipléjico, al cuidado de la sufrida señora Cano (Norma Herrera) y poniendo en crisis el amor interesado de sus hijos pirañas Ofelia (Elisa Reveter) y Rodolfo (Leonardo Mackey). Y la nalgacaliente joven malcasada rutinaria Teresa (Lorena Rojas), quien confiesa a una confidente tirarse tipos al ir a correr a los Viveros ("Ay amiga, ¡qué puta eres!"), tiene el corazón destrozado porque siente pánico de haber sido contagiada de sida y de las madrizas que le propina su machistebrio esposo piloto Amado (Francisco de la O), de cuyo estorbo al fin se librará aventándolo por la ventana, quizá impunemente. Así pues, según podría observar circulando por todos los andadores a todas horas la ubicua chavita vendetartaletas Iris (Alina Montero en el rol testigo mudo de Emma Roldán en *El compadre Mendoza*), aquí todos cargan con el fardo de sus *Corazones rotos*, o a punto de.

Con onerosa coproducción Imcine-Brasil y basado en un trabajadísimo guión propio luego publicado por modélico (¿pero de qué?) en linda edición de Cal y Arena, el octavo largometraje industrial del exitoso excuequense Rafael Montero (*El costo de la vida*, 1988; *Ya la hicimos*, 1993; *Cilantro y perejil*, 1998) es un ambicioso y pretendidamente representativo corte transversal en cual-quier edificio de unidad habitacional Villa Mediocre al sur otrora olímpico de la ciudad de México, un precipitado haz de microdramas clasemedieros de humor grave o involuntario, una tormentosa visión ventisquera de más de cuarenta personajes-brizna arrasables a vuelo de ave de mal agüero, un derivativo puñado de *Vidas cruzadas* (Altman, 1993) sin mucha sustancia que cruzarse pero con ínfulas vertiginosas de *Magnolia* (Anderson, 1999), una deficiente ilación de cien cabos sueltos porque sólo se admiten anécdotas-cabo dentro de este mural-rompecabezas con vocación de laberinto desolador desolado, un tropel de apuntes para otras películas verdaderamente capaces de desarrollarlas, un borrador de notaciones en abismo que ya son la cinta en sí, un regodeo abrupto aunque jamás acedo de falsísimas pero reconocibles y concertantes actuaciones de telenovela, una innecesaria superación cualitativa y cuantitativa de las viñetas urbanas hoy ingenuas del ciclo teatral *D.F.* de Emilio Carballido años cincuenta (burdofilmadas por Rogelio González hijo hasta 1979), un forzado paso ascencional/descencional de la comedia romántico-vegetativa cilantroperejilera hacia otra cosa más inesperada y desesperada y exasperada.

Corazones rotos, 2001

Para todos los clasemedieros como tú, por igual y sin distingos, dicta su agobio del mundo de la necesidad. Se hace la crónica coral del pesar, los infortunios y pequeñas dichas del vecindario, pero sobre todo sus apuros laborales y económicos. Ni modo, seguirás varado indefinidamente en esos apremios rumbo al exasperado fracaso existencial de *El costo de la vida* y en la ironía destripada sin salida de *Ya la hicimos.* Desempleo, renta impagable, frustración de proyecto en beneficio colectivo, bancarrota inmerecida, junta de vecinos cobrones y cabrones a grito pelado y a poses pospriístas. Mucho más que meros problemas monetarios: verdaderas catástrofes exteriores/interiores y por ello insalvables. Caracterizaciones rápidas de personajes-espejo con buen ritmo para lamentar la rabia y el rencor de la descapitalización capitalina. Y el apuro defeño equivale a una escupida del alma, esa escupida de alma que pudre hasta lo que te es más caro y más te duele: la pareja y el amor, la estabilidad de la pareja de por sí precaria y el amor a cualquier edad, el desencanto y la rutina, la soledad y el vacío, la violencia hogareña y la indefinición sexual.

Top shots del chico azotado de azotea y de la simbólica inminencia de la mortal caída libre, chusquez/enderezamiento de la cámara inclinada que jamás conseguirá el equilibrio pues el suplicante esquiliano retromarxista antisistema a lo años setenta ha quedado a ras de pavimento viendo desequilbrado alejarse al carrazo, barrido de cámara que traduce la angustia de la esposita acorralada en el baño a merced de los mugres ímpetus brutales del marido, subrayado de artificiosidad en las creativas escenografías de la directora de arte Martha Papadimitriou para ambientar matices y subestratos clasemedieros o alentar impulsos eroelementales (ese pretencioso depto blanco-blanco con blanco del piloto siempre protestando por el blanco impoluto/poluto de sus camisas, ese depto aburdelado a la manera vetarra de la call-girl jodida). Puesto que ahora tiende a diversificar efectistamente sus enfoques y fragmentar al máximo sus secuencias, en contraste con los cineastas mexicanos que hoy optan casi fanáticamente por el plano secuencia que respeta la continuidad del espacio-tiempo-acción y la síntesis al interior del plano como Hermosillo (en un nivel superior tan experimental como el de *Corazones rotos*) y Ripstein (en el nivel inferior inepto facilista), podría afirmarse que el estilo de Montero cree cada día más en la imagen (o en la estética del videoclip) y cada vez menos en la realidad, según la clásica distinción del cineteórico francés años cincuenta André Bazin. Lo cual plantea una paradoja, dada la vocación realista-costumbrista casi mimética en aumento y con mayor tino dentro la vena social que inició medio sosamente *El costo de la vida*, y hace temer seriamente por su eficacia identificatoria, proyectiva y dramática, en beneficio de una vistosidad postStone rutilante y encandilada.

En el hormiguero de la promiscuidad típicamente defeña, abigarrada e irremediable, melodramática y trágica a la vez, cobran hoy mayor peso, más que la maldad, la carencia de buena fe e inconformidad entre palabras y actos en tus relaciones fundamentales. Mucho más que simples *Corazones rotos* por la insinceridad: la confrontación entre lo que creemos ser y lo que somos. Así, tras ser humillado por los funcionaros públicos, el evangelista seudoinventor onírico optará por un envenenamiento de secta entre Aleluyas, acompañado por su archisumisa esposa asexuada Ruth (Tony Marcin) y la desolada doña Fide, mientras en el depto de arriba, el transa repelente y su repulsiva esposilla se entregan y abandonan en grandes angulares al estilo *Crónica de un desayuno* (Cann, 2000) a una tumultuosa fiesta frenética, ignorantes del drama del piso inferior, ya bañado por la cegadora luz infinita del suicidio, muy quitadazos de la pena. Y Horacio y Eva se desnudaron para darse otra oportunidad y romperle el corazón al pesimismo de este grandioso grandilocuente tratado de sociología condominal, rumbo a un doliente epílogo de Goethe, luego suprimido en la compacta versión comercial del supernervioso y por ello modificable filme, que bendeciría el reanudamiento jamás bien interrumpido del curso habitual de la vida en la unidad habitacional, porque "se sigue viviendo como si nada pasara" (en *Las afinidades electivas*), aunque "nadie es más esclavo que quien se tiene por libre sin serlo" (también Goethe).

El mexicanthropus anticlericalis

Tras ser asaltado en un autobús rumbo a su primera diócesis en Villa de Aldama Veracruz al principio de *El crimen del padre Amaro* de Carlos Carrera (2002), el joven sacerdote recién ordenado Amaro (Gael García Bernal con carisma vulnerado) se revela como un ser corruptible y mendaz contestador de periodicazos apenas ha entrado en contacto con un mundo de inseguridad e hipocresía, narcolimosna y prensa venal, fanatismo e impunidad, injusticias sociales y guerrilla, violación flagrante del celibato sacerdotal y colusión

El crimen del padre Amaro, 2002

El crimen del padre Amaro, 2002

del poder de la Iglesia con los abusos del Estado, antes de aprovecharse de la naturaleza ardiente ("Soy muy intensa, me toco a mí misma; cuando me acaricio, cierro los ojos y pienso en Jesús Nuestro Señor, ¿es pecado?") de la guapita fondera catequista Amelia (Ana Claudia Talancón con carisma sensual de su exindomable sor Juana de *Ave María*), citarse galantemente con ella y, enfrentado a la responsabilidad de un hijo gestante que haría peligrar su carrera dentro de la organización eclesiástica, someter a su compañera a un clandestino aborto séptico en abonos para que muera desangrada en su camioneta.

Un protagónico curita novato sin la consistencia ética-martirológica a toda prueba contra la Maldad del *Diario de un cura de campo* (Bresson, 1950) y sin la desamparada generosidad estoica del Nanni Moretti por él mismo en *La misa ha terminado* (1985), que sólo sabe desesperar, confesarse, quemarse la mano en la lumbre autopunitiva y rezar infructuosamente, inerme para detener su cadena de complicidades y flaquezas, concupiscencias e indignidades, menos calculador que el original literario, pero más emotivo y hasta violento visceral cuando noquea al padre párroco que fingía confesarse con él, mandándolo al hospital y a la encorsetada inmovilidad final mientras él obtiene su victoria pírrica. Un curtido cura gachupa Benito (Sancho Gracia) cual homenaje viviente al Paco Rabal de *Nazarín* (Buñuel, 1958), para decir dionisiacamente lo contrario, bautizando retoños de narcocapos, o derrumbándose ante su agradecida concubina la Sanjuanera (Angélica Aragón), a diferencia de ella repleto de culpas ("Te convertí en la puta del cura y por eso voy a ir al infierno"), hasta terminar en silla de ruedas, con tanque de oxígeno portátil y despojado de su curato. Un iluso aprendiz de periodista Rubén (Andrés Montiel) más que impotente para sostener sus narcodenuncias, hasta volverse madreador callejero del medroso curita incapaz de emprender acción penal en su contra. Un hiperpodrido presidente municipal (Pedro Armendáriz hijo) que espeta socarronamente frases de Fox ("Gobierno para mi pueblo, no para mi partido"), demostrando que éste sí "paga para que le peguen" (José López Portillo dixit cuando presidente de la República). Un sacristán rastrero cual perro desechable (Gastón Melo) a cuya hija subnormal Getsemaní (Blanca Loania) hay que distraer con estampitas pías para que en el cuarto contiguo puedan grotescamente copular a escondidas los amantes. Un manipulador obispo adiposo (Ernesto Gómez Cruz) más que coludido con narcopolíticos, que abusa de su autoridad ("O se dobla o se chinga, me avisas") y apadrina al tiempo que castra moralmente. Una beata esperpéntica Dionisia (Luisa Huertas) que escupe la eucaristía en el misal, cultiva altares con gatos a quienes agasaja curativamente con las hostias que luego repelerá la oligofrénica tullida pazaliciana, encabeza levantiscas pedrizas fanáticas a lo Pro Vida y conecta burlona al curita con la clínica abortera. Un guerrillero astroso que acuchilla, con saña de *La virgen de los sicarios* (Schroeder, 2000), a cierto inocente de mingitorio para expropiarle fotos delatoras. Todos ellos forman un egregio desfile de repelentes personajes perturbadores que desde ya se torna prototípico y emblemático. Y un barbudo teólogo de la liberación bastante extemporáneo Natalio (Damián Alcázar) que se ha asimilado a la guerrilla en las comunidades campesinas de la sierra, desafía al obispo y le vale la excomunión, para erigirse como el único personaje digno y positivo del filme, representando sin duda la esperanza, la huella de luz hacia el final del túnel, la certeza de que no todo estará siempre podrido.

Con el mejor guión del veterano Vicente Leñero y basado en la novela homónima (1875) del irónico naturalista portugués decimonónico José Maria Eça de Queiroz (1845-1900) que estaba repleta de discusiones religiosas y de juicios sobre la decadencia del imperio lusitano, el quinto largometraje del dibujoanimador hasta ahora desubicado en el microrrealismo Carlos Carrera (*La mujer de Benjamín*, 1991; corto galardonado en Cannes *El héroe*, 1993; *Un embrujo*, 1998) es una mezcla explosiva de la antigua Santísima Trinidad-Tabú del cine mexicano: sexo/religión/política, un tratado de corrupción eclesiástica a todos niveles jerárquicos, una salvajada de análisis crítico-social puesto al día a través de una muy compacta condensación de vicios clericales (la cinta no es antirreligiosa sino anticlerical y qué bueno que lo sea), una fábula didáctica y ultrademostrativa aunque sin moraleja, un aparente ornamento de sacristía vetusta y empolvada que de súbito arremete con alguna grandeza, un primoroso modelo de virtudes al revés, una pequeña gran película con esmeradas cualidades artesanales, una construcción fílmica llena de irregularidades narrativas y caídas de tensión sin mayores búsquedas vanguardistas (éstas habría que buscarlas en *Sofía* o en *Cuento de hadas para dormir cocodrilos* o en *Segundo siglo* o en *Seres humanos*), un inopinado reciclaje o inteligente secuela tardía de ciertas olvidadas audacias anticlericales del cine echeverrista e inmediatamente después (linchador curacacique en la *Canoa* del Cazals superior en 1975/ verborrágicos monjes psicoanalizados pronto exfrailes en *El monasterio de los buitres* por cortesía de Leñero-Del Villar en 1973/vociferante patraña de las apariciones guadalupanas en el *Nuevo Mundo* de Retes en 1976/silicona ama de llaves Chichela Vega oficiando misa y clérigo pueblerino fornicador de *La viuda negra* con nalguitas flácidas de Mario Almada al gusto del Ripstein de 1977/ soliviantadores párrocos sanguinarios al frente de esa Cristiada tan cruel como inútil de *La guerra santa* de Taboada hacia el mismo 1977, efebo cenobita de irresistible torso autoflagelado René Casados cediendo a las nocturnas tentaciones del deseo carnal en *La leyenda de Rodrigo* del dominico confesor buñueliano y efímero cineasta culterano erotómano R. P. Julián Pablo igual en 1977/ investido diácono cornudo del esperpento de Valle Inclán tratando de contener a la homóloga turba de mendigos y prostitutas en trance de lapidar a su adúltera esposa en cueros desde el principio de las caóticas *Divinas palabras* de Ibáñez para variar en 1977), una enfermiza y desesperada experiencia amorosa contra las braguetas persignadas que rebasa los románticos jueguitos de manos y los castos besitos en la iglesia a lo cine franquista/posfranquista con huarache, una extravagante y patética pieza cumbre del mejor cine con tema religioso que jamás involucra a lo sagrado en sí a semejanza del *Nazarín* galdosiano-buñuelesco y muy por encima de las hipérboles heréticas de *La Vía Láctea* (Buñuel, 1968) porque también afecta sólo a signos externos de los cultos de dulía o hiperdulía pero jamás de latría, una revelación del resentido mexicanthropus anticlericalis que al parecer todos llevamos en el inconsciente, una obra en apariencia sacrílega y blasfema que ya fue aprobada y recomendada por la Oficina Católica Internacional de Cine (OCIC) porque gratifica enomemente a los católicos avanzados e inteligentes pero que a los católicos oscurantistas les resulta y resultará irremisiblemente agresiva, una apertura y un anticipo hacia una Nueva Iglesia no jerárquica más humanitaria apenas presentida y aún en el horizonte.

Mientras el anticlericalismo era visceral, como en numerosas cintas recientes de Ripstein (en especial *El evangelio de las maravillas*, 1998, ya concebido como secuela-homenaje al caritativo iluso *Nazarín* de Rabal), nadie protestaba; ahora que se ha vuelto cavilado y reflexivo, se arma la trifulca. Las expectativas de los grupos tanto de izquierda y derecha como de centro, se cumplen sobradamente. Todo cuaja con eficiencia y rapidez casi subliminal. Nadie dirá Tanto Pedo Para

Cagar Mamaro. Hay muy claras alusiones directas a los prelados Girolamo Prigione y Norberto Rivera, al mismo nivel que al narcocapo el Chapo Guzmán vuelto Chato Aguilar hasta con narcoavioneta, así como por otra parte a monseñor Samuel Ruiz y al Ejército Zapatista de Liberación Nacional de Chiapas. El tratamiento del tema de las narcolimosnas va más allá de la ironía genérica. El cuestionamiento al anacrónico y absurdo celibato sacerdotal (instituido como medida disciplinario-económico-antihereditaria por el Con-

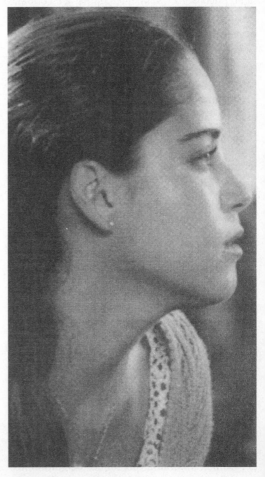

El crimen del padre Amaro, 2002

cilio de Trento apenas en 1545-1563) va más allá de explícitas o irritantes escenas eróticas para implicar pronunciamientos certeros ("Si el celibato se volviera opcional..."/"Me obligaron a hacer votos de castidad"). La inclusión del aborto va más allá del panfleto dramatizado, sin tomar partido a favor o en contra de él, sino sólo resaltando y condenando sus más inhumanas y criminales prácticas clandestinas y sépticas. Y la forma fílmica retoma aciertos caricaturescos del microrrealismo provinciano de *La mujer de Benjamín* que parecía completamen-

El crimen del padre Amaro, 2002

te desechado por Carrera. Encabalgamiento sonoro de clase de doctrina coreando los mandamientos durante la cogida al desnudo como signo de impulsiva carnalidad por encima del pecado, faje bajo el celeste manto estrellado de la Guadalupana como afrodisiaco infalible o retador signo de erotismo detonante ("Eres más hermosa que la Virgen"), recitado en voz off de cachonderías sublimes de "El Cantar de los Cantares" durante otra escena romántica suprema y celebración mediante un banquete infantil de hostias con cajeta Coronado.

¿Cómo se obtiene en 2002 un escándalo prefabricado que rompa los récords de taquilla de todos los tiempos para una película mexicana, haciendo 3.1 millones de dólares sólo en su primer fin de semana de exhibición a nivel nacional? Microcosmos simbólico de la podredumbre del sistema mexicano, eficacísimo marketing brutal, campaña adversa por Internet sin precedente desde *El proyecto de la bruja de Amaroblair* (Myrick-Sánchez, 1999), invención de beligerantes núcleos fervorosos inexistentes en el colmo de la indignación (los Neo-Cristeros SIC), exhibición selectiva a retrógrados personajes pararreligiosos-clave, estrategias y tácticas logísticas en el límite sin escrúpulos, provocación a los sectores más retrógrados de la fanaticada, juego con fuego orquestado en temeraria connivencia con el cine estatal, aplazamiento de estreno por visita papal, conato de censura, sainete con mares de publicidad gratuita aunados a onerosas inserciones pagadas en los medios, batalla bajo la bandera del progresismo, autorización definitiva, apoteótica exhibición masiva nacional sin problemas mediante cuatrocientas copias (ocho veces más que las de *El hombre araña* de Raimi, 2002) y patente derrota de todos los condenatorios intentos de altos prelados por lograr su prohibición, evidenciando una merma actual en el poder de nuestro clero sobre el gobierno y la conciencia de sus feligreses.

La cinta no representa al clero nacional en su conjunto (sería materialmente imposible), pero sí a una parte muy significativa de él. Y el verdadero crimen del padre Amaro no sólo incluye la ruptura del celibato (en el que no cree) y llevar a una muchacha a abortar (en la novela original el curita entregaba a su hijo ya nacido a una asesina de niños ilegítimos), sino ante todo haberse dejado seducir hasta sus últimas consecuencias por el poder de la Iglesia y por el más nefasto y solapado/autosolapado clero político a la mexicana. En su denuncia de la corrupción eclesiástica *El crimen del padre Amaro* parece guardar muchas coincidencias con *La ley de Herodes* (Estrada, 1999) en su obsequio a la corrupción priísta, pero, a diferencia de éste, el relato de Leñero-Carrera no culmina en un encomio épico hasta con premio electoral a la corrupción que denuncia, sino en un drama humano y doloroso, que así embiste mejor contra la Iglesia como institución arrastrada por el desastre nacional, y cómplice de él. Rumbo a un rotundo final durante la misa de cuerpo presente en memoria de la infeliz Amelita, oficiada por su desconcertado verdugo, con reunión de todos los personajes, inculpadora retirada despectiva del padre mentor de corrupción en silla de ruedas, suspenso en silencio a la hora de la comunión, retroceso concluyente de la cámara y música sacra de Hildegard von Bingen que cede su lugar a un triunfal corrido norteño en narcohonor del padre Amaro, para que se junten la sátira picaresca clásica y la tragedia.

La fabulilla con canicas

Con regia producción de Altavista Films e inicialmente intitulado de modo irónico *La mano del Zurdo*, el primer largometraje del jovencísimo exeditor de Gabriel Retes vuelto cortometrajista pueripoético Carlos Salces (luego del hitazo estetacomercial del imaginario mordiéndose la cola del chantaje sentimental en el *Cuarto oscuro*, 1997; *En el espejo del cielo*, 1998; y en *Las olas del tiempo*, 2000), se basa en un libreto-juego de canicas escrito por el realizador junto con Blanca Montoya para girar como trompo en torno a las tribulaciones peripatéticas del atormentado niño campeón de canicas Alejandro el Zurdo (Alex Perea) que se devana los sesos para no dejarse ganar en un duro enfrentamiento interpueblerino Buenaventura vs. Santa María, sin que su afligida madre lavandera Martina (Arcelia Ramírez) pierda la casa y él mismo un brazo, ambos bajo la amenaza del desalmado TV-policía de casquete cortísimo Romo (Alejandro Camacho). Así pues, *Zurdo* (2003) es una colección de fabulillas que nunca reclaman la categoría de fábulas ni la de ciencia-ficción filmada ni de cine infantil propiamente dichas, aunque podrían catalogarse de prisa en cualesquiera de ellas, como antes lo habían hecho muy pocas otras cintas nacionales, entre las que podrían contarse algunas del independiente Leopoldo Laborde (*Utopía 7*, 1995; *Angeluz*, 1997-2001) y a diferencia de cosas innombrables tipo *Atlético San Pancho* (Gustavo Loza, 2000).

Fabulilla encantadora con una hábil construcción expansiva que implica portaviandas, obreros jodidos, oblicuo patrón, tío eliminable, malditos punks domesticables, cacaraquientos vecinos, y termina abarcando a todas *Las fuerzas vivas* (Alcoriza, 1975) de un arquetípico *Pueblo de madera* (De la Riva, 1990) ayuno de anticorrupción *Calzonzin inspector* (Arau, 1973), para mejor ser devastado de antemano por un canicoso *Presagio* (Alcoriza, 1974), cual bienhechor/malhechor *Sexo por compasión* (Mañá, 2000), aunque también carente de magia y mucha gracia. Fabulilla ingeniosita de canicas correteadas por big close-ups en subjetiva que se sueñan orgásmicos a lo Scorsese. Fabulilla-síntesis de un *Cuarto oscuro* donde se podían realizar las más agresivas fantasías sexuales adolescentes, de una puesta/apuesta *En el espejo*

Zurdo, 2003

del cielo donde un niño podía atrapar aviones reflejados dentro de un charco, y de *Las olas del tiempo* al revés que permitían a una nenita retroceder hacia el pasado para impedir una muerte entrañable.

Fabulilla semifantástica con voz demiúrgica, introducción a una canica-universo, abrumadoras paredes burdamente pintarrajeadas que desearían evocar a *Blade Runner* (Scott, 1982), vestuarios esperpénticos que armonizan con decorados nauseantes e iluminaciones subexpresionistas, huérfanas fotogenias pueblerinas en el lodazal, pertinaz lluvia ácida, ceniza cayendo como nieve (inidentificable hasta que ese alguien explica "Está cenizando"), imaginario congestionado siempre atragantándose monstruosamente aun más so pretexto de humor y violencia, publicidad descarada de Chokos y apoteótico duelo a canica-

Zurdo, 2003

zos contra un Mago más bien Mudo (Juan Claudio Retes ultrasobrio) en el jaladísimo palenque-estadio masificado para celebrar el triunfo en la suerte única llamada Golpe y Cuarta de ese mi Gallo de Oro en su Allá en el Rancho Grande poscibernético. Fabulilla fraternal-familiarista del aguerrido defensor doméstico-callejero de *La canica* (Aupart, 1975), ya no perdiendo y recobrando su bolita-fetiche en el chiras pelas de la trama pater-

nalista, sino ahora apostando proletariamente y ganando con gran destreza fragmentaria-elíptica agüitas, cebras, ojos de gato, centenarios y caniquero mismo, o de plano todo el dinero para la fiesta del pueblo, siempre apoyado moralmente por el amiguito mánager Milito (Giovanni Florido), la rubita novia riquilla Carmita (Regina Blandón) y hasta por un misterioso forastero Longe Moco (Eugenio Derbez) con desarrapada gabardina chili-western de *El Tunco Maclovio* (Mariscal, 1969) revelado padre-escudo contra balas asesinas en el momento decisivo in extremis.

Fabulilla sencillísima basada en una minianécdota de dos minutos, pero que se ha inflado de manera insensata y desmesurada a más de 100 por medio de infinidad de personajes parásitos y subtramas paralelas sin mayor desarrollo, más un despliegue desproporcionado de recursos expresivos que nunca lucen como quisieran. Fabulilla marciana-madmaxiana-hombresXiana que jamás oculta sus ambiciones poéticas/pueripoéticas más bien ridulíricas y neocursilazas: ritmo atropellado, abigarramiento de medios excéntricos, onirismo surrealizante de pésimo gusto (fotografía de Chuy Chávez), abuso de la cámara lenta, riña que culmina en un vuelo de espaldas al charco callejero, besito infantil de a cachetito, feroz banda punketa de los Chupacabras convertida en nidito espontáneo de guaruras gratuitos, costosísimos diseños visuales por computadora dentro del síndrome *Pachito Rex* (Hofman, 2001), secuestros, persecuciones, salvadora canica gigante arrasando demonios de la calle que resucitarán en la siguiente escena, búsquedas de suspenso inútil y grandilocuencia de pacotilla, sacrificio del tío buenaonda (Ignacio Guadalupe) en el paisaje lunar de Las Barrancas y showdown conclusivo de duelo del oeste sintético de *Un dulce olor a muerte* (Retes, 1998) con fieras canicas pero finalmente saliendo a relucir los expeditivos pistolones.

Fabulilla trunca y clásica imposible con cien moralejas distintas y ninguna verdadera. Fabulilla paraliteraria innecesariamente compleja y abigarrada que se rehúsa a crecer con genuina sabiduría fílmica. Fabulilla ociosa sin destinatario real y definido: demasiado infantiloide y esquemática para adultos, demasiado elaborada y pretenciosa para niños, demasiado puñetera y simplona para adolescentes (aunque el desesperado marketing se haya centrado en exclusiva sobre la tarada musiquita techno con aleación fluty-bangui del DJ germano Paul van Dyk), y así. Fabulilla ampulosa que con muchos menos elementos acaso hubiera funcionado mejor y hubiese tenido algún hechizo. Fabulilla misericordiosa-intimista de un Zurdo que se volvió diestro tras desgarrarse voluntariamente la mano buena para alcanzar las canicas con una cuarta y así vencer al destino.

Las alegorías cruciales

Alegorías que no se conforman con sostener su metáfora fundamental y representar simbólicamente por medio de ella una serie de ideas abstractas a todo lo largo del relato, sino además encerrar en su seno al mundo y a su sentido de manera urgente, necesaria, crítica, decisiva, como una incisión en forma de cruz.

Primo tempo: La alegoría carcelaria

Por fin ha sido develado el enigma de *El agujero* de Beto Gómez (1997). Más que derrotado y envejecido, rebosante de amargura y rabia etílica, cojeando canoso e hirsuto, física y moralmente deshecho, aunque todavía soñándose a veces vestido de texano hollywoodesco para ser bienvenido por

El agujero, 1997

el cura pueblerino y la gente ovacionándolo espontáneamente reunida en masa durante su recibimiento, luego de treinta años de lidiar con los malditos agentes de la Migra en el país del norte retorna a su Pátzcuaro natal el Pachuco (Roberto Cobo siempre formidable aunque ya terminal dentro y fuera de la pantalla). De inmediato baja al embarcadero en pos de un barquero, su jodido compadre de toda la vida jodida Chavita (José Luis Pimentel Ramos), para empezar a tequilear con él. Dos meses después, aún chupando por las calles, serán encerrados sin razón aparente por el policía cuate Tacho (Lorenzo Feijoo) y el poli ojete con bigote de púas el Negro (Jorge Becerril) en la cárcel municipal. Y allí deberá quedarse el Pachuco la noche festiva del primero de noviembre, junto con el vetarrazo roquero fallido Juan (Jorge Bayardo), el omnivejable gringuillo despistado (Fernando Aguinaco), el mastodóntico chofer enloquecido de celos conyugales Hilario (Pedro Altamirano), el sacrílego junior-de-influyente a punto de ser linchado (Roberto Heredia), el idiota del pueblo Marianito (Gerardo López) y el lúgubre indígena de rostro impenetrable (Leonardo Rafael), todos recibiendo patadas, madrizas atroces, o desquitándose entre ellos, y saliendo unos antes que otros, hasta la mañana siguiente cuando el Pachuco sea expulsado a empujones.

Con guión propio escrito en colaboración con el hispano Rabdul Fez, el opus 1 del veintisieteañero independiente mexicano de cineformación canadiense de inmediato aplicada en la asistencia de TVproducciones españolas Beto Gómez (segundo filme: *El sueño del Caimán*, 2001) es una historia antiedificante más del regreso a casa del bracero mexicano pero que hoy fue a dar con sus huesos en la cárcel en pleno día de muertos, un *Bajo el volcán* (Lowry, 1947 o Huston, 1984) de los menesterosos, un heterodoxo homecoming anglosajón esperpénticamente desarrollado en modos parateatral y metaescénico, una minúscula

obra de narración precaria pero capaz de elevarse a alturas de gran intensidad desolada, una fábula cruel y cerrada sobre sí misma sin moraleja viable, una curiosa novela picaresca que luego de dos ambientes secuencias pintorescas deliciosórdidas (el polígamo chofer foráneo recibiendo canastas de comida conyugal en cada parada, el teporocho empinándose perrito en mano sobre un bote de basura) deriva hacia la aventura existencial e interior/exterior, una sobredramaturgia de lo banal sin mácula de miserabilismo ni neorrealista amor al prójimo ni solidaridad paisana ni compasión, una cinta de culto tan instantáneo como selectivo si bien paradójicamente apenas vista en festivales internacionales, un filme-caso mexicano-español jamás exhibido en carteleras comerciales o paralelas nacionales debiendo estrenarse con tardanza asesina de seis anticlimáticos años en el excultural ahora nulificador canal 11, una minilegendaria serpiente acuática cual pólipo hidrozoario e hidroide cubierta de escamas pequeñas que por la evidencia sólo se cría en las costas otrora tarascas del lago de Janitzio, una hidra de diez cabezas simbólicas que se alimenta de vívidos infusorios anidados en alcohol y gusanillos fantamilenarios conservados en éter, una extraña parábola a la altura de nuestra inmisericordia dominante.

Cárcel-digest indigest reveladora de la realidad social y de sus inicuas relaciones de fuerza. Cárcel-descarga y vaciadero de resentimientos, racismos, sentimientos antiyanquis con saña e injusticias justicieras. Cárcel-purgatorio/infierno. Cárcel como metáfora revueltiana del mundo en su conjunto otra vez con Muros de Agua para sufrir los Días Terrenales En Algún Valle de Lágrimas y los Errores de los Motivos de Caín. Cárcel-agujero nacional en donde todos nos debatimos sin estar realmente encerrados ("Adentro o afuera, lo mismo da"). Cárcel parpadeante en negro e interrumpida por dos letreros programáticos ("Adolorido", "Sólo pedo o dormido, no se nota lo jodido"). Cárcel-puesta al desnudo de la frágil y efímera condición viviente. Cárcel crucial que hace patente el destino como simple forma acelerada del tiempo. Cárcel-denuncia de la ilusión del ser ya sin porvenir ni alternativa de cambio, ni con presente ni con pasado. Una imantada y desvalida alegoría carcelaria quisiera agotar las ideas de grandeza, Dios y esperanza. Cárcel-estado de ánimo grávido de pena de una penosa ánima en pena.

Un monólogo rampante del proyecto protagonista funge como pivote ficcional e ideológico; arrasa, tendiéndose y extendiéndose a sus anchas en las playas del espacio narrativo. Un monólogo en voz off desencantado y desdentado ("La suerte es sólo para algunos"), a veces pinchemallarmeano ("Este pueblo huele a tristeza y yo tengo el corazón cansado") y sarcástico ("Welcome to Mexicou"), o mínimamente autovaluador ("Fui en busca de mi sueño, lo que muchos no tuvieron los huevos de hacer"), más una eufórica invocación coral a las actrices de los cincuenta "chichotonas y culotonas", con los presos mamadores de tequila. Al lado de ese vuelco paranoico del varón sobre sí mismo, los demás serán viles reflejos de sus deseos negativos o confirmación de sus temores, sin lugar posible para las mujeres, quienes habitarán apenas en los flashbacks: la linda novia castrante lastrada Lupita (Gabriela Canudas) que no supo esperar, la buenona adúltera cachada in fraganti (Alma Quiroz), o la gritoneante esposa-bruja reducida a agria boca-mueca gorgónica (Virginia Galván: "Ya me tienes hasta la chingada"). Domina una exclusión nostálgica y caricaturesca de la mujer. Como aducía Otto Weinenger, el desprecio a la hembra jamás es otra cosa que el odio no superado del varón contra su propia sexualidad. Incluso esa muerte compasiva y clemente que ronda por la película y acoge finalmente en su seno al héroe vencido no podrá ser representada por una fémina —ésta ni siquiera tendrá ese dudoso orgullo u oscuro privilegio—, sino por un niño.

De calzón blanco y mínimo paliacate al cuello, un Niño-muerte (Marco Antonio Pedraza) no ha mirado de reojo hacia la cámara desde la subjetiva del Pachuco en todos los momentos clave a lo largo del relato. Niño-muerte que puritanamente recoge al borracho contrito al salir de la prisión cual Carretero de la Muerte levantándolo en día de muertos vuelto Noche de san Silvestre. Niño-muerte que acompaña y une a la ficción con las imágenes de un invasor documental sobre los festejos sincréticos aborígenes del día de muertos en Michoacán: flores de cempasúchil, tumbas adornadas hasta el fondo del pasto, velas de camposanto rural, rezos grises en las tinieblas de la iglesia, danza de los viejitos, matronas con bastón, carnaval de Luto Humano y miseria hasta la salida del sol vista desde la celda. Niño-muerte que alía la escatología del preso loco embarrando excrementos del retrete tapado (ya precedida en su advenimiento por dificultades para cagar, pedorretas, sanguinolencias-caca) y la escatología teológica en ultratumba futura. Niño-muerte caminando hacia el horizonte extraviado por el contraluz del alba, siempre tomando de la mano al ya excarcelado Pachuco silencioso nunca libre ("Lo único que me queda es mi soledad"). Niño-muerte fresca de la más tétrica jeremiada.

Secondo tempo: La alegoría perdedora

El sueño del Caimán de Beto Gómez (2001) aborda el tema de un exilio hispánico otro. Víctima de las mentiras de su madre en España y luego de un atraco infortunado, el guapillo ladronzuelo vasco de poca monta Iñaki (Daniel Guzmán) huye a México para conocer a su odiado padre abandonador vuelto greñudo expresidiario vulnerado Patxi (Kándido Uranga) con efusivo puesto de tacos en un mercado de Guadalajara. Diciéndose estudiante de medicina, se insertan en el círculo de los rudos amigos paternos el Caimán (Rafael Velasco formidable) y el Nene (Miguel Romero), en realidad raterillos fracasados a la espera de su gran oportunidad, y se deja enamorar por la bella muchachona lanzadaza Anita (Sara Ruiz), hija de la casera a quien se le deben varios meses de renta, hasta que termine confesando su auténtico índole delincuencial, sea repudiado por la novia y se una al grupo para participar en el asalto a un banco que saldrá muy distinto de lo malplaneado.

Originalmente en 16 mm y agresivo blanco/negro ostentando ahora el grano reventado, coproducido con España sobre un guión propio y de Ignacio Ciro Medrano, el opus 2 del independiente Beto Gómez (aún marginal y casi clandestino cinco años después de *El agujero*) es ante todo y primero que nada un sabroso redescubrimiento festivo del realismo costumbrista. Cena familiar en casa de la pompeyesca/popeyesca tía pulpo doña Carmela (Roberto Espejo cual amanerado travesti mastodóntico a lo John Waters/Hermosillo) con coqueteo-entremés a cargo de guaposas sobrinas casaderas y fulminante red de celos, taquerías embutidas al interior del mercado visitadas por el policía extorsionador-agandallador de tacos y a un lado del proteccionista puestero luchador Arturito (Juan Carlos Álvarez), encuentro fortuito en la cruz de plazas de catedral, cortejo pueblerino en la provincianísima cabecera de Jalisco con imprescindibles chupadas a raspados y nieves, reventón en casino yeyé de barrio salsaroquero con madriza brutal por parte del músico energúmeno el Checo (Iñaqui Coco) celando a la resbalosa cuñadita Virginia (Karina Hurtado), partidas de dominó vespertino con el vecino anciano cojo del perrito don Tomasito (Roberto Cobo desencuadernado también fuera de la pan-

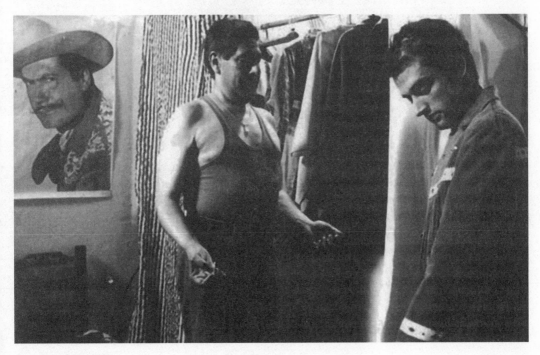

El sueño del Caimán, 2001

El sueño del Caimán, 2001

talla y muy cerca ya del Agujero eterno), culebrón-kitsch sobre la conquista de México convocando las regocijantes decepciones de la improvisada familia reunida en torno al televisor crucial, traslado en moto-caminioneta de risa loca, antro predispuesto al consuelo etílico con sensualosa cantante avecita-obesita fajándole hasta al micrófono cuando entona la cumbia santanera "El ladrón", serenata briaga con baldes de agua por parte de la jefa, asalto tarantiniano con pistolas de anticuario y máscaras de Batman y monstruos de historieta. Una cotidianidad transferida donde todo se torna rito tribal y ceremonia afectiva, un perdón en cada acorde, una cadencia de la música más simple del instinto gregario.

Ahorros devueltos a la abuela (Asunción Balaguer) en la bolsa de su camisón del adiós. Viejo español asaltado (Paco Rabal también póstumo) que muere de un infarto gangoso sobre su escopeta feroz. Asalto-mambo al Bancomer local con almuerzo entregado a la vuelta de la esquina, canto de "Las mañanitas" al colega vigilante uniformado en su cumpleaños y berrinches del comandante autoritario-cretino (Marco Treviño) intentando negociar a golpes de teléfono celular la entrega de rehenes ("Ya llegó la policía"/"Eso es lo que nos preocupa"). Así, el corpus narrativo de *El sueño del Caimán* comienza con un asalto fallido, termina con otro asalto fallido, y en su panza, con sorprendentes imágenes desplazadas, retrospectivamente, muestra los detalles del primero. De fracaso en fracaso. Fracaso tras fracaso. Un retrato gozoso del fracaso como segunda piel única de los mexicanos y los españolitos que los acompañan, del fracaso de la vitalidad y el optimismo nacionales. Fracaso-escama esencial de una fantasía neotequilera autoconsciente. Fracaso-verba/verbena sucesora del neorrealismo degenerado de *Los desconocidos de siempre* (Monicelli, 1958) y el torpe atraco de sus más que torpes atracadores lumpen (con boquetazo de moda al estilo *Rififí entre los hombres*

de Dassin, 1955). Fracaso-desembocadura y promesa incumplida de la especie ligeramente melancólica. Fracaso idealizado por un cine de vigorosos personajes fanáticos e impunes en su ambición de eliminar de un solo golpe penurias y frustraciones. Fracaso-microepopeya de vidas navegando a contracorriente. Fracaso-ensayo postoroliano sobre el Desarraigo y la Orfandad. Fracaso-ajuste de cuentas con la figura paterna y con el país lejano que jamás corresponderá a ningunas expectativas de nadie al tiempo de chingarse un buen plato de mole. Fracaso-alegoría perdedora hecha pábulo de fuego con posters fetiche de la Virgen de Guadalupe y Pedro Infante hasta en el camerino. Fracaso-teología creadora de sujetos demasiado terrenos para creer realmente en Dios (diríamos parafraseando a contrario al poeta argentino Alberto Girri de *La penitencia y el mérito*, multiglosado en lo que sigue). Fracaso-antipoema sobre perdedores natos y sus postreras pasiones nimias.

Sueños recurrentes y semipesadillescos del Caimán adulto con su madre, una hembra enteca casi de su misma edad (Patricia Reyes Spíndola con todo el humor que le faltaba a sus denigrantes sordidapariciones ripsteinianas), quien primero lo recrimina por estar echadote todo el día en el sillón perdiendo el tiempo, luego cuando echa una meada en el mismísimo mingitorio de la cortedad del carácter ("Con razón nunca te has casado"), enseguida cuando tequileaba muy a gusto con Tomasito recién fallecido ("Yo lo voy a extrañar") y finalmente cuando era sorprendido por ella al estar ensayando cual naco *Taxi Driver* (Scorsese, 1976) su atraco ("Das más pena que miedo"). Sueños que regañan como niño de fábula del Saura (*La prima Angélica*, 1973). Sueños edípicos, de humillación, rebajantes, traumáticos. Sueños del mexicano quintaesenciado y solidario compadre ideal. Los sueños dormidos o despiertos del Caimán estructuran de otra manera el relato, volvien do al personaje del Caimán en protagonista único/central y verdadero/valedero: criatura poderosa sin poder en un cine de personajes vigorosos de estricta e instantánea envergadura fílmica, respuesta humanística y dinámica a los trazos claros del realizador, discreta potencia de sentimientos que libera tanto del cine psicológico como de cualquier sentimentalismo estacionario, negación viviente del dictum blasfemo de la tía Carmela ("Cucaracha eres y en cucaracha te convertirás"), fuerza de la naturaleza en pleno dominio afectivo/amistoso que presta cual hado madrino su chamarra tamaulipeca para ir de ligue y devuelve el optimismo al viejo o al joven por igual y se sacrifica por los demás a la absurda hora de la salida caótica del banco con el tropel de los rehenes. Sueños del hombrón sensible y basto que se ha refugiado en la inocencia/perversidad polimórfica de la juventud o la niñez atemporal, para residir imaginariamente en un jardín adánico, olvidar cualquier carácter malévolo (incluyendo al propio), conjurar todo proceso de crecimiento o de cambio y, tras el disparo a quemarropa que convierte en intensa luminosidad excepcional a los parpadeos en negro que a lo largo del filme puntualizaban el paso del tiempo, encontrarse desde allí con la Muerte, trasladándose con sus amigos y la madre-amante final a una playa idílica, por fin atascado en la Eternidad donde siempre residió añorante (no sólo en su Matamoros natal), tejiendo y destejiendo sin cesar y hasta en el más allá ("Sueña que vives") el ridículo del fracaso humano.

Las piedras vivas

¿Incógnita primigenia o evidencias esenciales? *Japón* de Carlos Reygadas (2001) jamás explica su enigmático título, ni lo necesita. Huyendo de sí mismo, al parecer abrumado por el peso de la civilización, un anónimo pintor cincuentón con co-

lorada chamarra de lana a cuadros y rengueando con ayuda de su bastón (Alejandro Ferretis) toma carretera hasta donde le rinde el carro y luego prosigue su camino hacia el pueblo imaginario de Anaya gracias al aventón de unos cazadores a quienes el hombre confiesa sin más su intención suicida ("Entiendo" le contestan). En medio de la nada neblinosa y llena de barrancas de la Sierra de Hidalgo, la comadre Sabina (Yolanda Villas) lo lleva a alojarse durante varios días en casa de la septuagenaria viuda artrítica doña Ascensión (Magdalena Flores) cuyo sobrino inmisericorde Juan Luis (Martín Serrano) amenaza con llevarse piedra sobre piedra las paredes de la troje de su tía, cosa que hará en efecto cuando ya el protagonista haya desistido de su proyecto funda-

Japón, 2001

mental tras una acordada relación sexual con la anciana aquiescente.

¿Anécdota mínima o rugosidad reveladora? Con producción independiente mexicano-española y guión original propio, la opera prima del experto en derecho internacional vuelto cineasta con título belga Carlos Reygadas (tras sus cortos escolares) es un periplo que va cegadoramente de la congestión cerrada bajo el paso a desnivel hacia la aridez abierta del páramo, un antiviaje tópico de la capital al rancho, un documental amañado en 135 minutos y con actores no profesionales sobre *La Humanidad* (Dumont, 1999) sin ritmo pero no sin hálito en un pueblaco perdido, una ficción atípica con cierta musicalidad visual y filmación-happening que así pretende robar sus mejores armas a la vieja semificción tipo Flaherty tanto como a la docuficción más moderna y a la autoficción inminente (amputada del habitual recurso de la voz off externa a la diégesis), un vindicador retorno de la megaurbe chilanga a la escondida ubre hidalguense, un silencio fastuoso de la inmensidad que ha partido de percusiones falsamente juguetonas rumbo al tríptico coral Bach/Shostakóvich/Pärt (este último ya vuelto omnisocorrida/todoauxiliadora audiocatedral icónica universal del misticismo instantáneo) invocado en obligato con audífonos de walkman compartido, un delirio tarkovskiano mimético-naïf con mucho más éxito que la risa loca metafísico-azotada de aquel boqueante *Polvo de luz* (Christian González, 1988), un absurdo confín existencial que desea

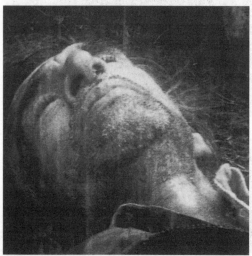

Japón, 2001

reflejar la absurdidad de la existencia para sí y despojada de sí, un diálogo malvado entre el ser y la
nada antes de cancelarse ambas nociones por intercambiar sus territorios, un intento de extrema
desterritorialización que acaba en asomo de rete-
rritorialidad trágica, una tragedia trunca o más
bien continuada y finiquitada de otra manera a la
prevista, una retorcida retórica de momentos muertos o agonizantes, un inane monumento al tedio
sin la densidad espiritual/telúrica requerida e in-
fértilmente convocada.

    ¿Originalidad superficial o recreación pro-
funda? La fábula del hombre que comunica su
propósito de quitarse la vida sólo para acabar reconsiderando in extremis su decisión y volver so-

bre ella se ha tratado en el cine desde tiempo inmemorial en los más diversos tonos: a modo de comedieta revanchista desafiando a la censura de Franco en *El hombre que se quiso matar* (Gil con libreto del humorista Wenceslao Fernández Flores, 1942), a manera de antithriller sarcástico en *Contraté un asesino* (Aki Kaurismäki, 1990) y más recientemente como parábola rusa de la desmoralización postsocialista-soviética *Funeral para un amigo* (Krishtofóvich, 1997); pero faltaba la megalomaniaca versión mexicana límite, entre el grandilocuente lirismo elemental/sofisticado y la genuina grandeza lírica, resolviendo el suicidio dilatado y retardado a un tiempo cual asunción de la crisis de los irrecuperables valores trascendentes de *El diablo probablemente* (Bresson, 1977) y cual búsqueda de salvación terrena con árbol simbolizando la frágil verticalidad del hombre sobre la aniquilada pero maldecidamente eterna horizontalidad de la Naturaleza en *El sacrificio* (Tarkovski, 1986), cual inescapable drama interior oblicuo en *El sabor de la cereza* (Kiarostami, 1997) y cual reconquista de valores esenciales de *Bajo California. El límite del tiempo* (Carlos Bolado, 1998), aunque en otro registro de la desnudez total.

¿Instinto de muerte o violencia lastimera? Sombra de cicatriz metafórica/alegórica, rostro doliente sin maquillaje, máscara romántico-decadente. Regalo de pintura al desfile de niños, lluvia y lentas panorámicas de la Desolación que invariablemente acabarán en el perfil del hombre. Degollamiento de la paloma, caballo destripado, gato ahorcado por el tractor, caballos fornicando ante el júbilo de los niños en corro, significante valoración sonora hasta el más recóndito chillido de marrano o de rata dada al catre, atado de agujetas al manco vecino poliomielítico. Una meditación sobre la crueldad de la vida silvestre y agreste, pero paradójicamente regeneradora sin ironía.

¿Tentación autodestructiva o ausencia del deseo? Perturbación, pistolita rondando en bus-

ca del pecho, masturbada decrépita ripsteiniana, cara tumbada sobre la *Tierra* (Medem, 1996), inquietud intransmisible. Pero, con un poco de rabia y otro tantito de sexo excéntrico, el hombre recobra el sentido de la vida. Por eso, el rebelde será rodeado y menospreciado, retirado y excluido como pelele por los peones murodestructores. Por eso, la cámara en mano del cine directo sigue el pedregoso descenso al pueblo de la devota vieja, con elíptico tilt-up maestoso de la fachada de la iglesia rústica, para rezar y oir misa, aprovechando el aplazamiento que ha podido la posmenopáusica para sostener la relación erótica propuesta. Por eso, la puesta en escena de la secuencia-clave de la cogida con la anciana pasita-pasita se convertirá en la puesta en escena de su propio deseo por el hombre cuyas sugerencias ("Un poco más para allá"/"Dése la vuelta"/"Con la rodilla levantada"/"Ahora de rodillas") representan algo más: una vía-herida abierta hacia el doble llanto catártico, con alguna caricia lejana, en el alegre postcoitum-animal triste de dos espaldas. Gana el instinto sexual la más púdica de las fantasías lúbricas.

¿Aborto suicida o problema relacional? El juguete de la desesperación desesperadamente reiterada hurga todas las rutas en bruto entre brutos, como en un extenso catálogo de pecados cósmicos. Correlación plástica entre el Cristo en escorzo de la iglesita y el cuerpo del copulador-manipulador en escorzo idéntico para comprobar, con discreta pero emotiva y contundente fruición religioso-trascendental, que las mujeres se enamoran siempre de Jesús y los hombres de la Virgen (o la neoVirgen tardía). Cero compasión neorrealista de Kiarostami, sino un desprecio oculto y vergonzante que secunda la óptica de la cinta en sí. Según su oscurantista y antipático press kit festivalero internacional, "una gema de lo contemplativo que rechaza el exotismo fácil" (¿pero no el difícil?). Cual difunto recalcitrante de *Vera* (Athié, 2002), el tipo estragado jamás se relaciona realmente con los moradores del pueblo, ni cuando se embriaga en el tendajón e increpa a todos ("Está borracho"), ni al copular con la mujer objeto del deseo límite, hasta su Final Feliz y el remate arbitrario de la ficción. Por primera vez contenta, en la cima de la vagoneta donde pasea sentada sobre las piedras de la troje; la amable desarmante Ascen no vivirá para contarlo. Cierta toma virtuosística de giros completos por rieles desérticos ensarta un reguero de cadáveres accidentados, para culminar en el gesto mortuorio de la vieja-Madre Tierra con la chamarra roja del varón bien puesta. ¿Alguien debía pagar a fuerzas por la redención-cosmogonía-reascensión vital? Ante fotogenia montañesa y grúas, grano reventado y texturas leprosas, las criaturas abestiadas que ofrecen tecitos o engullimos tacos y pulcata somos tan pobres de espíritu como las piedras vivas.

El autosecuestro-eco

Seis días en la oscuridad de Gabriel Soriano (2002) plantea interrogantes teóricas radicales y apasionantes/apasionadas más allá de su pobreza, o quizá a causa de ella y la paradójica infracultura supracultural en que se plantea.

¿Suma de abismos o autosecuestro-eco? Con los ojos vendados y a la orillita de un precipicio, tres veinteañeros niños bien de la Universidad de las Américas hacen ejercicios psicológicos de vértigo y abismo, antes de proferir sus agresivoburlones póstumos deseos, desde esa secuencia inicial como prólogo premonitorio y programático profundo. Pronto, esos amigos se verán envueltos en un escándalo mayor. So pretexto de extorsión policial por haber atropellado a un ciclista en la carretera, el imaginativo e inescrupuloso juniorcillo Claudio (Omar García) urdirá con el barboncito nacón buenaonda Vampiro (Mauricio Fernández) y el moscamuerta güero erotómano forcluido Marsolo (Alan Bitter) un autosecuestro exprés, deja-

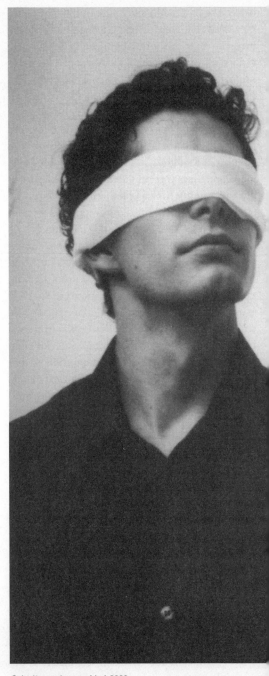

Seis días en la oscuridad, 2002

Seis días en la oscuridad, 2002

do sin reloj ni zapatos en el bosque, que se convertirá en verdadero secuestro a la hora del pago de rescates por el millonetas padre siriolibanés Hadaf (Mario Zaragoza), en una escalada interminable que, pese a la presión policiaca y al cadáver de un apostador, mantendrá al héroe atado y con los ojos vendados en un sótano durante seis días; sólo su novia rubita vuelta supereficiente detective instantánea Ximena (soy totalmente televisa Ludwika Paleta) logrará sacar a la luz los nexos de esa desaparición con un atentado previo y con los amigotes culpables, cuando ya el ambicioso Marsolo estaba enviando al papi dedos cortados de su hijito y así hasta el liberador asalto final ávido de tiros y decisiones cruciales.

¿Diversión atroz o desastre-eco? Basado en un guión original propio, colaborando con Rodrigo Ordóñez y Juan Pablo Cortés más algunos toquecitos del ya infaltable inculcador-inoculador anti/procorrupción Enrique Rentería (*Todo el poder*, *Amar te duele*), la opera prima hecha con tres pesos (y 27 mil dólares) del independiente en New York formado Gabriel Soriano (cortos de 1996: *Monkey See Monkey Do*, *El duelo*, *Matadora*) es un infrathriller criminal de suspenso mellado, una lastrada búsqueda de aventura urbana y diversión pura, un churrazo inepto en grado apenas superior a lo amateur, un desastre que ni siquiera podría asumirse como tal, pero que por extrañas razones de irritación/seducción extremas no podría dejarnos indiferentes. En una breve pero certera nota el joven cinecrítico Ernesto Diezmartinez (en el suplemento de espectáculos *Primera Fila* del diario *Reforma*, 18 de abril de 2003) ha acometido una pormenorizada devastación analítica del filme, lanzando por delante cierta cruel cita sarcástica de nuestro santísimo patriarca estadunidense James Agee ("Hay cineastas independientes que, por el bien del cine, deberían depender de alguien"), la cual, muy curiosamente, aparece contradiciéndose entre una enumeración apabullante de las dependencias que sufre la película por el lado de sus referentes inmensos y un enlistado de las dependencias que padece por el lado de sus amanerados recursos técnico-expresivos de moda; vale la pena retomar unas y otras, para señalar otras aristas y bordes más significativos de este caso límite.

¿Reducciones al absurdo dramático o trama-eco? En efecto, como en *Tumba al ras de la tierra* (Boyle, 1994), un grupo de amigos se enfrenta y entredevora por la posibilidad tangible de un botín cuantioso, pero aquí dos de los inocentes ya tenían senda cola que les pisaran, tras participar en un turbio atraco/tentativa de secuestro materno que le costó la vida al chofer familiar y otras consecuencias funestas que se asentaban desde la misteriosa secuencia-premisa con la madre catatónica con cuidados psiquiátricos y los de una vieja sirvienta-testigo a lo Emma Roldán. En efecto, como en *Fargo* (Coen, 1995), hay un *Secuestro voluntario* para sacarle lana a un pariente avaro/mezquino, pero aquí el chantajeado pagabotín se rebelará a lo idiota ojete y el joven líder secuestrador acabará dándole de comer directamente de su lata de sardinas al victimado tras mutilarle un dedo índice. En efecto, como en *Cerdos y diamantes* (Ritchie, 2000), hay problemas con apostadores (el autoirrisorio Darío T. Pie a la cabeza), pero todo en medio de la estereotipia ya alucinante de gangsteriles policías descarados y hamponcetes impunes/liquidables a escoger (Luis Couturier, Gustavo Ganem, Benjamín Martínez, José Sefami, Hugo Stiglitz: todos retacados de tics y con presencias intercambiables) y ante tres amigotes que sí se desarrollan conductualmente y acabarán por existir como bichos bípedos, criaturas voraces, personajes desalmados, figuras pirrurras prototípicas. Y también, en las antípodas de *Crónica de familia* (López Rivera, 1985) o del díptico *Noche de buitres* y *Apuesta contra la muerte* (Ismael Rodrí-

guez hijo, 1987 y 1990), sin vocación de tragedia ni denuncia contra los juniors malditos social ni de realismo crítico representativo (salvo por esa corrupción familiar/policiaca/generalizada ya invariable clave adquirida del cine mexicano de hoy), socava las leyes de su propia dinámica. Juego de homenajes posmodernos-eco e impotencia derivativa-eco, a un tiempo. A nadie intenta engañar el reconocimiento entusiasta, naïf y sin cinismo de la imposibilidad de "fuentes originales" en la búsqueda de lo popular de una diversión-eco mediante la trama-eco repleta de inabarcables subtramas-eco de la principal.

¿Manierismo-eco u oscuridad-eco? Es cierto que Soriano y su camarógrafo Aram Díaz no pierden ocasión para chutarse gratuitas tomas cenitales, cámara rápida, ralenti, fotografía en time lapse, tomas en handicam ad nauseam, pero esos efectismos posvideoclip-relámpagos jamás constituyen la sustancia de la ficción; ninguno de ellos ni su conjunto logran difuminar la sensación de perfecto desasosiego perpetuo que esparcen las tinieblas por todas partes, la negrura y la oscuridad omnipresentes, en lo visual y en el contenido, con imágenes cercanas a *Seres humanos* (Aguilera, 2001) y a su interioridad enrarecida. Ni lógica ni psicológica, ni existencial ni aventurera: todo en lo no dicho. Las fulguraciones no conducen a ninguna parte en primera instancia, pero obligan a hacer una lectura en segundo grado. La oscuridad transforma a los lugares cerrados y a los exteriores boscosos en espacios viscosos, misterio, de total negación espiritual, sórdido itinerario vacío sin posibilidad de símbolos ni conocimiento íntimo ni recorrido iniciático de antemano cancelados. La fuerza de Soriano reside en presentar los episodios en borrador y de manera caótica, en concordancia con el desorden y el malestar que emanan de las disputas por el dinero y el incremento de los rescates (de 200 mil a dos millones y lo que siga).

¿Moraleja o antifábula-eco? Nunca sabremos si en realidad el autosecuestrado atropelló o no a un desconocido y si ahora estamos viendo otra patraña o revelando un secreto. Flashbacks verdaderos y falsos, ambigüedades, deslizamientos, cabos sueltos, onirismos, realidades secretas. Todo lo cual no sólo embrolla sino desquicia al relato. Según la paranoia creciente y de repente desatada del monstruo buñueliano de la represión sexual Marsolo, avizorando una psicosis que se resiente de modo efectivamente feroz y amenazante, la dulce Ximena sostenía relaciones sexoamorosas tanto con Claudio como con el Vampiro, pero en el desenlace, cual homenaje a las visiones visionudas de *Él* (Buñuel, 1952), desechará a su novio herido y se trepará decidida a la ambulancia que conduce al Vampi en camilla, como su única allegada, dándole la razón a la razón de la sinrazón que a la razón de Marsolo ensombrecía, incluso ya acribillado por las enmascaradas tropas de asalto policiaco. Del embrollamiento-eco a un magníficamente perturbador desquiciamiento-eco y una moraleja de antifábula-eco.

¿Eco de ecos? El filme se ha realizado sólo por placer, por la intención-eco de prolongar goces fílmicos, aunque sean tardíos y bastardos. Pertenece a ese tipo de películas heroicas y abruptamente mal hechotas que ya no se hacen (más que nunca "No saber 'hacer cine' es ser un artista": Catherine Breillat), de frente y de espaldas a la realidad y no mero reflejo de ella ni consecuencia de su sabia manipulación. La única Realidad admitida será la fílmica en todos sentidos, para asumirse como búsqueda metafísica y formal del eco, gloria configurativa del Eco, en su época y al servicio de una película-eco. ¿La nueva originalidad consistirá en querer sólo ser eco de eco de ecos, y lograrlo a plenitud? Entre la grandilocuencia-eco y la mínima grandeza de su autogestión sobre el cambiante y evanescente Nada dramático-trascendental asumida, una cinta autosecues-

trada en torno al autosecuestro como eco imposible de sí misma y sin embargo existente y vigente. Una feria del lugar común sobre el secuestro-eco próximo a sus últimas consecuencias abstractas.

La espiral sonora

¿Una melancolía masiva? Según Montaigne, "la música es una forma de la melancolía", pero la música popular y sus simulacros masivos también pueden ser celebración, estridencia, leperada, agresión, irreverencia, ataque, catarsis, escape. Y eso lo saben muy bien Alex Lora y su nueva consagración fílmica: *Alex Lora, esclavo del rocanrol*, película mexicana de Luis Kelly, con Alejandro Lora, Chela Lora y la banda el Tri (2002).

¿Película-recital o espiral de canciones? Lora prendidón greñero rizado quincuagenario aún echando madres desde el escenario ("Epidemia"). Lora apoteosis del desaliño y el apiñamiento ("La raza más chida"). Lora perrosalivoso lamiendo lascivamente con su lenguota la fálica parte superior de su guitarra rubricando previamente rolas y coronando la tocada antes de empezar ("Niño sin amor"). Lora turbulento transgresor estragado ("La Virgen Morena"). Lora pícaro mayor e ínfimo de su propia autopicaresca instantánea y más que perenne ("Todo me sale mal"). Lora icono mitológico entre estudios, traslados y camerinos, micrófonos y amplificadores ("Todos necesitamos de todos"). Lora a un tiempo el descompuesto Jagger de larga duración y el desafiante Rey Lagarto menesteroso que te mereces ("Cuando estoy con mis cuates"). Lora intempestivo desmadre-desfogue prefabricado con toneladas de grifa auditiva ("Triste canción"). Lora concesionario de *Corre Lora corre* (Tykwer, 1998) que en efecto evoluciona como lora entre los restos intercalados de un dibujo animado seudoundeground a lo *Flash* liberador del arte comprometido tanto como rudimentario ("Prueba de amor"). Lora servidor hir-

Alex Lora, esclavo del rocanrol, 2002

viente de fervorosos públicos capitalinos, de provincia pavimentada, de curas neoinquisidores en semana santa y de transterrados madreavigilantes ("¿Quieren ver cómo se tragan a la ballena las arenas movedizas?") en Los Angeles ("ADO"). Lora ripio preRap acompletando con palabras o frases superfluas sus versos y rimas para decir cosas vanas e insustanciales pero que de seguro resultarán excitantes aquí y allá ("Metro Balderas"). Lo-

ra cronista afónico de la vida persecutoria y la muerte mercadotécnica del rocanrol en la ciudad de México vuelta D.F. ("Chavo de onda"). Lora estallido a fuerza de amplificadores de sus decibeles y casi a pesar de sus instrumentos eléctricos ("Todo por el rocanrol").

¿Admiración compartida o coprolalia báquica? Pero además, Lora echándose un palomazo con lo que queda de lo que quedaba del bala-

Alex Lora, esclavo del rocanrol, 2002

dista fresísimo César Costa en dúo de agua y aceite. Lora confraternizando con sidosos y discapacitados. Lora develando conmovido su estatua en el parque Aguazul de Guadalajara más camp que si fuera ecuestre o tequilera. Lora beodofutbolero dionisiaco recibiendo trofeos de pura verga de pasta y por el millón de discos vendidos en Estados Unidos, yendo a cagar, proclamando al Rock la Fuente de la Eterna Juventud ("¡Que viva el rocanrol!"), platicando chistes homofóbicos botado de risa, paseando perritos, filosofando desde las alturas ecuatoriales de Machu Picchu, saboreando sus nopalitos, y festejando su aniversario de bodas volviendo a casarse en una iglesia andina. Lora en pavorosos arreglos hechos para una empavorecida orquesta sinfónica dirigida por Eduardo Diazmuñoz ("Tocamos al Tri como a Debussy, Beethoven o Brahms"), antes de reiterar su acomplejado y redituable espíritu de identificación ("Seguimos siendo los valevergas") con la Banda más gruesa ("Culeeeros").

¿Crítica al sistema u oportunismo estridente? Con guión escrito en colaboración con el fino cineasta excuequense Federico Chao (*Mal de piedra*, 1986), el segundo largometraje del magnate de la TV por Internet igual excuequense Luis Kelly (la neta netamente superior al candoroso primer filme "experimental" con calaquitas festivas del día de muertos: *Calacán*, 1986) es un recital de recitales roqueros/pararroqueros/posroqueros/metarroqueros, una película-reventón tan grandiosa como anacrónica y aparatosa (reducida a presentaciones de dos años recientes, viñetas de conjunto, algo de su vida privada en autobuses y entrevistas con Lora en todas las radiodifusoras sabrositas del mundo y con su flaca esposa-segundavoz-manager-cerebro-lady Macbeth maternizadora-controladora), una fan-picture en ensayo o en concierto sólo para lumpen-fans, una implícita/explícita crónica-recorrido colateral por más de tres décadas del legendario correoso proteico

grupo roquero Three Souls in My Mind/el Tri/Alex Lora, un homenaje testimonial a la historia del Tri (con su verdadera historia excluida y jamás implícita) vuelta seudónimo de Alex Lora, un programa de Teve-de-mente alargado, un interminable videoclip-summa prolongado al grandilocuente infinito insensato y más allá sin llegar a ningún lado, un "enorme grafiti en movimiento" (Kelly contagiado de las vaguedades eufóricas de sus publicistas antes de despedirse al interior del filme), un retrato-recital de hombre famoso para proseguir la línea de los pioneros del cine directo híbrido Koenig y Kroitor (*Lonely Boy*, 1962) a partir de 500 horas de material y con las facilidades de la técnica digital, un inesperado delirio del culto a la personalidad al que son tan afectos los izquierdistas conscientes y sus ingenuos simpatizantes o los snobs cómplices de trance, un reportaje en cortocircuito muy por debajo de *La soledad del cantante de fondo* (Marker, 1975) que describía la preparación del one man show de Yves Montand a favor de las víctimas de la represión fascista en Chile para revelar a través del montaje las contradicciones en que incurría dentro de la práctica el bienintencionado cantor popular, una continuación de los documentales músico-populistas de Víctor Vío (*Rigo, una confesión total*, 1978; *El baile*, 1981) por otros medios aunque a un nivel apenas superior al del entusiasta amateurismo rockmilitante del paladín/veterano/enterrador del Super 8 Sergio García (*Una larga experiencia*, 1982; *Alex Lora, veinte años después*, 1989), una orgía de bromas privadas que envidia la higadez del autorretrato de Emir Kusturica como roquero cachorro perpetuo con su No Smoking Orchestra (*Super 8 Stories*, 2001), un doblegamiento fraterno para encontrar a lo Jacques Demy (en *Tres lugares para el 26*, 1988) las "raíces del sueño" (Berthomé), una homologación arbitraria de la banda (los seguidores, la canalla en general) y la Banda (su grupo musical), un esbozo-ensayo de fenomenología-freak en torno a un fenómeno que permanece inexplicado e inexplorado en sustancia pero de perturbada urgencia/vigencia imperturbable, una espiral descendente e involutiva de canciones.

¿Disidencia musical o atentado a los oídos? No es lo mismo el Tri Mosquetero que Treintaicinco Años Después. Defendiendo o no acústicamente a pobres y oprimidos, ya no canta, si alguna vez lo hizo; ya sólo desgarra, brama, gime, grita, bufa, gruñe, berrea, aúlla, ladra. A falta de música, emite muecas y signos: muecas-signo y signos-mueca. Desagradables signos acústicos y visuales. Árbol surtidor de signos, máquina de producir signos perroapaleados. Signos obvios, embotados y obtusos de una hagiografía reforzada por la preferida profesión proferida de mexicanidad redentora ("Pinches gringos culeros, nosotros sí tenemos valores"). Signos oportunistas, arribistas, encrespados, insanos/malsanos. Signos provocadores/autoprovocadores/antiprovocadores, como las banderas tricolores-espectáculo, la Virgen de Guadalupe-etiqueta en cien playeras-emblema, la guitarra-manita obscena orinante-eyaculadora ("Aplausos, chingada madre") o el desplumado gallo-miembro flácido afinador. Signos de abyección sublime y sublimidad abyecta para la desvirgación de tus orejas ("Chinguen a su madre").

Signos blasfemos, sacrílegos, jubilosos, reconfortantes, acariciadores ("Pura verga"). Signos de disidencia ya conformista y conformismo más allá o más acá de cualquier disidencia (¿y sus mercenarias apariciones proPAN/proFox o de a tiro en algún reality show del proNarcocanal?). Signos que ya no sirven para leer ni desafiar la realidad, sino para batirla, entretenerla, ocultarla, recubrirla, abrumarla en beneficio de una cadena de aprovechadazos (Kelly se cuelga de Lora que a su vez se cuelga de los símbolos seculares y los prejuicios ancestrales de la ignorancia elevada a "sentir de la banda"). Signos deshechos, malhechos, rehechos, desechos que ostentaban un valioso estado marginal ya vuelto microhistoria del instante ("Cinco años después escuchas el disco y allí está todo lo que pasó en ese momento"), sistema de complacencias por encargo ("Me pidieron una canción sobre Zedillo") y vil manipulación egregia ("Desahóguense, cabrones"). Signos malheridos, maltratados, maltrechos, descalabrados de lo ya autodesmitificado/indesmitificable ante públicos de 10 mil trepidantes, de Naucalpan a Vallarta pasando por Madrid y Cuzco. Signos de una devastación ritual y sonora. ¿Será la última agonía de Lora una sobresaturada película hartante que lo convierte en suma de signos huecos?

Alex Lora, esclavo del rocanrol, 2002

5. La grandiosidad incisión

□

*El vacío, la nada negativa que, en otros
tiempos, había sido nave, capilla, altar,
llenaba entonces sus ojos de fantasmas.*

Sigrid Combüchen,
Byron. Una novela

La feminidad reptil

La feminidad no se conforma con estar más que *Acosada* en el filme correspondiente de Marcela Fernández Violante (2001). Víctima de un ladrón zorrero con calzado *De piel de víbora* (Esteban Soberanes) que le ha saqueado su discreto depto de divorciada solitaria, la planota dentista sonrisas Eugenia (Ana Colchero nulificada como Anodina Con Cero cual si dijera a cada instante tardío "Soy totalmente Sufrida Hayek") denuncia el latrocinio ante las autoridades y, contra toda lógica de la prudencia, sin sospechar el lío en que se mete, decide luchar temerariamente para que culmine la investigación policiaca al respecto, creyendo contar con el auxilio de una justicia cada vez más dolosa y dudosa, así como de un vecino neuras (Dino García) que sólo está ahí para andar de recriminador quejoso, una ajada amiga seudobailarina española (María Bernal exSalinas de Gortari porque nada une tanto como la falta de abyección) que sólo está ahí para aparecer violada sin mayores consecuencias, un pomposo abogado vejete (Fernando Casanova) que sólo está ahí para entorpecerlo todo, una madre egoísta (Blanca Sánchez) que sólo está ahí para añorar su remota juventud, dos judiciales perjudiciales (Ernesto Yáñez, José Sefami) que sólo están ahí para

proponer madriza o pistola, y así, hasta que la achicopalada mujercita fracase en todas sus gestiones y deba hacerse justicia por su propia mano, providencialmente.

Con financiamiento del Imcine-Coprocine y premioso guión propio basado en la testimonial novela infraliteraria *De piel de víbora* de Patricia Rodríguez Sarabia, el apenas séptimo huecometraje estatal/paraestatal de la veteranísima aviadora universitaria por ende lideresa al parecer vitalicia de un sindicato fílmico ya inexistente Marcela Fernández Violante (de *De todos modos Juan te llamas*, 1974, a *Golpe de suerte*, 1991) es un candoroso auto de fe instantáneo sobre la indefensión de los ciudadanos y ciudadanas que se atreven a exigir justicia sólo para poner en riesgo su seguridad al enfrentarse a bandas organizadas que cuentan con el apoyo de policías corruptos e ineficientes ministerios públicos, un panfleto mal urdido y peor desarrollado por piadoso y generalizador abusivo más que indignado, una insuficiente trama en despoblado dramático y pésimamente actuada pero con colosales pretensiones de diluida denuncia obvia de nada en específico, una tragicomedia torpísima y flácida de interés social más bien difuso sin capacidad corrosiva ni removedora, una horrenda y tediosa amiba ficcional que sólo logra oscilar entre lo subprofesional y lo inframateur, una calamitosa película con título original cambiado (*Acosada* en vez de *De piel de víbora*) para que ya no pareciera autobiográfica, un nuevo *Golpe de mala suerte* para el espectador inteligente, un nuevo episodio de cierta innombrable saga paranoica sobre los concertantes/desconcertantes e intrincados/enmarañados atropellos sociales que sufren las clasemedieras mexicanas (pero atropellándolas aún más, como en el hipercaótico festival de bofetadas antimujeriles que supuestamente resumiría la historia del cine nacional según el episodio "Música, risa y llanto" de Fernández Violante, con decisiva edición de Ximena Cuevas, en el inexhibible filme colectivo cubano *Enredando sombras*, 1998), una película fossilis precox que viene a ser a la prearticulada no obra de su realizadora lo que fue *Nocturno a Rosario* (1991) a la exigua obra pionera de Matilde Landeta, un aguado ejercicio realista-crítico medievalmente laico desprovisto del destemplado vigor de su homólogo fundamentalista cristiano *Punto y aparte* del improvisado cineasta antiabortero Paco del Toro (2002, con producto de legrado en insólito big close-up hipergore), una ficción enferma de insuficiencia engendrada por la más pavorosa falta de autocrítica que haya contemplado el cine mexicano del nuevo siglo postindustrial.

La clave y el sentido del desastre aleccionador pueden hallarse en la inconsistencia de la protagonista, de sus impulsos y su mundo. El proceso de embrutecimiento y degradación de la mujer se realiza de manera arbitraria aunque pretendidamente ejemplar, a partir de niveles ya escandalosamente bajos de falta de profundidad. A semejanza del drama que la contiene, la emblemática protagonista ebria de justicia no es un carácter ni una figura, sino una lamentable tipa infantilizada y una insípida sobrerreprimida disfuncional. Ectoplasma que llegó tarde al reparto de cuerpo y espíritu, replicante envidiosa de coches ajenos, consumidora de cobarde galán casado (Fernando

Sarfati), TVicono de *Nada personal* con padre justiciero evocado por esculturita de justicia conclusiva, doble genética sin referente ni representatividad posibles, aborto de una grandilocuencia megalómana y paranoica cruelmente reducida a nadas conjeturales. Clona de sí misma sin vida amorosa ni impulsos libidinales, a no ser un romance cursi de parejita bailando bajo la lluvia, metido con calzador porque, de tener vida erótica, fantasías sexuales, afectividad, sentimientos, ternura o mínimas pulsiones orgánicas la heroína y su titiritera seguramente se sentirían culpables de tenerlos.

Medra en todo momento una desarticuladora y desarmante imposibilidad para comprender la energía vital de las generaciones posteriores a la propia, vistas desde una decrépita y pavorosa pobreza de vida emocional e intelectual. Una personalidad voluntariamente reducida por todas par-

Acosada, 2001

tes, podría decirse, parafraseando el título de la obra maestra del cine feminista clásico alemán de los setenta: *Personalidad reducida por todas partes* de Helke Sander (1977), sobre una heroica ignorada madre fotógrafa intentando realizarse existencialmente por la libre, algo que su idealizada alter ego mexicana no intentaría ni por asomo.

La feminidad autorreducida no es exactamente sinónimo de feminidad abyecta u oportunista con referente pincheccultural televisivo, inepta o mamarracha, sino la que incluye a todas las anteriores, por pura mezquindad existencial y un concepto del valor civil como reptilesca delación/autodelación y alimento perecedero de patriarcal vigencia hace mucho vencida. La feminidad autorreducida engendra monstruos de ausencia deseante y actuante cuyo feminismo simulado se apresura impaciente por enfrentar varones de antemano degradados, como el irrisorio galán sacado de la manga que tan satírica cuan anacrónicamente pretende imitar al supremo italian lover de los cincuenta Rossano Brazzi, o ese deliecuescente culpable incapaz de concederse piedad hasta a sí mismo en sus ruegos rastreros ("Soy inocente, doctorcita; le juro que yo no fui, señito"). Una feminidad autorreducida de tal magnitud patológica sólo puede generar una película dramáticamente disminuida y autobaldada, o más bien degenerar en ella, corrompiendo todo lo que toca.

Allí donde se requería la gélida calidez del minimalista finlandés Aki Kaurismäki de *La muchacha de la fábrica de cerillos* (1990) sólo existen incidentes impropios para una mínima intensificación o síntesis, impotencia absoluta para imaginar alguna elipsis misericorde, pueril flashback interminable para acordarse del plomero, escenografía y escenificación sin siquiera la gracia y la sofisticación de un rudimentario sketch del antiquísimo TVprograma *Ensalada de locos*, estructura precaria, retrocultistas apariciones-homenaje modelo sesenta (Mayté Noriega como locutora peri-

patética, el inevitable Carlos Monsiváis como TVrollero obtuso: "La delincuencia, producto de la pobreza y del Síndrome de la Ventana Rota!!!") e invasor seudorrock omnipresente de un vástago camuflado como Roberto Félix para redondear el acabado familiar inframateur del conjunto. De pena ajena.

Como es bien sabido, resulta preferible que la gente se haga justicia auxiliada por el azar, a tener que afrontar malos modos y amenazas, pero sobre todo pérdidas de tiempo por fatigosas esperas, aplazamientos y suspensiones de cita en tribunales y juzgados. Como es bien sabido, todo asaltante gato con botas que penetra en un depto clasemediero sólo quiere lucir sus puntiagudos zapatones vaqueros *De piel de víbora* y siempre regresa al lugar del crimen llevando incriminadoras fotos rayoneadas de la víctima para hacer jardine-

Acosada, 2001

ría en los balcones y desde allí ser lanzado al vacío. Feminidad autorreducida y voluntariamente reptilizada. Un inane y artero elogio a la imposibilidad de autonomía e independencia de las mujeres, pero con airosa capacidad determinista para arrastrarse fatalmente por debajo del edificio de lo social y lo ficcional, en busca de las aras perdidas de alguna diosa infecta de la psicopatía revanchista, un "estado clínico" donde las imágenes no lingüísticas "ya desembocan en nada" (Deleuze).

La feminidad autofóbica

De acuerdo con *Las caras de la luna* de Guita Schyfter (2001), en el transcurso de un Tercer Festival de Cine Latinoamericano de Mujeres se integra un jurado presidido por la antediluviana cinedirectora mexica más emblemática que brillante Mariana Toscano (Carmen Montejo cual Marcela Fernández Violante ascendida a neoMatilde Landeta con injerto de la casi homónima recopiladora de *Memorias de un mexicano*: Carmen Toscano) e integrado por la testimonial realizadora argentina de hecho exmontonera correlona Susana "Shosh" Balsher (Carola Reyna cual discreta egresada shoah/kosher de *Novia que te vea*) que elucubra en off la cinta que estamos viendo y remueve en grises flashbacks sus heridas de alguna vez exiliada en México, la pornolesbiana historiadora radical neoyorquina Joan Turner (Geraldine Chaplin cual superchupada traslación trascendida de la dogmática infumable Julianne Burton) cuyas posturas posfeministas irritan por desidealizadoras y agreden al gremio entero ("Viva la prostitución, viva la frivolidad"), la histeroide cinejecutiva española Maruja (Ana Torrent) que intenta ligar compulsivamente sin éxito, y la uruguaya extupamara Julia Rosetti (Haydée de Lev) aún ahora a punto de ser detenida por sus gestiones de turismo guerrillero en la selva chiapaneca. Todas ellas se verán sujetas a cualquier cantidad de presiones

(hasta de la inofensiva ¡Unicef!) y dificultades para efectuar su trabajo tan politizado (como exmilitantes de izquierda y feministas hoy más o menos vergonzantes), rodeadas por la organizadora TVvillana Magdalena (Diana Bracho) que manipula con suavidad siempre invocando "la soberanía de sus decisiones", la valemadrista hija adolescente Lucero (Ana Bellinghausen) con novio idiota apodado el Chido porque sólo sabe decir "chido" (Andrés Kowe) pero que resulta chido campeón de ajedrez, la chofera ruca Anita (Nora

Las caras de la luna, 2001

Velázquez) que se sueña estrella en sucedáneos sketches de cabaret a lo Jesusa tras seducir al mamonazo matemático ciego Zoltán (John Edmunds), la aspirante a cineasta que se ejercita autovideograbándose onanísticamente Annette (Claudette Maillé), la mediocre videoasta por lésbica tan arribista cuan tramposa movilizadora de forzadas protestas de cinespectadores Josefa (Fabiana Perzábal) y, como cereza del helado, el ladilloso periodista edípico Pulido (Jorge Zárate) que va con su mamá a todas partes.

Otra vez con argumento original de Hugo Hiriart (cada quien tiene la Paz Alicia Garciadiego que se merece), aunque ahora ultradesarrollado por la realizadora en colaboración con Flavio González Mello, Paola Markovich y Alejandro Lubezki, el tercer filme de la autoficcional psicóloga costarricense-mexicana Guita Schyfter (*Novia que te vea*, 1993; *Sucesos distantes*, 1994) es un pretencioso registro del microcosmos efímero de cinco Mujeres que Nunca Estuvieron, una fallida fábula antintelectual picatodo, una desangelada

Las caras de la luna, 2001

sátira muy hipotética y apenitas, una burla de la fauna femenina con ego desorbitado que tiraba rollo impotente o apenas frecuentaba los cinefestivales izquierdosos de antier ya muy de salida (salvo en la atrasadísima Guadalajara o en la edad de piedra cubana), una Liga de las Naciones Cuarteadas, una pobreza expresiva que quiere alocarse pronunciando el nombre de Dios-Cine en vano, una prolongada caída global de las tensiones e intenciones (ellas caen enamoradas o en crisis mientras la audiencia cae dormida), una costosa e irresistible invitación del Imcine-Foprocine-Argos a los cines vacíos, una recopilación de lugares comunes archisobados cuidándose en todo instante no vayan a malpensar que tiene ideas o juicios propios, una libre y caleidoscópica propuesta narrativa demasiado avanzada en su estructura temporal-pululante para lograr sostenerse, una

confabulación de hembras frustradas cuyos cineintereses bastardos las colocan en el linde de la caricatura porque los únicos intereses legítimos pueden ser los farisaicos de esta película que las desborda a todas, una concepción generacional del mujerío como cosechas de vino o de fobias (incluyendo una colosal autofobia) que remiten al filme-canción *La cosecha de mujeres* (Jaime Fernández, 1979) que nunca se acaba.

O séase, esta cosecha se enorgullece en incluir a una endurecida viuda solitaria que muere por elipsis, una cursi gaucha gacha que se recicla en Aca como amante clandestina del senador y galán otoñal antes funcionario casado Federico (Gonzalo Vega), una deshecha lesbogringa desechable que se conforma con lo que sea (cual portavoz de la directora hecha bolas de nuestro filme) y así. Lástima, esa cosecha femenina definitivamente salió mal, dañada en sus aspiraciones y alcances, vieja prematura, vencida y liquidada antes de tiempo, con pinchísima concepción de los problemas personales y de pareja donde el que no cae resbala y el que no simula no mama, para una archimisoginia de clasista abyección embozada, enfática y rispteiniana light. Otra vez será porque, según la cosechable feminidad autofóbica y supurada que se cree superada, todas las mujeres para existir deben obligatoriamente ser culpables o sentirse culpables de algo, hasta de su infelicidad amorosa y su heterodoxa preferencia sexual, hasta de haber sido torturadas con ratas en la vagina durante trece años o ignorar que otra lo fue. Entre la autofobia y la autocrítica media un laberinto de lucidez difícil de cruzar.

Hotel de lujo, dos viajeras por habitación para que intimen y pinchurrienta salita de cine para un jurado de florilegio teratológico. A ninguna de esas mujeres le importa realmente el cine ni su función, sino sólo exhibirse, escalar, quedar bien, impresionar, animar como TVfilme en blanco/negro a parejas del restaurante, expresarte a ti misma, joder suciamente a tu rival de opinión intercambiable, triunfar, autocompadecerse, permanecer. Y al final de las cuentas irónicas, no hay a quién premiar, pues el corto sobre menstruación que había obtenido la unanimidad, ha ganado también un reconocimiento paralelo muy importante. La solución está en premiar al vacío o al fraude, al chantaje del vampirismo de la miseria que vende bien en Europa (un video sobre huaraches de mazahuas), al reiterativo diario íntimo (el eternometraje de recitados ante espejos de baño), o al ejercicio de fotogenia seudoabstracta que nada dice pero puede llenar museos de Estados Unidos (un mediometraje geometrista a base de dollies-in por escaleras). A regresar sobre lo ya desechado, que a la hora de la desesperada ninfofuria galardonadora ya todo da lo mismo (como chiste todos los atisbos-conclusión de los cor-

tos fósiles fueron confeccionados ex profeso por la exalumna cuequense Marcela Couturier), pues el folclore de los criterios de juicio fílmico pasmósese y quedósese en los setenta. Una desinflada y desinflamatoria toma de temperatura al cine hecho por mujeres. Una urgida aguafiestas cinefestivalera. Una denuncia de cinegrillas sordas para autojustificarse de jamás haber ganado nada —al cabo que ni quería ni valía la pena.

Llegó a formarse una mujeril-brujeril familia de tantas, una extraña familia instantánea, con su madre desmadrada y petrificante acaso aún lúcida pero con un pie ya en la tumba, su escandalosa y vil tía Scar como intrusa extranjera y poderosa, sus tías indefensas de pasado turbio o agitado, sus hijas descarriadas. Una autofóbica cosecha ilegítima y deslegitimadora, a la medida de una volátil vida familiar hecha de humillaciones, violencias morales, golpes bajos y abusos sexuales que han roto el silencio para hacer cobrar conciencia a quienes los viven en carne propia. Una venganza confirmada y transferida cual guerra santa de celuloide. Un auto sacramental previo a cualquier quema de brujas fílmicas. Un prolongado arrebato de autodio que a veces se disfraza de autocrítica genérica o mordacidad postestéril ("Ahora quiero hacer una película").

Una primera parte a paso de tortuga y la última media hora sangronamente precipitada. Como de costumbre, Schyfter nunca le atina ni al ritmo ni al tono justos. Una crónica-farsa indecisa, hacia el gag luctuoso, la premiación bufa, el suspenso chafa con agentes de Gobernación, el salvador telefonema al influyente, confesiones, rupturas, despedidas a granel, escenitas en el aeropuerto para cerrar como se empezó, partidas y más partidas sin pena ni gloria pero con testamento monologal, amenaza de volver a filmar lo que acabamos de ver y superabundacia de remates subliminales porque ni personajes ni incidentes tuvieron nunca la menor importancia. Entre tanta agitación conclusiva y por negación de la negación, el estereotipado relato hace finalmente la reafirmación rotunda de la lunática ridiculez de las mujeres como Caras de la Luna, fotografiables por Mario Luna. Pobre Shonsha en el país de las cinemamadillas, infeliz identidad latinoamericana fortaleciéndose ante ese mundo globalizado. Producto de una retrógrada concepción estática y no evolucionista de la historia de la mujer, toda lucha reivindicadora y cualquier feminismo significan para Schyfter una revuelta circular cuyos sueños, meramente involutivos, han de regresar siempre al punto de partida, no para renovar valores clásicos o eternos, sino en la degradación y el desgaste. En suma, una provocación fílmica ojetamente agresiva y cobardemente corrosiva que a la hora de la verdad nadie peló.

La feminidad tarjetapostalera

Sin dejar huella de María Novaro (2001) reproduce y da la razón a la paranoia de las féminas que creen que siempre las siguen. Huyendo de los asedios del corrupto oficial de policía Mendizábal (Jesús Ochoa) y del marido narcote Saúl (Martín Altomaro) respectivamente, la ibera guapa superfichada pero buenaonda traficante internacional de arte prehispánico sin estudios en la ENAH Anna/seudoMarilú (Aitana Sánchez-Gijón) y la afligida obrera de maquiladora renuente a destetar a su bebito pero vendiendo la cocaína del narcomarido antes de embarcar con posdatado boleto aéreo a su hijito de seis años Aurelia (Tiaré Scanda) emprenden una travesía que será un fin en sí misma, primero cada una por su lado y pronto juntas, de la frontera norte a la frontera sur, desde Ciudad Juárez hasta Cancún, desde su encuentro en una fonda caminera, en camiones de segunda o de aventón, en la camioneta de la madre soltera o en jodidón jeep salvador, seguidos por el hostilizante automóvil rojo de *El lugar sin límites* (Rip,

1977) u ovni scout ovnipresente, costeando por Veracruz hasta Frontera y al yucateco Acannancah donde el grotesco aborigen alfarero Heraclio Chuc (Silverio Palacios), tránsfuga del margaritesco *Mundo mágico* (Tavera/Zermeño/Mandoki, 1980), fabricaba las falsificadas piezas arqueológicas que contrabandeaba Ana, y así. En copro con la TV Española y basado en un guión escrito con su hermana Beatriz, el apenas cuarto largometraje de la madura excuequense posfeminista dispareja antes exitosa ya discontinuada María Novaro (*Lola*, 1989; *Danzón*, 1991) es una road picture tramposa y diseminadora de trampas jamás en verdad acuciantes, un jadeado interminable comercial de Sectur como ya lo era *El jardín del Edén* (Novaro, 1993) aunque ahora con subtítulos para identificar oportunamente cada sitio turístico y poder ir tomando nota de los posibles lugares a visitar, un *Thelma and Louise. Un final inesperado* (Ridley Scott, 1991) sin dinamismo ni verosimilitud pero sobre todo con escasísima gracia, un primer fracaso comercial anunciado y estruendoso del ávido pulpo de la autopublicidad Altavista Films, un narcokrimi jadeado con crío en brazos que titubea divaga titubea y nunca parece decidirse a fundar su estático subgénero subfeminista del nursery thriller (pero subrayando en cada acción riesgosa la actitud protectora de la nueva *Lola* sujetando amamantando cambiando pañales a su frágil y estorboso bien mayor), una metafórica refactura conjunta de las heroicas rutas boqueantes de las legendarias equinas Siete Leguas-Aurelia y el Caballo Blanco-Ana que allá por Ticul ya se andaban quedando (cuando el seductor marido posesivo acribilló en un cuarto de hotel al enculado policía sabueso olfateante pensando que era cierto primo narcojudicial), un germánico stationendrama sin estaciones crísticas ni drama propiamente dicho porque culmina en optimista happy end (si bien Ana se había esfumado cargándose la bolsa de cosméticos con dólares de esa Aurelia

Sin dejar huella, 2001

Sin dejar huella, 2001

tarantinianamente entretenida en limpiar la sangre del piso porque "A nosotras siempre nos toca la limpiadera"), un mero pretexto para que de sus pasos y sus aventuras íntimas no quede huella.

Dos pícaras bribonas en busca de la esmeralda de la comunicación perdida, desconfiadas transas que terminan amigas e intercambiando secretos, solidaridad, tolerancia, burlas defensivas y auxilio al enfrentar tiros de empistolados chafos en un cenote sagrado maya. Segunda glosa de la espontánea amistad entrañable entre mujeres jóvenes de *Un año perdido* (Lara, 1992) en menos de una semana (la anterior esa sí más grandiosa que grandilocuente fue *Perfume de violetas* de Sistach, 2000) e incluso con la misma expresiva actriz mexicanísima (Tiaré Scanda en el papel de Tiaré Scanda nueve años después), *Sin dejar huella* plantea el atisbo de una especie de grandilocuencia en la sutileza amistosa. Grandilocuencia esbozada/embozada/emboscada, con cierto rencorcillo tardío entre anacronizante nostálgico y liquidacionista al pasado priísta ("México se nos llenó de judiciales y soldados, sin que nos diéramos cuenta", retenes, puercos campamentos de Pemex, tramos carreteros cerrados, pintas del EZLN). Grandilocuencia accidental/accidentada, en estaciones camineras y paradas hoteleras, encuentros desencuentros rencuentros, al amañado azar de la marcha forzada. Grandilocuencia gestante/gesticulante, con base en un gestual ostentosamente remarcado en los perseguidores y suntuosamente imperceptible efímero en las perseguidas. Grandilocuencia genial/ingenual, con anteojos Gucci como pago. Grandilocuencia reiterativa/machacona donde los tiernos machotes ultratestéricos exhiben y enarbolan a cada aparición su complejo husmeante de *Los maravillosos olores de la vida* (Ruiz Ibáñez, 2000) en vista de que "Ya te olí, ya te olí, me late el corachonchito". Grandilocuencia de los diálogos coloquiales de agudeza devaluativa ("Sé de arte maya del periodo clásico"/"Uta muy

útil, me cae"), agilidad justificadora ("A veces es difícil que te pongan el dinero enfrente y no tomarlo") o sexoconformismo cínico ("Al fin ya hay Viagra"). Grandilocuencia paradójica en filigrana.

Al principio sin ritmo y muy tarde al compás de corridos norteños, pero siempre igual de superficial, la vil grandilocuencia itinerante turística tarjetapostalera de *Sin dejar huella* se basa en la radiante exterioridad del color local, en la ignota belleza de nuestros paisajes y de nuestras mujeres bañándose desnudas por turno en nuestro folclor multicultural. La demagogia caminera de la película-huella pero muy güeya rastrea a la persecución tarada como una forma de la persecución interior (corriente fílmica en la que se le anticipó *El cometa* de Buil-Sistach, 1998). Desde su frontera nómada, esas mujeres buscan refugio en el otro extremo del país, pero no sospechan que la carretera será para ellas un sitio y un estado permanentes, a la vez condición del exilio y tierra prometida. El otro rostro de México nos contempla aquí. El país de los buenos salvajes, de los gloriosos reprimidos por sus manualidades fraudulentas para exportación, de los fundadores de negocios de artesanías, de los pioneros generosos. Sirven de contrapunto a nuestras furtivas tristes heroínas. Sobre un suelo quemado por el sol, desecado por el soplo tórrido de la brisa y la inminente presencia del mar crepuscular (exquisitamente fotografiado por Serguéi Saldívar Tanaka) que ya refresca a lo lejos, van errantes estas hembras-despojos de plenitud, estas fracasadas en vías de colmado aliviane tarjetapostalero, en pos de razones válidas para vivir y, nunca sórdidamente, en quête de espíritu para existir con nueva filiación mental (y al final también laboral). El exilio en la tierra prometida jamás será la antesala del apocalipsis. Un viaje imaginario seudoalucinante y larguísimo pero leve. El universo carreteril se trama en la complicidad afable de lugareños y lugareñas para quienes las protagonistas ya no son víctimas ni provocadoras. Y ellas se asimilan, con ojos atónitos ante los ojos de nadie, a una sociedad en movimiento que más ya no las decepciona en sus esperanzas, restañando las heridas de sus amores huecos y afectividades baldías, minadas en sus ilusiones ilusorias y zapadas en sus ilusiones tangibles. La única moral que subsiste para estas *Criaturas celestiales* (Jackson, 1994, chin otra vez) será una ley rígida: la de la asociación innombrable y de la fuerza solidaria en la soledad a dos de las solitarias. El lenguaje de la grandilocuencia lacónica tarjetapostalera restituye la brutalidad cándida de un mundo irrisorio donde el humor ausente, reducido a contar chistes prefeministas rancios, sería la forma más alta de la desesperación excluida.

Un inverso exacto del trayecto terrestre de *Santitos* (Spingall, 1999), y un reverso categórico de su trayectoria espiritual, para seguir interrogando "las diferentes interpretaciones del mundo que los signos de lo real pueden producir" (Nicolas Azalbert). Y el mismo día que Aurelia recibe con abrazos en el aeropuerto de Cancún a su pequeño Juan (Edmundo Sotelo), la ahora prominente encargada de un bar naturista de cadena hotelera oirá música y verá llegar a la antigua compañera de aventuras Ana, siempre sí su instantánea mejor amiga permanente, con el mariachi esperado y a todo tren, reintegrándole el dinero que sólo le había tomado prestado, y colorín colorado que el sueño a dúo vinculado ligado aliado combinado mezclado y normalizado ya se ha realizado, *Sin dejar huella* de rabia bestial antimachista que pueda compararse a la ejercida por las mortíferas itinerantes sexovengadoras en *Violame* (Virginie Despentes y Coralie Trinh Thi, 2000), ni de malicia ficcional alguna.

La feminidad acomplejadita

Ni mucho ni poco ni mucho menos *Demasiado amor*, al menos según la cinta con ese demasiado tí-

tulo de Ernesto Rimoch (2000). En lo que se reúne con su hermana mayor Laura (Ana Karina Guevara) que partió a España en pos de nuevos horizontes para la casita de huéspedes conjuntamente soñada y mejores oportunidades supuestamente para ambas, la secre simple de alma y fea con suerte prototipo de la mexicanita acomplejada Beatriz (Karina Gidi de autocompasión con pasión) pronto se dedica a levantar galanes en una cafetería, primero por accidente, esparcimiento o curiosidad; enseguida por fascinación ante el descubrimiento de sus propias aptitudes y posibilidades amatorias, pues vivía en el ostracismo, sin darse cuenta de su atractivo para con los hombres; luego por sacrificio, ejerciendo sin sordidez una prostitución velada e innombrable a lo *Santitos* (Springall, 1999), para satisfacer las crecientes demandas monetarias de la emigrante fraterna, y finalmente por inercia o vicio circuloso, hasta que reaparezca el Gran Amor encarnado por el ligue enigmático de las intermitencias y el folclor viajero Carlos (Ari Telch), ese afelpado rondador ronroneante de hipotética personalidad tan arrolladora como su pick-up roja, aunque la hermana explotadora jamás mande por la batracita Beatricita ahora prendada prendida falorreverente gatita mimosa.

Con producción independiente refaccionada por TVcadenas franco-españolas y guión escrito en colaboración con Eva Saraga basado en un trizadero de la novela bestseller epistolar posfeminista homónima de Sara Sefchovich, el segundo largometraje ficcional del exdocumentalista sociólogo Ernesto Rimoch (*La línea*, 1992; *El anzuelo*, 1995) es una fotonovela aún más esquemática, una féerie escueta de Corín Tellado ayuna de cualquier fantasía anímica, una fábula de la buscadora y la buscona (¿pero cuál es cual?), un anecdotario picante soft sin gracia "aderezada de humor simplón" (Julia Elena Melche dixit), una ausencia de conflicto dramático donde lo único dramá-

rrista (Raúl Méndez) que sexameniza con su instrumento los preliminares al capricho antes de acometer su pequeña fuga al extranjero, el ligue arquitecto gay (Daniel Martínez) que le propone boda sólo porque desea seguir presumiéndola en inauguraciones snobs y jamás salir del clóset, el ligue navideño gordito (Silverio Palacios) que imita de manera obvia inconfesable a Cantinflas, el ligue politicastro (Enoc Leaño) con labia más cargante que inofensiva, el ligue inge (José Carlos Rodríguez) que se clava calvito para clavar su clavito, el ligue intelectual (Juan Carlos Vives) que rolla ampuloso para decir nada, el ligue golpeador (Juan Manuel Bernal) que la deja como Divino Rostro para el hospital y así, cada uno de-

Demasiado amor, 2000

tico podría ser el conflicto de la ausencia, un lamentable filme de grandilocuencia discreta más bien ínfimo que fue tronado aquí por las majors estadunidenses (Buena Vista International y Columbia TriStar de México) en una distribución megalómana con ciento cincuenta copias de agresivo retiro gradual y publicidad de medio millón de dólares porque *Miss Simpatía* con Sandra Bullock (Petrie, 2000) le ganó en la taquilla a *Miss Antipatía* del llorón Rimoch.

Viajera que vas/por cieno y por lar/desacomplejando los corazones. Sustituyendo con creces el viaje a España y al grito publicitario de "El amor es un viaje en el que no importa el destino sino la travesía", caerán en las redes de la malhecha viajera varada a perpetuidad el ligue guita-

Demasiado amor, 2000

jando su foto y algún objeto personal como recuerdos sobre la pared de un cuartito ex profeso.
Ni metafísica y técnica del ligue ocasional aquí y
ahora, ni grandeza y decadencia en el lance mayor.
Un viaje entendido como tedioso desfile de galanes sin elegancia ni estilo, en competencia de pintoresca estupidez urbana y en consistencia de actricitos televisos-TVaztecos. Un viaje veloz feroz
entre conductas y mentes esqueléticas. Los sepe-
tecientos mil amantes no ocupan espacio en la
ética humanística o autoritaria, ni en la culpa individual, ni siquiera en la timorata moralina sexual
abascaliana; tampoco causan impuesto de viaje
interior, porque son entes perfecta y perpetuamente opacos, monigotes sin densidad, figurines
unidimensionales, calcomanías indistintas e intercambiables.

Por otro lado, el joven vecino de al lado truffautiano (Martín Altomaro) ofrece su solidaridad
en diligentes escenas fraterno-coloquiales a lo
Sistach, con su debida sesión de puñetazos protec-
tores. La secre concubina secreta Estelita (Alma
Rosa Añorve) cela al jefe solapadamente libidi-
noso (José Sefami) que regalaba videos pornográ-
ficos para seducir a nuestra ramera finisemanal
tan solapada como él, en escenas de mezquindad
hipócrita por encima de cualquier *Juego limpio* (Li-
nares, 1995). El vetarro casero ladilla (Luis Ferrer) impone una obsequiosa presencia malaonda
que orilla a la heroína hacia la discreta remune-
ración de sus efímeros lances sexuales, a fuer de
escenas de cabrona ojetez cobrona. La bondado-
sa vendedora callejera (Luisa Huertas) que persi-
gue a la protagonista para obsequiarle sus flores

Demasiado amor, 2000

en una antimpersonal escena idealizacotidianos. La mesera cómplice del café (Carmen Beato) liderea a sus compañeras ovejunas sin fuente para conseguirle presas fáciles a la clienta hombreriega en escenas de celestinaje irónico casi entrañable. La rucona tía Greta (María Rojo) y una novia nice Genoveva (Gabriela Roel) hacen sus lamentables escenitas prejuiciosas en seco. Y el gerente del lugar de buenas a primeras trata de abusar de Betty en el baño para damas (Gerardo Moscoso) en una abrupta escena vejatoria de eruptiva violencia tarantiniana rompeovarios pateapelotas. Si la planísima plastez del relato añora la profundidad del TVfolletón colombiano en 330 capítulos *Yo soy Betty la fea,* los demasiados personajes que no deben seducir a nadie para el fin de semana sufren de escenificaciones sociologizantes demasiado explíctas, aunque a veces sabrosas como en la sátira antimatrimonial *El anzuelo.*

La transformación seudomágica del mundo de la apocada Betty se visualiza y queda quemada desde el principio, en el primer encuentro-escapada playera con Carlos, y luego se reitera cual sorpresa, durante el segundo encuentro-tour con el mismo personaje. Todo el trabajo formal parece haberse concentrado en algunas puestas de sol ante el mar, por culpa de las paralizadoras imágenes del fotofijas Gabriel Figueroa Flores, a años luz del talento paisajista de su padre y oscilando entre el esteticismo tarjetapostalero que haría ruborizarse incluso a *Sin dejar huella* (Novaro, 2001) e interiores cuidaditos maquilladísimos a base de monocromías o colorines almodovarianos. Y todo se ordena al ritmo de romanticonas cancioncillas descerebradas, en un soundtrack amorperruno de inmediato comercializable *Por la libre* (De Llaca, 2000) cuyos highlights demasiado lights suponen ser la baladita "Acaríciame", por la Björk que te mereces Julieta Venegas, y el tema "Low Rider" de Willie Colón. Una novela rosa con antieróticas cogidas boniteras y de inmediato desinfectadas relamidas por disolvencias, pueblitos radiantes, ruinas arqueológicas, exuberantes frutas tropicales y hasta una sesión de nado sincronizado con mariachi, como sucedáneos de las incumplibles inexistentes fantasías sexuales de esa feminidad acomplejadita sin dinamismo real.

En vista de que la vista de la colección de souvenirs y fotos delatoras ahuyentó al Demasiado Amor de su vida al fin reaparecido, la otra Betty la Feúcha se ha quedado sola sola sola con su soledad a solas, pero más optimista, plena y desacomplejada desacomplejada desacomplejada que nunca nunca nunca, contemplando el video doméstico que le envía su hermana con marido baturrazo (Xavier Elorriaga) desde la casa ansiada. Una glosa pinchita del mito de Penélope, que teje de día y desteje por las noches la tela de la espera y la fidelidad a su frustración, ya sin mirada de Ulises o de príncipe azul, rojo o sonrosado, en ruta de retorno, pero aquí sólo formamos Penélopes-Sísifos autosuficientes y felices. Una especie de *Los siete pecados capitales del pequeño burgués* de Brecht-Weill en versión sedentaria y con faltas metamorfoseadas en virtudes o casi, un florecimiento contrahecho de oruga a mariposa (sin dejar de ser oruga), un rediezcubrimiento de México al revés, un descubrimiento de sí misma y de su país, entendiéndose por sí misma la grandilocuente capacidad genital sin erotismo en el autoabandono perentorio o definitivo y entendiéndose por su país la aventura turística anodina. La feminidad acomplejadita no era más que otra feminidad que se busca y encuentra en las braguetas masculinas y algo demasiado nada más.

La feminidad sobreviviente

Con rayitos, ojos pintados y diamantina en las sienes, su emergente y ya erizada sensualidad en botón borbollón la hace embelesarse con los perfumes, con todos los perfumes, aunque en especial con el de violetas, típico de las alumnas de secundaria: lo huele en cabellos de compañeras, lo aspira codiciosa en la tina compartida o lo esparce en aerosol, girando el cuerpo danzante para mejor impregnárselo por todas partes; pero el suyo será un perfume de violetas violentas que debe robarse compulsivamente en casas ajenas o en el mercado, a la menor provocación y sin medir consecuencias degradantes ("En 1985 recorté una nota que decía que unas niñas habían robado un perfume; una de ellas era prostituida por su hermano; la nota me impactó y la guardé hasta hace dos años; de ahí nació la idea de la película": Maryse Sistach).

Perfume de violetas de Maryse Sistach (2000) delinea y ausculta con gran brillantez el retrato de la perfecta degradada, que vive en una casucha de la precarista colonia proletaria brava de Santo Domingo en Coyoacán, como podría ser tlatelolca o pantitlanense. Desafiante, bravera, marimacha, perpetuamente a la defensiva, la jodidadolescente Yessica (Ximena Ayala formidable) llega de mala gana, tarde y empujada a una nueva escuela porque se madreó a la prefecta de la anterior. A la Ozu, *Estudio pero...* Después de clases, se encarga de lavar platos y cuidar chamacos, aunque altaneramente se niega a servirle a su hostil hermanastro cobrador microbusero de greña decolorada Jorge (Luis Fernando Peña procedente *De la calle*). Aún a los quince carece de pleno control de esfínteres, sufre cien agresiones ambientales al día y pronto padecerá una salvaje violación, sin que pueda defenderse o vengarse, ni confiarse en nadie. Todavía con la esperanza de un amor dichoso, se lleva al bosque a su agresivo compañeri-

Perfume de violetas, 2000

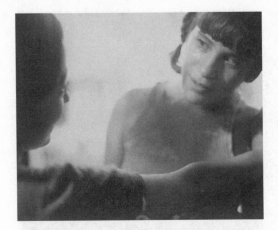

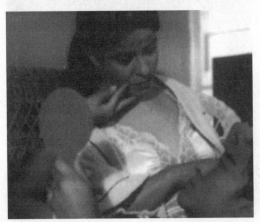

to noviezón domado Héctor (Gabino Rodríguez), sin lograr ir más allá del fajecín superficial, hasta que le sobrevengan desgracias más cruentas y su frágil mundo afectivo se derrumbe. Con producción tumultuaria del Imcine zedillista póstumo y libreto original de la realizadora en colaboración con su por fortuna excodirector-saboteador José Buil (remember *El cometa*, 1998), el quinto largometraje de la posfeminista madura de regreso a sus búsquedas primigenias para realizar su primera gran película Maryse Sistach (*Los pasos de Ana*, 1988; *Anoche soñé contigo*, 1991) es una vivisección adolescente cuya vibrante emotividad hace descubrir los pliegues y repliegues secretos de las almas desgarradas y degradadas, un canto villano a lo Blanca Varela en 16 mm neorrealistas dramáticos pre/posDogma95 amplificados a profesionales 35, una denuncia y requisitoria antipanfletaria contra el abuso sexual como inadmisibles amenaza y práctica cotidianas (base de la anécdota explícitamente originada en la información policial amarillista, aunque con "gran delicadeza, sin llegar a caer en la nota roja": Sistach), una zambullida sin aspavientos ni subterfugios ni inhibiciones en el tema polémico vigente y candente de alto riesgo por excelencia, una inusual rabiosa tragedia

Perfume de violetas, 2000

de la violación aquí y ahora en México (créditos sobre titulares periodísticos referidos a casos célebres o corrientes de violación en Mexicali y en Ciudad Juárez o en el D.F.), una indignación sagrada con abundancia de top shots y discreta cámara en mano casi dinámica de Servando Gajá, un retorno inteligente no demasiado estético a la verosimilitud psicosociológica y al estudio de caso (superando las TVabyecciones de *Mujer, Casos de la Vida Real* por la vía de un vehemente y duro neocine popular con cuarteto para cuerdas de Sina Egelman y cancioncitas alusivas de Annete Fradera), una prueba de qué absurdo en crudo (partiendo de la idea judeocristiana de que en el mundo estamos sólo a prueba).

A la sombra de las pelandrujillas en flor, hurgando en cofrecito de Olinalá, llenando planas de castigo con la frase "Cada veintiocho días debo prevenir mi menstruación", haciendo tiernas abigarradas artemanías naïves para regalo de reconciliación amistosa a partir de fotos tomadas en fotomatón, cargando envase de leche Alpura, rastreando llavero nacobarroco y un cúmulo de otras sabrosas anotaciones ambientales, *Perfume de violetas* lamenta y recrea con gran justeza el retrato de la amistad degradada. Como sólo puede

Perfume de violetas, 2000

relacionarse e intimar con chicas moscamuertas pero tan poco santitas como ella, en su propio *Un año perdido* (Lara, 1992) Yessica entablará una amistad entrañable con la encantadora flaquita clasemediera Miriam (Nancy Gutiérrez) y acudirá a ella como sucedáneo emotivo, a cualquier requerimiento de su mejor y única amiga, al grado de que el filme por momentos llegará a condolerse más por el deterioro y la progresiva ruptura de esa amistad que por la aleve violación sufrida. Otras *Criaturas celestiales* (Jackson, 1994) agenciando su propio drama y su desnuque sangriento en el inodoro, pese a la fuerza moral malgré tout de las dos chavitas.

Perfume de violetas traza y cuestiona con gran equidad el retrato del cautiverio de la familia, también él degradado. La violación de Yessica, con acoso, persecución, secuestro en baldío, alevosía, ventaja, madriza y reincidencia, ha sido inducida presenciada gozada por el hermanastro ojete más que cómplice, quien vigila desde una fogata al microbús del asalto, levanta el reguero de útiles escolares que metaforizan al ultraje, recibe como recompensa 500 varos, por parte del cacarizo satisfecho culpable chofer microbusero batracio el Topi (César Balcázar), y se larga a botarlos en unos ansiados orgullosos tenis de superlujo, preguntándole a empleada y clientes si se le ven chidos, en una de las secuencias más redondas. Y la no menos brutal incapacidad de la familia para ser solidaria está representada por la madre de Yessica (María Rojo), demacrada ignorante amancebada falosometida a un sobretrabajado padrastro microbusero ruco semiausente (Eligio Meléndez), y por la abnegada prejuiciosa sobreprotectora represiva pimpante madre clasemediera arribista de Miriam (Arcelia Ramírez), a la que cualquier empleadillo le mete mano en la zapatería donde se soba el lomo pero panistamente culpabiliza a la chica violada por sus desgracias ("Cuando las muchachas no se dan a respetar les pasan cosas

así, o peores"). La neta, en los estratos económicamente bajos como en los superiores, la denigración de las mujeres por los valores, por el medio y por ellas mismas ("Es una buscona") no ha cambiado un ápice ni en forma ni en contenido.

Hacia el final, el relato de retratos sociales no se conforma con la ilustración, ni quiere renunciar a la posibilidad de conectar un triple play dramático sin asistencia. *Perfume de violetas* quiere ir más allá de la degradación. Huyendo de la tesis feminista/antifeminista que ha estado vehiculando con sensibilidad y cierta grandeza en sus situaciones límite, la desvalida Yessica sufrirá escarnio escolar ("Tu novia no se baña") con barridos en subjetivo cual mendiga preñada del Mesías en *El amor* (Rossellini, 1948), sus moretones escandalizarán a la prefecta, y recibirá por la ventana un avioncito de papel de su amiga citándola en los baños, sólo para reclamarle sus hurtos de perfumes/cosméticos/dinero y partirse la cabeza en un forcejeo; entonces la Sobreviviente, recostada en el edénico lecho de la difunta, al fin pudo ser objeto de caricias por la discriminadora madre ajena confundida. Más allá de la feminidad degradada están pues el linchamiento moral por incomprensión/burla/alarma, la negación evangélica del galancito como San Pedro en el Huerto de los Olivos ("Si ni es mi novia"), la decepción afectiva más honda, el accidente criminal, un vuelo irónico escaleras abajo, la sustitución de figuras primarias y otro inmenso ojo juvenil abierto hacia la Nada cual cadáver adolescente de *Piedras verdes* (Flores Torres, 2000). Más allá de la degradación grandiosa sólo se hallan el final medio mameluco y chafón, un acogimiento tremendista en el desamparo (opuesto a la desinflada fábula revolucionaria de *El cometa*), el giro argumental retorcido y grandilocuente que debilita a la airada demostración aunque no consigue darle por completo en la madre a su sentido, el supertragedión acumulador de infortunios, la rebeldía baldía, la inhabilidad de la violada para manejar sus culpas imaginarias, el impotente reconocimiento de la impotencia última radical y esencial, el escape imposible, la estrangulada inextinguible fascinación del perfume vital sólo para la fémina que sobrevive a su propia degradación.

La feminidad matriarcal

Ramo de fuego (*Blossoms of Fire*, 74 minutos, México-Estados Unidos, Imcine-American Film Institute-Gosling MD, 1994-2000), segundo largometraje documental de la cuadrigenaria estadunidense Maureen Gosling (en *El ajo es tan bueno como diez madres*, 1980, aún era miembro imprescindible del equipo de su maestro Les Blank; *¡Yum, Yum, Yum!, un sabor a comida cajún y créole*, 1990), toma la cámara de 16 mm como instrumento denegador de afirmaciones irresponsables de la revista femenina francesa internacional *Elle* (descubrimiento de un lugar paradisiaco en el trópico mexicano donde aguerridas tehuanas promiscuas y efebófilas dominan y mandan a sus maridos zánganos de generación en degeneración), reconsiderando el mito del matriarcado entre los cien mil zapotecos de Juchitán y pueblos aledaños. Para

Ramo de fuego (Blossoms of Fire), 1994-2000

ello, desarregla los sentidos. Feminidad matriarcal, desarreglo matriarcal. Desarreglo tenaz de una labor de miniaturista con perentorio terminado en video siete años después.

Desarreglo que trasciende en cada escena el icono geográfico, lo folclórico, lo pintoresco y el exotismo para gringa masoquista babeando con las curiosidades vistosas del mundo subdesarrollado (el *Ramo de fuego* como un nuevo compelling *Burden of Dreams*, Blank 1982, ahora de ígneo colorido floral), porque jamás busca el embelesamiento, ni por otro lado tampoco la forma lapidaria o el choque de ninguna imagen, sino aclarar y restituir la verdad como muestra de respeto comunitario, siempre a nivel de vida cotidiana. Desarreglo secuencial que conserva una notable espontaneidad ("Putear, ni Dios lo quiera") en declaraciones de reportaje afable, en fotos de archivo insólito-artístico, en testimonios cultos (del caricaturista Miguel Covarrubias, del cineasta soviético Serguéi Eisenstein, de la cronista Pergueña Poñoñatowska) y sobre todo en la descripción puntual del trabajo mujeril (bordado de floreados vestidos hasta el suelo, ciruelas fermentadas en tinaja, mercado de abastos en profundidad a las cuatro de la mañana), la cantina y la taquiza viriles, la interacción conyugal (esa joven pareja vuelta a unir, esa pareja de jubilados), el esplendor cultural (la

Ramo de fuego (Blossoms of Fire), 1994-2000

escuela bilingüe), la economía individual nunca orientada a la acumulación de bienes sino hacia satisfacción de necesidades inmediatas (panal de rica miel, hombres remando, placeres de la hermandad, músico pulsando instrumento unicorde, viejo caminando con pescado colgando), las festividades-velas unificadoras (esa mi mayordoma, esos mis peces bípedos atrapados con red) o la boda por las calles.

Desarreglo tradicional anticonvencional que invoca los orígenes prehispánicos autonomistas rebeldes y revolucionarios para explicar la genealogía de las fieras matronas trabajadoras ("Si no jalamos parejo como la yunta no avanzamos") y los hombres igualitarios ("Bravos para la guerra y dulces para el amor": Henestrosa), reubicar en acto el rol de los sexos (varón proveedor en el campo o la pesca, hembra administradora cabal) más allá de los rollos de género, celebrar la ancestral tolerancia plurisexual ("Aquí se nace siendo lo que se es", "Ojalá Dios me diera un hijo homosexual/muxe que se quedara con su madre hasta la vejez") y evocar la combatividad istmeña de los 1973-1989 mediante la pionera antipriísta COCEI (Coalición Obrera Campesina Estudiantil del Istmo) hoy políticamente correcta.

Desarreglo grandioso de los restos y arrestos de sabiduría de la civilización aborigen de Oaxaca y su armónica nostalgia y su nostálgica armonía. Desarreglo ya amenazado por el Nintendo infantil y la globalización. Desarreglo sobreviviente porque "El zapoteco muere cuando muere el sol".

La feminidad redentora

En el principio de ...¿*de qué lado estás*? (*Francisca*), película mexicano-germano-española de Eva López-Sánchez (2001), fue la Guerra Sucia de los setenta mexicanos, tema inédito y, hasta hace una dictadura priísta, tabú en el cine nacional. Así pues, por excepción y al informulado unísono del con-

tinente y anexas seudocomunistas, érase que se era una guerra sucia desatada por el gobierno en contra de sus disidentes, agitadores urbanos, estudiantes acelerados de izquierda e indios revoltosos. Reprimir, torturar, encarcelar y liquidar, de un lado; luchar por ideales al parecer cada vez más viscerales, hacerse reprimir y traicionar, del otro lado.

Por eso, apenas desembarcando en avión el exagente de seguridad del Estado estealemán con falso pasaporte francés Helmut Busch/Bruno Müller (Ulrich Noethen prolongando su papel como ingeniero ultrarracista en *Levi, el judío del ganado/La señal del odio* de Didi Danquart, 1998) es apañado por los hombres de negro del chantajista judicial sabelotodo Díaz (Héctor Ortega), para incrustarlo entre los activistas pos68 que él se encarga de investigar, penetrar y eliminar. Al rubio extranjero no le será difícil hacerse pasar por moderado profesor de historia en la UNAM, dejarse enamorar por la bella alumna acelerada Adela (Fabiola Campomanes) y a través de ella contactar a su desconfiado hermano a cargo de un gimnasio José (Juan Ríos), casado con la temerosa Lucía (Arcelia Ramírez), padre del pequeño aficionado a la lucha libre Gabriel (Giovanni Florido) y miembro de una célula clandestina comandada por el estoico dirigente Serna (Julio Bracho) e integrada además por el sacrificado pateable por policías Luis (Gustavo Sánchez Parra), pero al involucrarse afectivamente con todos ellos, intentará entregar sólo informaciones irrelevantes e incluso sabotear el asedio al cuñado para salvarle la vida, sin lograrlo, e incluso cayendo él mismo herido y Serna en prisión. Dos años después, al tiempo que los líderes del 71 son liberados, el falsario Bruno buscará a su amada Adela hasta el rincón donde se esconde para asestarle una confesión política general, pero vueltos a enamorarse y, siempre acosados por el judas Díaz, aunque auxiliados por el enegueciente anciano fotógrafo de gabine-

...¿de qué lado estás? (Francisca), 2001

te Matías (Carlos Lucas), deberán huir al sureste, donde protegidos por el cínico valemadrista en hamaca chiapaneca Burro Placencia (Rafael Martín), ella volverá a insertarse en grupos disidentes, mientras él procurará la fuga decisiva al extranjero sirviéndole como guardia armado a un cacique local (Juan Carlos Colombo) para el transporte seguro de nóminas de pago, ambos sin sospecharlo rumbo a una trágica e ineluctable separación.

Con guión original escrito al lado de Jorge Goldenberg, el segundo largometraje ficcional de la asimismo documentalista política Eva López-Sánchez (*Dama de noche,* 1992; videomonografía *Carlos Salinas de Gortari. El hombre que quiso ser rey,* 1998) es una ficción de intensa tensionalidad encabezada por cierta guapa sin tensión y cierto distendido pelotón de personajes desdibujados, una historia de amor en tiempos de furioso exterminio sordo y a contracorriente de ellos, una desesperada también por invisible tentativa de aferrarse a lo único puro de esa vida deshecha por la represión de izquierda por la izquierda y de la izquierda por el centro, un himno a la degradación intelectual extranjera como enfermedad tropical ya vislumbrada por *Los orgullosos* (Allégret, 1953), un urgente acercamiento analítico a la psicología masoquista-leninista sin la llagada y revueltiana profundidad severa de *Los vuelcos del corazón* (Valdez, 1993), un "ritmo siempre en full shot" que "se evapora cuando pasa del infrathriller maniqueo al

...¿de qué lado estás? (Francisca), 2001

acedo melodrama rural" (José Felipe Coria dixit), una gigantesca ironía sin humor ni capacidad de burla en torno a la persecución de comunistas en el socialismo real y en el capitalismo subdesarrollado irreal, un ensayo sobre la costumbre de la delación cambiando de latitud y sistema político pero no de sentido, una débil dramaturgia en despoblado y un apelmazado plástico apenas superiores a los de *Guerrero* (Escamilla Espinoza, 2001), una valerosa película en la línea política justa admirable y autónoma aunque con resultados fílmicos sumarios y narrativamente indigentes.

...*¿de qué lado estás?* recurre al rollo sin rollo. Se agradecen la ausencia de sarna fraseológica marxista y el apego a situaciones, pero ¿por qué continuar con las vaguedades/sobrentendidos/insinuaciones izquierdosas de *El encuentro de un hombre solo* (Olhovich, 1973), por otros medios y en otra época? ¿Treinta años después, cuando ya no son necesarias? Autosuficientes, deficientes, insuficientes. Rollo antirrollo, antigrandilocuencia grandilocuente, en una disertación implícita sobre los límites lógicos de la feminidad redentora, que por lo menos en México no endereza jorobados mentales ni políticos, como sí lo hace su congénere la superbuenona viuda afroamericana Halle Berry redimepolicías racistas de *El pasado nos condena* (Forster, 2001).

...*¿de qué lado estás?* acumula virtudes y hallazgos que se esfuman en el aire. Un prólogo microdocumental del 68 con las autojustificaciones del poder represivo de Díaz Ordaz ("Hemos sido tolerantes hasta extremos criticados, pero todo tiene un límite") y su seguimiento con su vástago guarura que apenas alcanzó el Díaz a secas ("Lo mismo que hacía con los comunistas, pero al revés"). Un "Te he de querer" de Jaime López al principio y en el remate, cual rabioso marco musical de la cinta en su conjunto. Un persistente negarle la mano al traidor como clara y altiva opción ética por parte de los militantes afectados pero respetuosos de la voluntad amatoria de la compañera Adela. Un actor alemán sobrio hasta la subactuación posHerzog en contraste con el énfasis mexicano (de cualquier manera, "la vida es como Lázaro: aunque resucites, ya valiste madres", le sentenciaba el Burro viejo). Un montaje eficaz con neoestética de videoclip en las pintas y las persecuciones que contrasta con el resto del relato limitado a lo mero descriptivo, irrecuperablemente arcaico y plano.

...*¿de qué lado estás?* narra la historia de la pistola y el reloj que acompañarán al cadáver del informante. La pistola firmada que da nombre foráneo al filme (*Francisca*) porque, de entre otras armas en estuche, elige nuestro antihéroe de importación, sin que vaya a ser capaz de usarla para defenderse ni en la emboscada callejera vuelasesos desde azoteas, ni contra el niño vengador enmascarado que lo encañona amenazante en la escena final. Y el reloj de bolsillo cual *Corazón inmortal* nazi (Harlan 39) que puso en hora mexicana en el aeropuerto y prestó para su espera al peque que hoy le dispara ("Ahora te toca a ti contar el tiempo, cabrón").

Sin duda, "el arte nace de las cadenas y muere de libertad" (André Gide). Muy reveladora aunque producida por Clío-Kastrauze, la biografía del poder *Carlos Salinas de Gortari. El hombre que quiso ser rey* valoraba formidablemente increíbles imágenes premonitorias como la de los volado-

...*¿de qué lado estás? (Francisca)*, 2001

res de Papantla entre las torres gemelas de NY y concluía con la terrible mirada del hijito del mártir Colosio observando al presunto asesino supremo de su padre a la hora inerme del infame magnisepelio. Poco reveladora aunque coproducida por extranjeros de manera independiente, la biografía de la impotencia ...¿*de qué lado estás*? deja de valorar formidablemente muy creíbles imágenes premonitorias como la de los cargadores de petates llenos de muertito entre las calles gemelas de Unión Juárez y concluye con la terrible mirada del hijito del mártir José acribillando al presunto asesino supremo de su padre a la hora armada de la sacra minivenganza sin sepelio.

La feminidad defectuosa

Defectuosa hermosura por excelencia y deficiencia, la joven rural de los veinte Otilia Rauda (Gabriela Canudas grotesca) se presenta de nuca para ostentar en el tremebundo volteón de entrada ese enorme lunar que deforma el lado derecho de su rostro cual big close-up de una horripilantez en cuerpo y alma a perpetuidad. Defectuosa sensual de tiempo y encuere completos a la menor provocación, Otilia nalgotea ante las modistas modestas hadas alcahuetas Genoveva (Ana Ofelia Murguía) y Cruz (Julieta Egurrola), nalgotea en ligero vestido de calle y nalgotea incluso bajo la lluvia. Defectuosa y frígida rígida, Otilia sucedáneo de doña Bárbara se hace manosear iniciáticamente por su verguilargo Juan Primito tonto del pueblo Melquiades (Alberto Estrella cual Anthony Quinn haciéndola de Quasimodo rumbo a pornobjeto lastimoso de *eXXXorcismos*) para condenarlo por desprecio a hacer guardia perenne con fusil y perra Monina. Defectuosa insumisa archisometida, Otilia es mercantilmente casada por su celoso padre cacique don Isaac (Carlos Cardán) con el arribista jefe de policía briagonorriento Isidro (Álvaro Guerrero) para disfrutar juntos de un estático y permanente coloquio tequilero. Defectuosa niñota rechoncha, Otilia se torna cuzca hueca de la noche a la mañana sin motivo ni ilación. Defectuosa exhibicionista y retadora, Otilia desciende señorialmente desnuda y contoneante la escalerilla de la fiesta con ojiagujerado tenate en la cabeza, sin lograr más que un salivoso deleite de putañeros de negro en hilerita. Defectuosa puta de corazón y omisión, Otilia predestinada al burdel íntima por tips contravenéreos con la proxeneta Chenda (Marta Papadimitriou) y encuentra el modo de prostituirse, por o sin favores, hasta con su marido borracho degradado ("Si aceptas, me coges una sola vez"). Defectuosa antifeérica, Otilia princesa Fionna y ogro Shrek a la vez. Defectuosa y solitaria matrona impúdica, Otilia reina cual Petra Paramount sin Comala que extinguir en su cuarto de luna hacendera. Defectuosa hasta la dañadez erótica, Otilia sadomasoquista inconfesa se inventa que ama al perseguido Rubén Lazcano (Carlos Torrestorija desdibujadísimo) y la muy pendeja lo manda matar porque luego se acostó con la piruja de lupanar Blanca (Nadine Cuevas). En suma, no se ve a Otilia como una mujer de comportamiento peculiar, por su inocultable defecto físico vuelto moral, sino como una casi humana mercancía rural que salió defectuosa. *Otilia Rauda. La mujer del pueblo* de Dana Rotberg (2001) como mercancía de manufactura, manipulación, manejo y manoseo defectuosos. De ahí, el innovador automanoseo, aún más defectuoso y reiterado, que se induce la protagonista con manos ajenas, incluso con las del heridobulto que ni se entera. Se agiganta la ironía de la belleza defectuosa hasta volverla una inmensa y banal obviedad derrengada e ignorable.

Con producción de la ancestral compañía churrera Alameda Films de Papá Ripstein y acometiendo una adaptación deforme de la culminante obra maestra homónima del novelista vera-cruzano Sergio Galindo, el apenas tercer largometraje de la conflictiva cuarentona megaloaspirante al control absoluto y único de sus cinexcrecencias intermitentes Dana Rotberg (*Intimidad*, 1989; *Ángel de fuego*, 1991) es una versión mutilada a 110 minutos que hace castañetear los dientes al pensar en el horror de alguna futura director's cut en tres horas, una ridícula y sosa ilustración caricaturesca de cierto inepto libreto auxiliado por aquel argentino Jorge Goldenberg ya cocupable del pésimo guión del *...¿de qué lado estás?* (López-Sánchez, 2001), un melodrama inerte pero ampuloso que jamás logra salirse de la pacata aunque semiolvidada órbita novelística también autobiográfica/autoficcional de Margarita López Portillo glosada por Raúl Araiza (¿era Toña Rauda u Otilia Machetes?), una neoinmersión provinciana sin razón ni convicción a años-luz de la madurez actual de Juan Antonio de la Riva (*El último profeta*, 1999; *El Gavilán de la Sierra*, 2001), una vibra bastante pesada.

Allí donde se requería una sensibilidad fílmica supraliteraria y ambigua como la de Valeria Sarmiento en *Amelia Lopes O'Neill* (1990), sólo muestra y demuestra una insensibilidad infrafílmica torpeliteraria y plana. Lo que en Galindo era oscilación entre la crítica interna al romanticismo crispado por "la fascinación de lo grotesco" (Bonfil) y al melodrama alucinante se ha reducido a gestos acartonados de figuras inmóviles en escenarios descarnados y artificiosos hasta lo convencional. Lo que era una estructura plena de flashbacks que hacían ir y venir en el abismal tiempo estancado enriqueciendo a los personajes y llenando de expectativas y derivaciones coficcionales al relato, se ha reducido a una historieta lineal sin interés ni sorpresas ni derivaciones ni anécdotas colaterales ni recursos narrativos mayores. Lo que era "una mujer capaz de cambiar su destino con fuerza y valor [...] aquí queda como una ninfómana vengativa" (según Raquel Pe-

Otilia Rauda. La mujer del pueblo, 2001

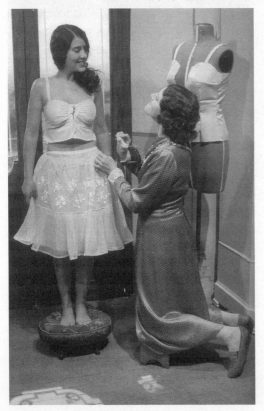

Otilia Rauda. La mujer del pueblo, 2001

guero en el suplemento *¡Por Fin!* de *El Universal,* 25 de abril de 2002), pues lo que era una intensa historia de pasiones excesivas y voluntades encontradas se ha reducido a telenovelera justificación de la inepta frase publicitaria "se acostó con todos por vengarse de él". Y lo que era una criatura palpitante y contradictoria hasta lo sublime y lo mítico, se ha reducido a una antipática virago desfigurada y bravucona, especie de Otilia bin Laden del culatazo y el rodillazo, cuyo sexo frustrado necesita pulular enpelotas para pavonear su celulitis precox y fracasar hasta en su gratuito intento de seducción al cura culero-poscristero don Juvencio (Arturo Ríos).

Iluminación brillosa que confunde día afuera con noche hasta llena de lámparas adentro. Cámara sin vida que jamás puede hurgar ni descubrir nada esencial. Arcaico pero perpetuo mastershot con protecciones de personajes declarativos y sentados. Rotunda incapacidad de inventar elipsis que conduce a monótonos fragmentos oscuros entre secuencias. Lenguaje fílmico muy apenitas que se limita a abrir secuencias en long-full-shots e ir cerrando planos que sólo fotografían diálo-

gos. Diálogos sumarios y sin imaginación ("A la que se la metas, la matas"/"Si me vuelves a tocar, un día de éstos amaneces muerto"/"El amor de tu vida no va a venir"). Como resultado: impotencia desesperante para construir un personaje de mujer fuerte y contradictoria, o cualquier personaje a secas. Rotberg no representa una potencia recreadora, sino una colosal falta de oficio, una esquemática carencia de inspiración, una tediosa ausencia de profundidad, una maquinaria reduccionista que convierte en burdo vejestorio grandilocuente todo el oro narrativo que toca cual rey Midas al revés.

Si en este mundo casi todos se han empeñado en hacerme mal, ¿por qué había de ser yo quien me causara el daño mayor?, reflexionaba en remordida conclusión dostoievskiana la lúcida Otilia literaria. Pero un subripsteinismo idiota obliga a la embotada Otilia fílmica a hacerse daño durante toda su vida de culebrón, marginal a cualquier reflexión o lucidez. Y en el final modificado y empobrecido, ante la puerta de su rancho zurrancho Otilia Tenoria se tiende al lado del cadáver de su amado hipotético y se pega un tiro en el pecho, quizá por aquello de "si es mi maldad

inaudita/tu piedad es infinita", porque cual zorrilla de inefable Zorrilla "sólo en vida más pura/ los justos comprenderán/que amor salvó a doña Juana/al pie de la sepultura".

La feminidad desamparada

Tríptico documental femenino: desamparos. Se trata de un tríptico femenino aunque uno de los filmes se refiere a situaciones sociales generales y otro haya sido realizado por un varón puesto al servicio de los restos (y arrestos) de una mexicana excepcional. Desamparos en el más literal, profundo y noble significado del término documental: rescatan y perpetúan actos como documentos vivientes. Desamparos que paradójicamente rinden testimonio de la vitalidad de un cine de no ficción mexicano más o menos marginal pero siempre paralelo. Desamparo de tres mediometrajes que para ser exhibidos en la Cineteca Nacional (todos juntos, un solo domingo, en dos funciones, con copias en subprofesional video VHS) debieron ser nominados primero para la idiotez anacrónica de los premios ariel (y nunca más).

Primo tempo: El desamparo perturbador

Chenalhó, el corazón de los Altos (video, 52 minutos, 2000) de la egresada del CUEC Isabel Cristina Fregoso hace la indirecta crónica cotidiana del drama de los miles de desplazados de Chiapas, tras la matanza de cuarenta y cinco campesinos prozapatistas que rezaban por la paz en la localidad de Acteal el 22 de diciembre de 1997, a través de las actividades de los niños indígenas presas de las actividades mínimas a la intemperie —en especial los del municipio autónomo de Polhó en Chenalhó—, que representaron más de sesenta por ciento de las comunidades enteras refugiadas en poblados más o menos cercanos por tiempo indefinido. Desamparo de chozas quemadas, cumbres cubiertas de niebla, factura de papalotes, cruce y clavado en río selvático, fiestas con torito cohetero y secular sumisión cristiana de cerviz doblada en masa bajo las velas. Desamparo que jamás cae en el pathos o en la enumeración lamentosa de infortunios, como lo hacían temer las (vacunadoras)

Chenalhó, el corazón de los Altos, 2000

interpelaciones iniciales de la insistente señora llorosa a la nenita arrinconada que se negaba a hablar sobre sus sufrimientos. Desamparo militante en la línea marcada por el largometraje también en video *Los más pequeños* del grupo Perfil Urbano (1994), aunque ahora zapatista oblicua. Desamparo de niños disparando con los deditos como sus agresores hijos de priístas, grillo en mano o en la boca infantil, tapándose de la lluvia con hojas tropicales, cantando en el coro escolar o tocando de espontáneo compulsivo un inextirpable tambor festivo por todos lados. Desamparo que aquieta perturbaciones entrenando a los niños desarraigados/rearraigados para volverse los instructores en lengua autóctona del porvenir.

Secondo tempo: El desamparo perpetrador

La cuarta casa, un retrato de Elena Garro (35 mm, 37 minutos, 2002) del egresado del CCC José Antonio Cordero rinde cuenta testimonial de sus visitas, escalonadas entre 1994-1998, a la novelista Elena Garro recién repatriada en Cuernavaca, y las elabora estéticamente. Desamparo en virtud (dudosa) del montaje de fotofijas como iconos, entrevistas en planos muy cerrados, multitud de voluntarios desenfoques, alguna discreta inserción de recortes de periódico (sus delirantes y autoapestadoras delaciones de 500 intelectuales durante el movimiento estudiantil de 1968), ironías autorrisorias y acotaciones de la hija poscancerosa Helena Paz desvariando con voz de eterna dopada y mascullando alardeantes afirmaciones gemebundas sobre su mamita ("La mejor escritora del siglo XX, tan grande como Faulkner, De la Rochelle o... Truman Capote"). Desamparo tristísimo de la otrora redimecampesinos haciendo fluir toques de alocuciones-esputo, recuerdos como disco rayado, creencia invocativa a san Miguel Arcángel, efigie esquelética con cigarrillo contundente en la punta de los dedos, cordilleras de arrugas y octogenarias manchas faciales, pero la idéntica mirada penetrante de su juventud, todo a igual nivel. Desamparo de una perpetuación paranoica de sí misma como paradisiaca niña majadera con el vecinito Boni ya imaginario, muchacha frívola prematuramente casada a escondidas con el megalómano maldito Octavio Paz que parecía bueno y guapo ("Sólo me casé para tomar el café con leche envidiado y prohibido en casa"), y vieja mala ("Porque somos malos") que ya nada espera, siempre según sus propias palabras. Desamparo de un empleo impresionista del blanco y negro para dar la constante apariencia de grabados de época, con líneas muy finas, texturas difuminadas por sobrexpuestas casi al blanco y blanco, y ecos insólitos de la desafiante canción ranchera de José Alfredo "Pero sigo siendo le güey" en francés, según versión juguetona del músico Iñaki. Desamparo de evocaciones idílico-oníricas del pasado o del futuro con amiguito aún buscando su ilusoria laguna de Tuxpan y una bailarina cual autoideali-

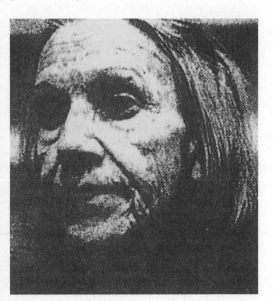

La cuarta casa, un retrato de Elena Garro, 2002

zación literaria echando carreritas y huyendo de sí misma con Lola por la campiña, o hundiéndose hasta media pierna en el agua sucia del lago y acudiendo en su postrimería a un árbol de amplia fronda dominatodo, antes y después de la perpetrada muerte en vida.

Terzo tempo: El desamparo preservador

Vuela, angelito (*Engelshen, flieg,* 35 mm, 50 minutos, 2001) de la alumna alemana del CCC Christiane Burkhard (video-documental de experimentación previo: *Tecnogeist 2000*) sigue los pasos de la cineasta y su hermana actriz Susanne en busca de sus raíces comunes en el Heidelberg natal donde deberán enfrentarse al accidente mortal de sus padres Fritz y Gudrun hace dos décadas, y asumirlo. Desamparo de la pérdida traumática de los progenitores que jamás regresaron de un aterrizaje forzoso con incendio en Atenas (el 7 de octubre de 1979, vuelo SR316 de Swissair procedente de Zürich y Ginebra) en el que casi todos los demás pasajeros salvaron la vida, incluyendo a la amiga Gisela Hoffman que confiesa haber debido reaprender a vivir con sus sentimientos de culpa como sobreviviente. Desamparo de las hermanas al lado del proyector de esa enorme cantidad de películas caseras infantiles-familiares que filmó la joven madre común ("Como si supiese que sería su única herencia"). Desamparo de informulables momentos fuertes intimistas (abrazo fraterno en la visita a la casa originaria en el número 12 de la calle Hermann-Löns-Weg), manejados sutilmente (recortes, álbumes de fotos, visiones cotidianas, premonitorias manitas de la niña Christiane imitando una cámara de cine) al margen de todo patetismo autocompasivo, sin "vencerse en el sollozo" y con "ejemplar severidad del gozo" como pedía Miguel Hernández. Desamparo de películas pretéritas/actuales y visitas y entrevistas

Vuela, angelito (Engelshen, flieg), 2001

cual memoria removida: interminables vasos comunicantes que anulan las distancias temporales de un adiós al lapso eclipsado ("¿Cuáles serían sus pensamientos al morir?") y a la ausencia suspendida ("¿Pensarían en nosotras?"). Desamparo de una forma híbrida tipo *Imágenes de la ausencia* del trasterrado argentino cronista de la guerra conyugal que le dio vida Germán Kral (*Buenos Aires, meine Geschichte*, 1998), dentro del nuevo documental alemán con mezcla de ficción desdramatizada, aquí unidos por el leit motiv de la subida de una cuesta invernal con cámara subjetiva y luego objetiva. Desamparo itinerante con buen espacio para escuchar y despedir sobre la silla de ruedas del asilo terminal a la abuela nonagenaria que ya vivió su muerte ("Un túnel negro que desemboca en una enorme estrella brillante"), para culminar en un montaje de brindis de parientes cual mínima apoteosis. Desamparo de una improvisada aunque suntuosa ofrenda (hile-

ra de veladoras en rectángulo, sucedáneas flores de cempasúchil, alcoholes) de día de muertos mexicano en el panteón de urbe-universidad a cero grados para que las hermanas se atrevan, con veintiún años de retraso, a chocar sus copas contra las lápidas gemelas, a la salud de los fieles difuntos que por fin habrán de regresar, mediante el rito mágico-ancestral, a darle nuevo sentido afectivo al pasado y al presente, como si la Alemania reunificada hubiera también conquistado al señero desamparo de la cultura azteca y sus tradiciones balsámicas.

La feminidad asesinada

En la Ciudad Juárez del largometraje mexicano-estadunidense *Señorita extraviada (Missing Young Woman)* de Lourdes Portillo (1999-2001), los dioses de la corrupción, el sadismo erótico y la muerte sacrificial tienen sed desde casi hace una década sin término, exactamente desde que se agravó allí la desaparición de centenas de mujeres (doscientas treinta hasta 2001) y la reaparición de sus cadáveres más de una semana después, enterrados y/o calcinados, pero siempre con heridas semicirculares en la espalda, en el desierto. El perfil se repite sin cesar: chicas jóvenes, pobres, delgadas y con cabellos largos. El exgobernador Francisco Barrio (1992-1998) desvía la atención hacia el mundo del hampa limitándose a señalar los vagos nexos de las mujeres (¿todas golfas?) victimadas ("Entran a convivir con malvivientes que luego se convierten en sus agresores") sin referirse siquiera al narcotráfico y al crimen organizado. El lombrosiano egipcio empleado de maquiladora Abdel Latif Sharif, señalado como secuestrador por una escapada, hace las veces de culpable mayor y chivo expiatorio para satisfacer la desorientadora voracidad catártica de los medios, aunque los crímenes o ritos satánicos continuaran tras su captura, ahora señalándolo como el Hannibal Cannibal Lecter de *El silencio de los inocentes* (Demme, 1990) que guía desde la prisión a las bandas de los Rebeldes y los Choferes para proseguir su obra. La fiscal con nombramiento especial Suly Ponce sólo se queja de la falta inicial del equipo más básico como bolsas y guantes. La Procuraduría General de la República se lava las manos porque no se trata de delitos federales, aunque tu hija haya desaparecido frente a la estación Aldama de la policía o a la hermana de esa chavita entrevistada se le haya victimado poco después. Y el nuevo gobernador Patricio Martínez da largas desde su camioneta a cualquier declaración sobre el tema.

Señorita extraviada o el corpus sin madres. Con textos escritos por Olivia Crawford, Julia Mackaman y Sharon Wood, el enésimo documental feminista militante/posmilitante/neomilitante de la respetada chihuahuense-chicana ya cincuentona Lourdes Portillo (de *Después del terremoto*, 1979, a *Corpus*, 1999, pasando por el famososcareable *Ma-*

dres de la Plaza de Mayo, 1986) es un esforzadamente sincero y casi desvalido testimonio en primera persona observadora/indagadora de antiglamourosa voz cansona ("Vine a Juárez para presenciar el silencio, el misterio que rodea a la muerte de cientos de mujeres"/"Las pruebas de los casos parecen ser construidas al azar"), una radiografía fronteriza del paraíso de las intocables maquiladoras de marcas trasnacionales cuyos obreros para ensamble de piezas pueden presentarse drogados a trabajar porque así rinden más y cuyas jovencísimas empleadas proceden de todo el país para residir ambos en peligrosos asentamientos urbanos a medio desierto sin pavimento ni luz eléctrica, una tercera explotación informativa sobre las muertas de Ciudad Juárez (pero la más consecuente y combativa) junto con el reportaje sobre *Los crímenes de Juárez* del TVcanal People and Arts o el corto proceloso de la cuequense Alejandra Sánchez clamando *Ni una más* (2002) y el amorfo corto-panfleto meramente declarativo *Juárez. Desierto de esperanza* (2002) que improvisó conmovida la actriz Cristina Michaus, una denuncia con base en testimonios de los familiares de las víctimas (ellos sí todavía con rostro viviente de voz estoica a veces en protesta) y alguna sobreviviente como únicas fuentes confiables, una valerosa y temeraria acusación decepcionante que en concreto a nadie acusa sino *sólo* a todo el estado de cosas de nueve años de complicidades e impunidad, un film noir verídico poco ortodoxo, un crispado thriller posHollywood de relato atomizado y prismático sobre asesinos en serie a lo Oliver Stone (*Asesinos por naturaleza*, 1994; *Nixon*, 1996) que jamás recurre a la ficción porque le basta con la realidad inabarcable/incontrolable/irrefutable para justificar su método de aproximación testimonial y su derivativo juego de estructuras, un drama plural sobre la injusticia de la sociedad priísta-panista y su idea de la justicia, un coral innombrable, una tragedia inocente que subyace en los familiares

Señorita extraviada (Missing Young Woman), 1999-2001

de las sexotorturadas al salir cabizbajos de la morgue sabiendo que su difuntita falleció cuatro días después de su desaparición ("Quién sabe qué le tocaría vivir, no quiero ni pensarlo").

Señorita extraviada o la antinota roja. La ideología estética de la nota roja, incluyendo TVnoticieros e inserciones amañadas en la prensa escrita, subrayando adjetivos escatológicos que nunca fallan, y apoyándose fundamentalmente en la idea de la culpa moral. Tanto las víctimas maldecidas como los malditos victimarios son igualmente culpables de las conjuras corruptas, de las indesmontables maquinaciones secretas, el desamparo y la miseria, pero ante todo de la Maldad innata y la Fatalidad. Durante los 75 minutos de la cinta de Portillo la culpa moralina se estrella contra los "Exigimos Justicia" y los "No a la Impunidad" escritos con tintura blanca sobre los dolientes parabrisas del cortejo fúnebre y la reflexión política se torna socioética entre líneas de investigación y varas rastreando en el desierto. Así, el momento cumbre será el atestado verbal de la sobreviviente multiviolada María X sobre un extraño encarcelamiento por policías locales y una brutal orgía de ultrajes y ejecuciones fotografiadas.

Señorita extraviada o el estilo de las mujeres de negro. A modo de leit motiv, pinta de cruces negras en los postes urbanos, avanzar a la sombra

de confiadas muchachas en flor con bata fabril por calles panorámicas en teleobjetivo, zapatos en el desierto o en el momento de calzarse, rostros femeninos fragmentándose hasta desaparecer en las sobreimpresiones espectrales que abren y cierran al filme en su conjunto y su palpitante y parpadeante flujo de imágenes. Oscurecimientos constantes. Fundidos en negro entre secuencias, entre escenas y a veces hasta al interior de una misma toma sintetizada e intervenida. Inserción sistemática de interludios en cámara lenta. Montaje acumulativo de fotofijas en b/n o color de víctimas con nombre y año de sacrificio. Ecos y puntos musicales, más que música en sí, a veces coral o para piano, de Todd Bockelhelde, imitando susurros de motetes sacros o de a tiro new age. A lo largo de todo el filme trata de sostenerse un tono luctuoso casi sagrado. Una misa de réquiem ante la cruz de madera con humilde ramo de flores silvestres sobre la tumba en la huizachera.

Señorita extraviada o la indignación en acto. Se sabe que plantan cadáveres con diferente ropa; se sabe que la fiscal especial del caso está en ese cargo porque, por ineptitud, corrupción, miedo, o todo eso a la vez, para nada sirve, aunque cobra buen dinero por ello; se sabe que se han destruido valiosísimas evidencias judiciales y quemado 500 kilos de ropa de las víctimas; se sabe que algunas maquiladoras toman fotos (mostradas en el filme) de sus empleadas (algunas asesinadas después) como si elaboraran un catálogo ofertable a clientes especiales, pero nadie puede impedirlo ni demostrar nada de ello. Indignación por impotencia ante la ocultadora colusión de las autoridades con empresarios, narcotraficantes y policía. Indignación por la contradicción de que sea la abogada Irene Blanco, defensora del árabe secuestrador, quien hace los señalamientos justicieros más duros y agudos, los que sí desmontan a los discursos dominantes y sí afectan intereses, mucho más que los discos rayados de las aguerridas agrupaciones no gubernamentales proderechos humanos y su consabida cautela bienpensante. Indignación por la última y más elocuente revelación: durante los dieciocho meses del rodaje, liquidaron a cincuenta mujeres más, confirmando sin quererlo y dolorosamente en el límite que "no basta con denunciar la injusticia, hay que dar la vida" (Albert Camus en *Los justos*).

Señorita extraviada (Missing Young Woman), 1999-2001

La feminidad heterodoxa

Heterodoxias que son desvíos de la norma pero también del sentido. Heterodoxias que remiten a la señera reversibilidad de todo lo dual, según Baudrillard, como tu acostumbrado hacer el mal queriendo hacer el bien y viceversa, por mero ejemplo. Heterodoxias que marcan el triunfo de la visión femenina del cine y de las cosas, en la Sexta Jornada de Cortometraje Mexicano, 2002, con jurado internacional exclusivamente foráneo porque aún no somos capaces ni de juzgarnos con objetividad a nosotros mismos.

Primo tempo: La heterodoxia cosmogónica

Gertrudis Blues (2002) de la comunicóloga Patricia Carrillo (formada como directora y guionista en la escuela de San Antonio de los Baños en Cuba) hace una instantánea de la campesina octogenaria Gertrudis Vázquez ("Soy negra y fea, pero claridosa") y, a través de la evocación de su vida matriarcal, una alborada a las raíces de los mascogo, nombre que daban los indios kikapú a la mínima comunidad rural afroamericana protegida por ellos, pues perseguida por los yanquis, hasta que se asentó, como cualesquiera otros aborígenes, cerca del poblado de Nacimiento, sin salir de Múzquiz, en Coahuila. Heterodoxia de un documental en cine directo fundado en la calurosa simpatía surgida de la flahertiana convivencia/connivencia. Heterodoxia lúdica, retadora desde la viudez orgullosa sin nuevo marido golpeador celoso, rodeada de cercas con púas y aves de corral, en medio de las rudas labores de la granja y la ganadería, cual respetado centro de la comunidad, danzante con ancestrales atuendos monocromos de grandes puntos blancos y pañuelos-cofias de Aunt Jemima, presta y presa de la genealógica memoria acústica en off ("My mother, my mother"). Heterodoxia a base de largas disolvencias,

Gertrudis Blues, 2002

o sobreimpresiones de la anciana avanzando con fondo de fotografías carcomidas por el tiempo sin que ninguna de esas imágenes sea el fantasma de la otra. Heterodoxia del retrato-homenaje-conocimiento de una mujer sabia y su experiencia vital ya al final por fin verbalizada y valorable. Heterodoxia de la naciente/feneciente vida tomada a lo deliberado en un gemebundo mundo que nos ignora, aunque sólo finge que se ignora porque así mejor se enseñora. Heterodoxia de un vertoviano/antivertoviano cine-ojo, pero un ojo cosmogónico.

Secondo tempo: La heterodoxia asaltante

A la otra (2002) de la productora ejecutiva Sandra Solares (de *La ley de Herodes*, 1999, a *Vivir mata*, 2001) hace la crónica del asalto súbito a un

A la otra, 2002

autobús de pasajeros, a partir del encuentro fortuito entre el naco ligador de parabús barriotero que resulta atracador a mano armada José (Renato Bartilotti) y la seductora chica despistada que luego del violento incidente se descubre linda conecte de narcobilletes en paquete inofensivo Deborah (María Aura). Heterodoxia de una ficción naturalista fundada en la sorpresa, que será el principio de un delirio visual y narrativo. Heterodoxia al interior de una típica cinta del Imcine pura anecdótica ingeniosilla que de pronto se desdobla en inmersiones/inversiones morales-gag que tienen su antecedente tanto en la ojeta suicida del metro de *El héroe* (Carrera, 1993) como en los mamones cadáveres en la cajuela de *Ponchada* (Moya, 1993). Heterodoxia de una falta de profundidad en los personajes que en vez de anularlos los convierte en figuras: la patética figura-sentimiento del muchacho asaltante, la socarrona figura-antisentimiento de la falsa inocentita con mueca aterrada en el estribo. Heterodoxia de una intestina transformación agresiva del filme que (al grito-conjuro de "Yo soy un ladrón... y todo mundo al suelo") no es sólo cambio de ritmo, sino mutación de estilos, de la exposición equilibrada al abalanzamiento en planos subliminales y cruel acoso a las víctimas con cámara en la mano al más feroz estilo Dogma. Heterodoxia de la victimación de los jodidos indefensos por homólogos otros tan jodidos como ellos ("Orale, cabrones"). Heterodoxia de la preminencia de la atracción erótica sobre la hostilidad y la pudrición urbanas. Heterodoxia de una amorosa posibilidad amorosa que se ha abortado en melancólica si bien coqueta despedida irónica a la más despojable intocada ("Ya será a la otra").

Ni una más, 2002

Terzo tempo: La heterodoxia posmilitante

Ni una más (2002) de la chihuahuense aún cuequera Alejandra Sánchez Orozco (con patrocinio del Partido de la Revolución Democrática y el perredista Gobierno del D.F.) hace el recuento vivencial de un solo caso, el de la diecisieteañera estrangulada-violada-tirada Alejandra García Andrade, entre las centenas de muchachas asesinadas en Ciudad Juárez, para contrastar con las ortodoxas ambiciones todoabarcadoras de la pretenciosa chicanada neomilitante *Señorita extraviada* (Portillo, 1999-2001) hasta con introductorio monólogo a lo Pedro Páramo vuelto Peter Paramount ("Vine a Ciudad Juamala porque me dijeron que aquí..."). Heterodoxia de un documental en desarmante cine directo fundado en el reportaje igualitario y la observación plural. Heterodoxia de una indignación in vitro que nunca pierde pie en hechos íntimos. Heterodoxia de una evidente y muy legítima identificación emocional de la Alejandra viva con su tocaya difunta, por encima de cual-

quier dimensión alarmista o didáctica, de advertencia o denuncia, sacrificial o meramente utilitaria a la que estaba destinado el proyecto. Heterodoxia de un este filme Diminuto ahora sí del Calvario, por compacto y autosuficiente. Heterodoxia en el desierto del ruido informativo, con piedad y desolación a la intemperie.

Quarto tempo: La heterodoxia reminiscente

La milpa (2002) de la cinefuncionaria jalisciense en Nueva York formada Patricia Riggen (libretista de la serie de cinedocumentales *En Guadalajara fue* de la Universidad de Guadalajara) hace como que deshace la resurrecta historia de vida de la más que centenaria maliciosa jamás terminal Ángela (Socorro Avelar formidable como siempre), narrando a una chica actual sus días juveniles (Leticia Gutiérrez), los esfuerzos comunales campesinos para hacer llover sacando imágenes de la iglesia y sus desenfados eróticos, todos enmarcados en las supercherías y mitos de un refundido pueblaco michoacano, inerme sujeto/objeto/agente del violento atraso moral y los zafarranchos de la cruenta historia revolucionaria. Heterodoxia de una ficción brillante fundada sobre contradicciones en estado de flagrancia como serían la épica personal y la lírica colectiva. Heterodoxia de una plástica ostentosa (cinefotografía de Francisco Checo Varese) para rendir cuentas de lo diminuto, secreto por expansivo/pero expansivo, nunca banal. Heterodoxia de una visión desfachatada de la religión y del rencor del sentimiento religioso: esa peregrinación-ironía para hacer llover que se mofa del clásico idealizante rural *Río Escondido* (Emilio Fernández, 1947), esa blasfema invocación/imprecación a la imagen del Niño Jesús bajado de su altar para que deshaga "las pendejadas que había hecho su madre" (la Virgen de Guadalupe) al enviar en obsequio un diligente aguacero torrencial por la noche y arra-

La milpa, 2002

sar con las milpas de todos los infelices que le pedían a gritos el milagrito de la lluvia. Heterodoxia de un campirano realismo mágico dulcemente autosaboteado por la sonriente complicidad de maldades mujeriles y travesuras adultas. Heterodoxia de episodios fuera de sí desde su brote, aunque ya reminiscentes de sí mismos, como en conjunto esta añorante y perdurable historia de la única milpa sana en la comarca.

Quinto tempo: La heterodoxia indigente

La virgen Lupita (2000) de la cuequense Ivonne Fuentes (*El sueño de la gallina*, 1999; *La llegada de los aliens*, 2001; *De cuando el pescado murió de placer*, 2002) hace el registro en apariencia neutro de una desequilibrada vagabunda infeliz de arti-

La virgen Lupita, 2000

culación incongruente que vive en las calles y pervive pernoctando todo el día expuesta en un suntuoso tugurio-rincón improvisado junto a un kiosko de periódicos entre la agitación y la indiferencia a veces curiosa de los viandantes. Heterodoxia de un documental en cine directo fundado en el análisis entrañable aunque severo de la indigencia. Heterodoxia del ensayo miserabilista vuelto del revés, objetivo/subjetivo tipo Agnès Varda (*Los cosechadores y yo*, 2000) y en los deslizantes bordes entre la fantasía y el artificio, sin mácula de pintoresquismo urbano. Heterodoxia de una dantesca abuelita de Batman, o espontánea Nahui Ollin sin prestigioso pretérito glamour estético, que ronda cual espectro ominoso de la condición humana límite y defeca en cubetas prácticamente sobre la vía pública, antes de ajustarse media docena de calzones encimados, abanicarse, vegetar sin pena al margen de la ciudad llovida y pasársela corriendo husmeadores e intrusos a palos. Heterodoxia por obra y gracia (o malobra y desgracia) de la Virgen Lupita, su musa, su semejante, su hermana. Heterodoxia de una deambulante grotecidad sobremaquillada y ultradecorada pero dolorosamente al desnudo.

La feminidad qué pedo güey

Ambicioso y logradísimo corto estudiantil del CUEC-UNAM, *¿Y cómo es él?* de Issa García-Ascot Ogarrio (35 mm, 28 minutos, color, sonido THX, 1998-2000), sobre un guión suyo y montaje en colaboración con Mauricio Katz y Jorge Lebatard, se involucra hasta el fondo con la crisis de abandono y desamor de la adolescente regordeta pero ferozmente dominante Julia (Flor Eduarda Gurrola soberana), con infaltable cigarrillo en la mano, o prendiendo el siguiente con el cabo del anterior, porque no tolera ni el cortón de su novio por teléfono, ni mucho menos verlo fajando con otra chava tras un cristal esmerilado en la disco, y

¿Y cómo es él?, 1998-2000

luego entonces, por más que sus incondicionales amigos Juan (Andrés Almeida de bigotito) y Sebastián (Iván Krassoievitch con estampadas camisas de seda) traten de disuadirla, cual necesidad irracional plenamente asumida como tal, decide balear al ingrato cuando por la noche salga de un antro y esté subiendo a su carro.

La actitud de la joven heroína al querer balear al galancito que la ha cortado es grandilocuente, pero no lo son ni el enfoque de la trama ni su desarrollo narrativos, ni la forma fílmica de formular, describir, analizar, desmontar, deshacer, conjurar, frustrar, burlar y denunciar esa grandilocuencia, incluyendo sus avances, su sentido y la posibilidad misma de su impulso.

Formidable plano secuencia del prólogo-arranque en acercamiento paulatino sobre la rabiosa Julia despertando y reclamándole por teléfono a su novio abandonador aún no recuperado

¿Y cómo es él?, 1998-2000

del reventón de anoche al otro lado del hilo ("Qué mal pedo güey/Entonces qué pedo/No pero qué/Es obvio que ya nada ¿no?/¿Así nomás?/ Me estás volviendo loco/Sí, a huevo/A ver/¡Ya cuelga!"). Fantasmagórica secuencia de la caminata a la Jarmusch cavilando cigarro en mano entre virajes azulosos y muros pintarrajeados ("Qué amargo es amar sin ser amado"). Pulsional secuencia en mutante plano fijo de las llamadas por el teléfono rojo en ominoso frontground con Julia leona enjaulada reapareciendo en las profundidades del cuadro hasta campo vacío. Intrigante secuencia imaginaria de la visita del inmostrable novio de súbito generoso (Pedro Armando Rodríguez apenas en escorzo) supuestamente intentando ayudar a Julia para que lo olvide pero esfumándose cuando ella iba a palparlo. Desahogante secuencia retrospectiva del tiro-wishful thinking a la madre ladilla (Martha Aura) preocupada por

Cómo Recibes Así a Tus Amiguitos. Frankapotentes francas y potentes secuencias de persecución de frente y de perfil a la Tykwer (*Corre Lola corre*, 1998). Ejercicio de estilo precozmente dueño de sus recursos expresivos, la ficción correspondiente a la generación del Qué Pedo Güey se estructura con base en secuencias redondas, brillantes secuencias casi autónomas y con distintos tratamiento, fragmentación, naturaleza y resoluciones internas, cual inagotable repertorio de posibilidades y homenajes posmodernos a los cineastas mundiales-faro más próximos a la sensibilidad juvenil de los últimos noventa, aunque sosteniendo siempre un elegante y displicente tono general.

A media lengua, frases lacónicas, no mames güey, actitudes de thriller hondamente vivido y padecido como único horizonte existencial, uso sentimental kitsch de una canción de Camilo Sesto a lo Almodóvar ("Con el viento a tu favor"), sonido eco de una iglesia. La ficción realista posnaturalista de la generación del Qué Pedo Güey se edifica sobre un grupo reducido de jóvenes sin vocación de representatividad ni de corte sociológico, sino en primera persona de quien desearía ver claro y con lucidez en sus propios problemas y embotamientos. Grandioso minimalismo, autorretrato generacional, otro tipo de chaviza, neonaturalismo sólo en los diálogos hacia el crucial desistimiento del jalar el gatillo criminal como salvamento en el a la Griffith último minuto.

Fabulosas escenas intermedia y final de Julia con sus cuates bailoteando por jump cuts sus *Intimidades en un cuarto de baño* (Hermosillo, 1989) pero sin pathos, mojando de espaldas sus patas en la tina o sumergiéndose balsámicamente en ella inflando con tequila o cerveza caguama a pico y fumando incesantemente con suprema ironía sabia y vital porque "Es más fácil renunciar al amor de tu vida que dejar de fumar" (Norman Mailer citado en el letrero conclusivo). Así pues, la tragedia de la generación del Qué Pedo Güey ("No sé qué me pasó, cabrón") se ahoga en un vaso de agua transmutado en la tina del sentimiento trágico de la vida prerracional y a pesar de ellos. Y la feminidad Qué Pedo Güey, en las antípodas de las cogelonas novias mexicanas idiotitas de *Y tu mamá también* (Cuarón, 2001), será triste, gregaria e inaugural o no será adolescente.

La feminidad-pasión

La pasión de María Elena (2003), primer largometraje documental de la socióloga cineproductora hispano-nicaragüense Mercedes Moncada Rodríguez (también periodista e investigadora de campo), reconstruye a través de testimonios verídicos y alguna escenificación en cine directo el drama de la joven madre rarámuri María Elena Durán Morales cuyo hijito mayor Jorge, de sólo tres años, fue atropellado en un pie y rematado con saña por la camioneta de la mestiza Maricela (nunca mostrada) en el poblado de Creel en mitad de la Sierra Tarahumara el 6 de agosto de 1999: las consecuencias discriminatorias dentro de la comunidad, la necesidad de emigrar, la progresiva asimilación y nostálgica pérdida de identidad en la ciudad capital de Chihuahua, el fracaso de un doble juicio (el rarámuri de perdonadora catarsis-avenencia tradicionalista, el legal amañado por la corrupción dominante) contra la culpable, la inútil espera para hacer valer su derecho a la justicia (modificando el exculpador croquis trazado sin su conformidad) y por fin el advenimiento de un nuevo bebé que providencialmente sustituye al anterior.

Pasión didáctica por el esclarecimiento progresivo y el análisis incesante. Pasión obedente y laxa de una estructura capitular que jamás capitula en su denuncia ni ante su búsqueda de limpidez formal. Pasión fragmentaria (Nietzsche-Blanchot) con base de segmentos al parecer autónomos. Pasión lírica que se apoya en la glosa audiovisual de

La pasión de María Elena, 2003

ciertas intraducibles palabras-conceptos clave (el tesgüino bebida de maíz fermentado, el que cerca al alma, el barbado-extranjero humillador, el que señala donde están los muertos o el que designa el cortar los sueños de mal agüero) con valor múltiple: hacen avanzar hábilmente la trama, introducen personajes fascinantes, presentan, acercan, inciden, calan en la sustancia sin folclorismos ni etnologías escenográficas de una cotidianidad otra, desarrollan aspectos característicos (acaso exclusivos) de la cultura tarahuamara, incitan al conocimiento respetuoso de la diferencia, desmenuzan temas colaterales por sus efectos (la condición de la mujer, el menosprecio a flor de piel blanca) y emotiva, dolorosamente van ahondando en la inmóvil situación trágica de la acción, hasta volverla conmovedora e intolerable.

Pasión-calvario innombrable y oración fúnebre. Pasión evocativa más allá del bonitismo y del chantaje sentimental-semental, o sea en las antípodas del tedio exquisito de la lamentación

La pasión de María Elena, 2003

relamida relamiéndose en viles cosas holocáusticas con sillitas incendiándose en la playa solitaria como *Recuerdos* de la CCCiana Marcela Arteaga (2003). Pasión poética desamparo y la lucha silenciosa por la dignidad llevando por todas las calles, vías de tren, sendas agrestes y terracerías al hijito restante Luis, coreada en lo cósmico por la música altamente sofisticada de Samuel Larson y Martín Chávez con el grupo roquero Café Tacuba, mientras el espectro del otro se presiente volar en el cielo contra el sol reventado en luz diáfana. Pasión sustitutiva y balsámica del agua hirviente sobre los granos de elote y el hijo nuevo cargado en el rebozo ("Ya está de nuevo conmigo, Sé que es él").

La feminidad febril

Zona cero (2003), intensa tesis académica en 27 minutos de la cuequense Carolina Rivas (primer corto: *La vida se amputa en seco,* 1995), se basa en el cuento *No oyes ladrar los perros* de Juan Rulfo y sigue los pasos de un infeliz padre a rape (Arturo Ríos) que penosamente cruza una zona devastada, primero empujando por la carretera el coche donde su hijo adolescente (Jorge Adrián Espíndola) se desmaya pegado al claxon y luego cargando a éste sobre sus espaldas, a la búsqueda de un doctor y finalmente de un hospital para salvarle la vida, topándose en su trayecto con la mujer del pozo (Laura Almela) que apenas se digna a señalar un consultorio médico en el último tejaván del pueblo, con el enterrador de perros (Gabriel Pascal) que sólo in extremis presta su carretilla para acarrear al enfermo como bulto, con el viejo camillero-médico fraudulento (Luis Ferrer) que sólo enjareta medicina cara y el muchacho (Jorge Sepúlveda) que mercenariamente acepta llevar en bicicleta de transporte al agonizante sólo para traicionar al padre a punto de llegar a su

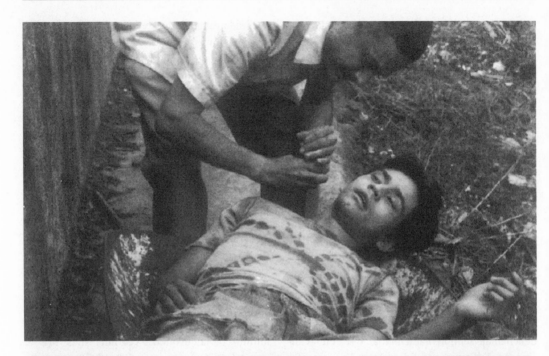

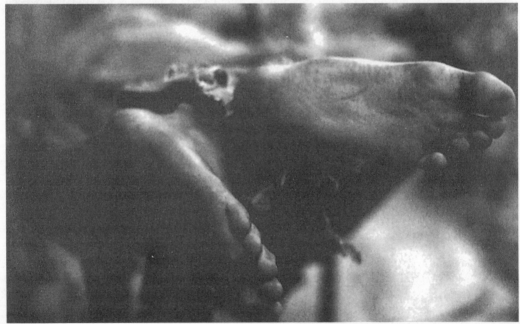

Zona cero, 2003

meta, donde le enterarán que desde hace mucho ya sólo cargaba un cadáver.

Fiebre visionaria con áspera fotografía blanco y negro de Pablo Ramírez repleta de inermes subjetivas en movimiento desde la camilla del moribundo a quien cuelgan cabeza y brazos. Fiebre menesterosa de un via crucis más que humano ("¿Cómo te sientes, te duele mucho?"), envuelto en la necesidad, la mezquindad metalizada, la exigencia de dinero por el mínimo servicio ("¿Cuánto traes?"), las monedas en bolsita de polietileno sustraídas a un tipo desplomado acaso difunto ("Llévenos, traigo dinero") y la rabia reprimida prodigada con ferocidad por el padre al impedir que su hijo sea arrumbado y ultimando al bicicletero con el montón de monedas robadas. Fiebre infernal de la soledad postexistencialista, la indiferencia, el desamparo y la insolidaridad más absolutos.

Fiebre árida de la variación más dura, lacónica y seca existente y acaso posible de un tema rulfiano, o sea, lo que sigue en términos de severidad a *Tras el horizonte* y *Los confines* de Valdés (1984/1987), al *Rulfo aeternum* de Corkidi (1992) e incluso a la *Agonía* de Ruiz Ibáñez (1991). Fiebre exacta a partir del mismo breve relato itinerante de *El llano en llamas* que digresiva y ridículamente se encargaron de folclorizar Carlos Fuentes y el documentalista francés François Reichenbach durante la fiebre cosmopolita del más aberrante cultismo echeverrista (¿*No oyes ladrar a los perros? [N'entends-tu pas les chiens aboyer?]*, 1974), con nulos reproches del padre al hijo asesino que traía cargando, ni pérdida de esperanza. Fiebre sonora con ausencia de música como tal, su banda reducida a puntuaciones malvadas de José Navarro y Guillermo Portillo, meros efectos de percusión y flauta. Fiebre corporal del ejercicio físico hasta extremo absurdo para nada ("¿Qué le hizo creer que estaba vivo?" rubrica la voz off de un médico inmostrable). Fiebre plástica de la gravedad obstina-

da un mundo en ruinas y el universo postarkovskiano disolviéndose en el páramo sin piedras, la triste gloria inhumana de muros leprosos que remarcan menos el reverso del lirismo que el heideggeriano ser-para-la-muerte.

Fiebre trágica que se lee más en los rostros en big close-up avanzando hacia ninguna parte, ausentes a sí mismos al igual que el sol reventando en las alturas, las ramas de los árboles difuminándose en un trazado bidimensional más abstracto japonés tradicional que impresionista y una multitud compacta dentro del sanatorio oponiéndose al paso de la cámara que avanzaba muy cerrada hasta el vértigo simbólico de *La fórmula secreta* (Gámez, 1965) o el vértice opuesto de *Una nueva vida* (Assayas, 1993). Fiebre irremisible de la desesperación sorda, cruel y final que azota la infértil frente paterna contra una roca del arroyo, para que sólo sobrevivan a su sobrehumana aventura desventurada, casi inertes, los zapatos polvorientos, los inanimados pies desechos, un caracol oteando el horizonte cercado por una mano y los cuerpos del padre y el hijo derrumbados sobre la ribera "en presencia de nadie" (Burns).

La feminidad gogoliana

Rebeca a esas alturas (23 minutos, 2003), inspirada tesis académica inesperadamente humorística de la cinepublicista Luciana Audiffred Gorostiza (D.F., 1972) en el Centro de Capacitación Cinematográfica (primeros cortos allí mismo: *Ángeles de la banqueta*, 1993; *Pasteles de Nicolás*, 1996) y distinguida con un tercer lugar en la sección estudiantil Cinefundación en Cannes 2003 (apartado donde arrasaron las cintas de animación), se basa en un cuento literario de su hermana Paola y hace una crónica en apariencia neutra de las alteraciones en su vida doméstica del ama de casa Rebeca (Clarissa Malheiros formidable), quien descubre cierta mañana que su peso ha aumentado en exceso: camina rompiendo el piso, quiebra la báscula del baño al treparse, se derrumba sobre la cama junto al marido demasiado tranquilo con retraso mental y de tiempo (Carlos Aragón), debe ser bajada de allí con ayuda de una palanca de fierro, se arrastra para tomar su desayuno dejado en el suelo y se disculpa por no poder hacerle su comida a los hijitos todoaceptantes que regresan de la escuela; es visitada luego por un doctor que ningún diagnóstico puede emitir; dejada a sus fuerzas, empieza a caer de piso a piso, de techo en techo y departamento por departamento, en la bañera o donde sea, para rabia de los vecinos: tiene que ser finalmente izada con grúa, suspendida de una cadena que no tardará en romperse, cuando los seres queridos ya partían por la mañana ("¿Cómo pasaste la noche, mamá?"), abandonada a su suerte, sólo para seguir cayendo, incluso por debajo del asfalto.

Gogoliana como la infructuosa búsqueda infinita incluso posmortem de un abrigo preneorrealista (en *El capote*), como las peripecias de la nariz de autoritaria autosuficiencia hallada en un panecillo (en *La nariz*), o como el diario del enloquecimiento de fervor de un burócrata (en el *Diario de un loco*). Gogoliana de alteraciones físicas que son ante todo espirituales. Gogoliana reveladora de la condición humana de la pequeña gente. Gogoliana de un humor astuto y desmedido que hace rechinar los sesos más que los dientes. Gogoliana de su acendrada descripción del absurdo cotidiano, su burla aguda y brillante, su pintura satírica de un mezquino estrato social atrasado y hueco hasta la crueldad. Gogoliana como fantasiosa y pesadillesca culminación moral de una psicología de la vida social más mediocre, por ello más precaria y vulnerable, acaso vulnerada de antemano. Gogoliana que causa irritación y malestar entre las criaturas que pretendía adular.

Gogoliana de una humorada a base de múltiples detalles-signo como la conexión al vaso de jugo de naranja con popotes en serie, cama hundida hasta el derrumbe en las antípodas de la cursiargentinada *El lado oscuro del corazón, 1 y 2* (Subiela, 1991/2001) y paso del día completo leído en el reflejo de la luz de la ventana o en el ritmo superacelerado de TVprogramas. Gogoliana con voraz cámara deprimida al ras del suelo o de la banqueta, abundantes tomas en subjetiva y un uso sistemáticamente irónico de la profundidad de campo. Gogoliana de una farsa heterodoxa mezclada con un chiste baturro que se refocila en sus hallazgos, por pesados gruesos y verdes que éstos sean. Gogoliana de la demolición imperturbable de un utópico y sencillo universo familiar y vecinal, cuyas absurdidades no impiden que siga destilando serenidad y armonía, quizá sólo con algunas molestias monetarias y disposición del fondo de emergencias para pago de indemnizaciones para calmar ánimos.

Gogoliana o "¿Conoces tú este gozo de ver cosas nuevas?" (Apollinaire). Gogoliana histriónica de una actriz-fetiche del teatro lésbico de la UAM (tipo *La Eva Futura o Frankenstein o el Moderno Prometeo* de Juliana Feasler que invertía la fusión de mitos para mejor lamentar la imposible maternidad entre parejas de mujeres), desatada en su gestual inmóvil, con acendrados recursos grandilocuentes próximos al guiñol caligaresco y soportando con masoquista-brasileño goce carnavalesco e autoirrisorio el maltrato que sea. Gogoliana de un discurso ultramisógino sobre la misoginia de uso doméstico que jamás pierde la espontaneidad de las relaciones primordiales. Gogoliana de una situación de autoabandono materno que involucra la progresiva desmitificación de la figura de la madre mexicana (iniciada por el provinciano retratista interior de la clase media urbana Jaime H. Hermosillo) y que culmina en el abandono absoluto de la madre, ya deleznable y prescindible, por parte de la familia en su conjunto: una mujer totalmente abandonada como antes hubo *Una mucha-*

Rebeca a esas alturas, 2003

cha totalmente abandonada (Jutta Bruckner, 1976). Gogoliana onésimo-keatoniana a fin de cuentas fílmicas que desarrolla y articula como relato original o película-gag tipo Imcine un célebre gag de asimilación en el que Buster salta de un trampolín, cae fuera de la piscina, abre un hoyo en la tierra, se va por ahí y un letrero lo hace "Varios años después", con trenzas, atuendo oriental, esposa china y críos, al igual que su ancestro precursor de la vanguardia francesa Onésime recién casado al caer y salir ya con prole de una alcantarilla (ejemplos citados en trabajos ensayísticos de Fernando M. Peña, Luis F. Gallardo y Peter Weiss). Gogoliana de una hipérbole fantástica y una alegoría que saben permanecer abiertas, como la heroína guiñando un ojo como despedida desde la negrura y rumbo al más allá hacia el centro de la tierra, sin que nada fundamental se haya trastornado en su anticlimático entorno.

La feminidad electiva

Casting... busco fama (16 minutos, 2003), corto conjunto de Laura de Ita y Carmen Huete (ambas actrices teatrales de profesión e implicadas en la creación del juego escénico bisexual *El ornitorrinco*), se funda en la obsesión de la evidente, reconocida, desnudada, denunciada y desbordada humillación de ese inmisericorde tipo de casting a que invariablemente son sometidas todas las aspirantes a actrices en este país: fingir orgasmos en seco, mostrar tarjetas de identificación como reas o reses, recitar mamadas a lo idiota ("Di no al trabajo, tú vales mucho y mereces vivir"), semiencuerarse, imitar personajes amorperrunos (con Vanessa Bauche), dejarse manosear de gratis. Elección de una serie encadenada de improvisaciones documentales colectivas hasta lo hiperfragmentario y pulverizado, pero compartidas e irritantes hasta lo rebelde lúdico (subir a la azotea a liar y darse un toquecín) o consciente comunitario (segmento-interludio militante en blanco y negro contra los sublevantes asesinatos seriales de chavas en Juárez). Elección de autoirrisorias, autovaloradoras, autoafirmativas discusiones cool de las aspirantes, sustraídas, entregadas a súbitas insurrecciones individuales, vindicativas globales más que reivindicatorias aterrizadas, henchidas como *Bellas atroces* (según la provocadora pieza neolésbica juvenil de Elena Guiochins), supinas de cara al cielo para formar en conjunto humildes flores coreográficas de Busby Berkeley ("¿Qué hace una actriz cuando se levanta?"/"Se viste y se va a su casa"/"Ésa no es una actriz"). Elección para extraer de todo ello inesperadas consecuencias filosóficas ("La vida es un casting: siempre elegimos o somos elegidas").

Casting... busco fama, 2003

6. La grandiosa verdad

□

No hay grandeza donde no hay verdad.

Gotthold E. Lessing,
Dramaturgia hamburguesa

Las tensiones multiadjetivas

Sorpresivas como la angustia definitoria definitiva del sudoroso brutal agente regional antinarcóticos de road picture cancelada Marcial (Jesús Ochoa desalmado) que revisando su coche descubre con horror el inextirpable hedor a muerto que exhalan sus manos. Recias como la expedición punitiva unipersonal del duro con rifle cuerno de chivo contra inocentes sospechosos de cultivar yerba mala en el redundante rancho Los Inocentes, asegurando con mínimos elementos un inclemente rulfismo irónico (¿relaboración del paranoico universo mental del cuento *¡Diles que no me maten!*, o del no recopilado *Los girasoles* ya filmado por Ruiz Ibáñez como *Agonía*?). Broncas como las guturales imágenes amarilloverdosas de Alejandro Cantú en el magnífico agreste paisaje del desierto y los de pronto alegres pueblitos neoleoneses. Carcajeantes como el humor ácido de la restregada con clarasol, la meada vitalista sobre las propias manos, la autoquemada con gasolina y encendedor, el ruego al Cristo sangrante ("Tú que eres el jefe de jefes") y el chapoteo de extremidades en la pila de inútil agua bendita o la tosca limpia de la curandera a balazos fulminable por decepción ante un altar de la santa Muerte patrona de ¡los narcos mexicanos!, para exorcizar infructuosamente a contrapicados el desesperante olor a cadaverina similar. Tensas como el bachelardiano energetismo imaginario de un cine pulsional que sólo obedece a los impulsos estructurantes y a las fricciones ensimismadas de nuestro lady Macbeth con imborrables huellas criminales en las manos vuelto policía antihéroe e imparable matón compulsivo.

Posmodernas como la energuménica ilusión de tocar, gracias a las sensaciones olfativas, el fondo de la materia criminal y de la naturaleza humana. Antithrillers como la repulsión instintiva del jefe gordazo (Eduardo López Rojas póstumo) que no se deja andar husmeando por ningún locochón pendejo o el duelo exterminador de mingitorio contra el machote meón entrando albureramente a campo. Transfiguradoras como el consuelo y el entusiasmo concedidos por el perro lamedor hallado en mitad del camino abismal y adoptado cual emisario de la destrucción sin muerte. Vertiginosas como las manos intentando abarcar en su gritoneante abrazo al tren que pasa y las manos desintegradas más allá de la vía mutiladora/automutiladora ya "abarcando las penas de los siglos" (Dylan Thomas) hacia una visión fatal a lo Kurosawa: hasta el perro repudia los restos de la extremidad cercenada que yace entre los durmientes cubiertos de grava grave. Profundas como la irracional irre-

Los maravillosos olores de la vida, 2000

Los maravillosos olores de la vida, 2000

conocible zozobra del Hombre Culpable ("A ver, ¿qué mal hice matándolos, es mi oficio?") cruzando todavía la imagen grandiosa a la trucada velocidad de las nubes.

Así pues, en el polo grandioso opuesto de las mediocres ilustraciones interruptus de las aventuras del detective taibiano fetiche Héctor Beloascarán Shayne (dos por Alfredo Gurrola, 1979, y tres por Carlos García Agraz, 1993-1994), se sitúan sin duda las sorpresivas recias broncas carcajeantes búsquedas tensas de la posmodernidad antithriller transfiguradora vertiginosa de *Los maravillosos olores de la vida,* 2000), el tercer cortometraje con base literaria del excuequense Jaime Ruiz Ibáñez (*Don Chico que vuela,* 1988; *Agonía,* 1991), trabajando a profundidad sobre el relato literario homónimo de Paco Ignacio Taibo II (1997) como texto abierto.

El antidocumental deambulatorio

Presentada como una más de las inagotables formas de ficción o docuficción deambulatoria que ofreció el V Festival de Diversidad Sexual en Cine y Video, dentro de una dispersa y caótica aunque generosa cienciaficcional kubrickeana irónica Odisea Mix 2001, para plasmar experiencias vividas e imaginarias de la deambulación erótica en sus versiones gay-lesbo-bi-trans, *Amor chacal* de Juan Carlos Bautista (2000) es un videofilme de sólo 25 minutos pero que no tiene pierde, ni reserva, ni madre. Desde un epígrafe de Bernal Díaz del Castillo sobre las inextirpables prácticas contranatura de Villaviciosa y el significado náhuatl de la voz mayate, sitúan sobre la vía espiritual ancestral que conduce sin titubear a la carretera adánica tangible que descubre el edén veracruzano de las prácticas mayates llamado Puerto de Alvarado. Ya los regocijados videotripulantes chilangos de un coche comienzan a interrogar tan cotorra cuan maliciosamente pueden acerca del tema de la mayatería colectiva a los semidesnudos jóvenes lugareños desmadrosos que encuentran a su paso. Deambulación sin término de tipo popular en tipo degradado al que le vale madre, en la calle, en la plazuela, en el antro pinche para chacales del homosexo y el baile descarado de parejas masculinas.

Película desinhibida si las hay sobre una desinhibición desinfección secular aunque ignorada, ficción instantánea e innominable, historia oculta en lo inmediato, mito encarnado descarnado, debate trasero marranesco, traspatio gozoso en el trópico quemante. Dondequiera que se piense, salta el mayate. Mayates en abundancia, a granel, de todas edades, clases sociales y sabores, con labia tónica lacónica, sorprendente evasiva o socarrona, en clave regional tan indescifrable como obvia hasta la redundancia.

Corte frívola sin realeza, mester de mayatería descamisada. Folleto extrañante sin modo de empleo posible, tratado de mayatería con instructivo, decálogo para reconocer mayates: se la pasan rascándose las verijas, les gusta el relajo y así. Picaresca que se ignora a sí misma, disimulo flexible hasta la ostentación. Jugueteo solar en tierra de todos de nadie, alegría del choteo punzante, exhibición de piquetes de culo sardónico aquiescente que niegaafirma y repeleacepta. Como único método y estructura se provocan reacciones en cadena y se sostienen: la investigación minuciosa que no lo parece, el azar controlado, el cotorreo, la cháchara espontánea, el pitorreo jarocho. Indagación velada solapada sobre la esencia de la indefinible indefendible jarochez de los veracruzanos, compendio de costumbres virulentas que se respetan como alteridad, eyaculación de alteridades virulentas hechas costumbre. Dispositivo provoca-

dor de hilaridades muy nerviositas incluso de los cómplices, chacota rimando con picota, pero nunca oprobio de mofa ni burla: reportaje al hilo de los acontecimientos, testimonio afable sobre cachondería iletrada e iletrismo cachondo.

Bullicio permisivo de carnestolendas irrumpiendo en comparsa travestida, bajada en contingentes obvios, pero la mayor parte del tiempo, cuadrilla de vestidas del alma en cualquier esquina, mascarada que no necesita otra máscara festiva que la máscara cotidiana. Prácticas preferidas, jamás pasto de psiquiatras, nunca pecados carnales, no siempre exclusivas si uno se pregunta por la reproducción de la especie con esas arrinconadas chicas prescindibles. Cero erotismo y nula sensualidad, entrevistas conducidas con sangre liviana y plena extroversión como único método periodístico, título de *Amor chacal* para contraponerlo a los *Amores perros* (González Iñárritu, 2000). Surge una duda crucial, ¿el realizador Bautista era de Alvarado? Estado de Veracruz, capital Mayatepec.

Antidocumental casi casero con carcajeante videocam profesional en mano amateur, diario irrepetible repetible compatible de viaje, crónica turística jocosa, carnaval perpetuo, elogio imposible sin mácula de elegía, épica vislumbrada del buen salvaje mayate como homo ludus naturalis, tradición irrecogible por los beatos aburridísimos e inútiles documentales del INAH. Deambulación edénica, revelación de un México Desconocido antiRimoch antiNovaro con *Demasiado amor* al placer y *Sí dejar huella*, hasta desembocar en la Negra Graciana cantando un son de obscenidades léperas, con malhumorado humor, mandadísima malmandada por su insolente arpa diatónica. El Paraíso deseado existe, fijo en la intemporalidad de tus antepasados totonacas sodomitas, despidiéndose por dónde llegó y volverá mil veces o años más. Una delicia delirante en directo, una cierta grandeza mayate coral.

El corrido esencial

Ensombrerado lumpendejeano en el D.F., pero con generoso paisa taquero y noviariguda criadita protectora como *Una luz en mi camino* (Bohr, 1938), el pacífico inmigrante trovador sólo de fama intercamional Rosendo Narváez (Guillermo Larrea) regresa a su pueblo El Salto en la sierra de Durango para ir sobre las huellas de su hermano el exferoz cabecilla de un trío de gavilleros robaserraderos y asaltacamiones recién ultimado por la policía Gabriel (Juan Ángel Esparza) saliendo retratado en una revista de alarma. Contacta luego de poco a su inconsolable padre don Joaquín (Mario Almada), antes duro inafectivo y hoy desdentado chopas ("Chancho chiempo chin chaber nada de chi") repitiéndose que desde siempre sabía que se lo iban a traer muerto por culpa de un mal encuentro. Pasea con el cariñoso velador parlanchín Aurelio (Rafael Velasco). Abandonándose a un sacudidor vaivén de presente y pasados, evoca sin querer queriendo la figura fraterna en revuelta contra los abusos de autoridades menores del aserradero local y vuelto bandido contra los abusos de la policía judicial. Revive y asfixia de nuevo al inconfeso e informulable amor carnal que siente por su cuñada Soledad (Claudia Goytia) ahora viuda con bebé en brazos. Y antes de partir otra vez, visita en la cárcel al anciano ranchero desalmado Melitón (Abel Woolrich graciosocarrón), único gavillero sobreviviente, con quien escucha por la radio portátil un corrido in memoriam de su hermano, que se anticipa al que él mismo le ha estado componiendo a *El Gavilán de la Sierra* para la película mexicana homónima de Juan Antonio de la Riva (2001).

Con híbrida producción Imcine-Foprocine-Videocine-STPC pero con libreto propio y de nadie más, el opus 11 del prolífico reincidente rural duranguense Juan Antonio de la Riva (*Polvo vencedor del sol*, 1979; *Pueblo de madera*, 1990; *El último profeta*, 1998) es una profundización posneorrealista de cierta nota roja regional en torno a tres jovenzuelos acribillados por judiciales (o tres nefastos sujetos eliminados/exterminados/extirpados), una masoquista fraternomaquia que traza inesperadas líneas paralelas al judioneoyorquino *Soy el hermano de Josh Polonski* (Nadjari, 2001), una enésima evocación del bandido generoso, un ensayo sensato de desidealización/reidealización de la figura romántico-justiciera del bandolero asaltante, un ejercicio de estilo lleno de ideas narrativas y formales pero sin verdadera cohesión ni demasiada fuerza dramática, una invocación límite al amor carnal hecho y desecho en silencios ominosos y puras miradas deseantes y dolientes/culpables y remordidas/jamás púdicas, una columna vertebral sin vuelo con base en el corrido que ya no se ilustra (como los de Rosita Alvírez o de Heraclio Bernal o Gabino Barreda o el Ojo de Vidrio) sino se genera de manera natural e intimista por su propia dinámica necesaria y con dejo de ironía, una genealogía del corrido ("¡Cómo le inventan!") cual forma sintética y esencializada ("Su nombre contra el viento") de la dialéctica de la historia social, un corrido impersonal sobre las andanzas del Gavilán de la Sierra y otro fraternal sobre sus desgracias, un juego con la inmortalidad en el corrido y su mala conciencia.

Arcaico cual Pereda por Pereda charro aún medio chinaco vuelto taurófilo Chucho el Roto con tres incondicionales Reyes Magos en *El Gavilán* (1939). Irresistible cual Pedro Infante feriante nómada afirmándose ambiguosexual mujeriego misógino en *El gavilán pollero* (Rogelio González hijo, 1950). Enigmático cual Tony Aguilar enmascarado atrapaforajidos con sólo abrir las compuertas de una presa en la serie *El Gavilán Vengador* (Salvador, 1954). Grandilocuente cual Pedro Infante rancherito huérfano desembocando en prerrevolucionario jefe de gavilla reivindicadora autodenominada *Los Gavilanes* (Oroná, 1954).

El Gavilán de la Sierra, 2001

Circunstancial cual Luis Aguilar inofensivo pueblerino perseguidor de pistoleros al frente de *Los Gavilanes Negros* (Urueta, 1965). E incluso vulnerable cual José José desengañado cantante alcohólico indeciso a perpetuidad entre ser *Gavilán o paloma* (Alfredo Gurrola, 1984). No obstante ilusorio cual inexistente y homónimo filme *El Gavilán de la Sierra* que, junto con el asimismo infilmado *Socios para el peligro y la aventura* (¿de Hermosillo?), ya programaban de pueblo en ranchería duranguense los exhibidores trashumantes de *Vidas errantes* cual wishful thinking u homenaje anticipado. Aunque también virulento cual dicotomía magnífica del hermano violento ("Que no le pusieran la mano encima"/"No dejar cuico con dientes") confrontando al pasivo hermano sereno y conquistando a la hembra lanzadaza que se hace raptar a la primera ("Yo quiero irme contigo ya"), en glosa cinefílica del gran clásico norteño nacional *Los hermanos Del Hierro* (Ismael Rodríguez padre, 1960), de donde provienen además esas imágenes y planos móviles en que se cruzan y empalman los tiempos al final de un panning en interiores o en la profundidad de campo de una plazoleta o una callejuela, creando el *Crisol* (Mariscal, 1965) laberíntico de elipsis y simultaneidades de *Los Gavilanes Del Hierro*. Pero también trágico cual cita directa al triste solitario y final Tony Aguilar/Heraclio Bernal en el cine sin bancas adonde estarán proyectando *La rebelión de la sierra* (Gavaldón, 1957) cuando vaya la ley por el héroe negativo. Un homenaje vivito y coleando al más ingenuo cine popular sobre espontáneos Robin Hoods campiranos, un salto autoconsciente y una superación discursiva de tu viejo cine rural.

El pueblito maderero que para mí es como si fuera todo el mundo, El Salto y Pueblo Nuevo como Yoknapatawpha y Macondo por el mismo precio añorante, flashback de la toma callejera retocadísima foto para el buen recuerdo, fondo extraviado de radio ambiental ("El mejor carnero sin grasa"), el camión de redilas cuando vinieron de San Miguel, el baile con chelas para bajar el coraje, el noqueado por debajo del encuadre a quien ningún joven se anima a auxiliar, el aserradero con su dinámica para el jale de todos los días en full-shots y su catástrofe en extreme long-shots, sacándoles la vuelta y largándose a otros rumbos, cargando las cajas de cartón con mecate en la partida lloviznada, escupiendo el rencor de la falta de afecto paterno, todo empezó un día de pago, pelear por estar harto de estar siendo testareado, voltereta de un puñetazo sobre el polvo, carteles de *El corrido del hijo desobediente* (Gómez Muriel, 1967) a la salida del cine en el intento de arresto, subir al monte acompañado de los futuros bandosos el Meño (José Juan Meraz) y Roque (Paul Choza) porque para eso son los amigos, robo ahora sí nomás para que no le anden levantando falsos, beber por las calles con la tambora y rorras que luego aparecerán muertas sin el dinero regalado en paliacate, puro alacrán ponzoñoso pero seguro que "No es vergüenza ser bandido si se roba a quien es ladrón", el transporte del ensangrentado sobre tablones en hombros, la bendición paterna al hijo forajido de inanimado cuerpo presente, la viuda sólo acompañada por el atesorable sombrero masculino, el senil encargado traicionando con un cínico "Ahora van a tener que poner más cuidado a ver a quién le encargan el rancho", el silencio ominoso ante la mesa, el cheque inservible guardado como recuerdo en el bolsillo cotidiano. Un cierto lirismo elemental, un tratado de picaresca duranguense ("Cree que la Virgen por estar arrodillada ya es tortillera"), una larga efusión de recóndito amor loco a la mentalidad y al habla ("Ahora qué hicistes, muchacho del carambas") y a los agrestes paisaje físicos y humanos duranguenses ("Era como el ocote: con cualquier agua se rajaba"), un delirio serrano por el terruño vuelto desarraigo y nostalgia.

No es lo mismo pero es igual. El aura legendario-mítica del difunto se reduce a dos versiones divergentes, al estilo *La diosa arrodillada* de Revueltas-Gavaldón (1947), que rinden cuenta del robo de la oficina del aserradero, según el racconto del velador un glorioso aviente del dinero a los trabajadores explotados (aunque tuvieron que pagarlo entre todos), y según el racconto del policía ojete, un inútil lujo de violencia gratuita tras la mampara. Pasos, top shot de conjunto, golpiza brutal, vil asesinato, ejecuciones con tiro de gracia, desafiante "Va de una vez a ver qué pasa", con inepta cinefotografía dispareja con finales desenfocados (de Ángel Goded) prolongándose en el acordeón del camionero corrido heroico, o bien repetición concluyente de más cercas, con truculentas caídas en slow motion a lo *Bonnie y Clyde* (Penn, 1967) de tres. La épica se ha vuelto una superestructura referencial y una metafísica de la saña y el daño. En contraste, sin heroísmo ni grandilocuencia, Rosendo renuncia a toda venganza o dilucidación del crimen múltiple y decide volver a irse, lanzando una última ojeada hacia la sierra ingrata. Un grandioso retorno ni maléfico ni benéfico *De ida y vuelta* (Aguirre, 1999), un necesario exorcismo sociológico ("Aquí se acaba la historia, pero todavía le falta", dice la conclusión) entre la señal y la contraseña, erigido en ritual que impide la descomposición personal.

La antiañoranza porfiriana

Más que superviviente, sobreviviente o subsistente, prevaleciente sobre la furibunda polvareda de su vida, fue el héroe titular de *El Tigre de Santa Julia* de Alejandro Gamboa (2002). Prevaleciente desde el intento de filicidio que en Cuerámaro 1880 lo predetermina como un Aventado (por la ventana cuando recién nacido). Prevaleciente sobre su enganchamiento como soldado vil del porfiriato y a los latigazos por no poder disparar contra inocentes. Prevaleciente sobre tropiezos físicos que lo

mandan cojeando a México 1906. Prevaleciente sobre las exageraciones que propala sobre su egregia figura Charronegra el amigo periodista borrachón Nando (Fernando Luján ahora simpático coronel escribano posRip) en rimadas hojotas volantes gráficas de Venegas Arroyo (esa precursora mezcla de historieta y nota roja benditas por la poesía popular). Prevaleciente sobre la integración de su banda por puras ganosas bellas igualitarias: Gloria (Irán Castillo), Tomasa (Cristina Michaus),

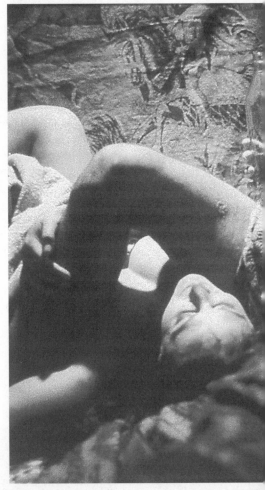

El Tigre de Santa Julia, 2002

Rosa (Ivonne Montero), Simona (Isaura Espinoza) y Yola (Jessica Segura). Prevaleciente sobre las torpezas de sus atracos sin cautela, o con precauciones muy narigudas (casi tan narigudas como las de su modelo en gags de torpeza el cómico pionero francés Larry Semon Narizotas), previas a la traición por celos, la captura, la ejecución y la muerte, el legendario José de Jesús Negrete, el Tigre de Santa Julia (Miguel Rodarte), era en realidad el prevaleciente perfecto.

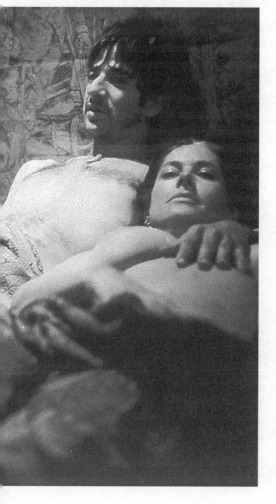

Con financiamiento de la cadena exhibidora Cinépolis prevaleciendo sobre el fracaso de *El cometa* (Buil-Sistach, 1998), ahora en sociedad con el prevaleciente Televicine vuelto Videocine, y con guión del director sobre un argumento del prevaleciente vulgarzón retroalburero Francisco Sánchez, el ambicioso opus 5 del prevaleciente especialista en chamaquitas calientes ampliando su registro Alejandro Gamboa (*Educación sexual en breves lecciones*, 1994; *La primera noche*, 1997; *La segunda noche*, 2000) es un homenaje al bandido generoso cardinal por precipitada prevalecencia más que por excelencia, una redención reivindicadora del infeliz ratero de barriada escatológica cuya única gracia famosa fue ser atrapado zurrando en la nopalera del traspatio y con los calzones en la mano, una forzada y esforzada cinta de aventuras que revivifica e idealiza ilusorias hazañas bandoleras de otro trastocado émulo desprendido y dadivoso del caritativo *Chucho el Roto* (Gabriel Soria, 1934/Miguel M. Delgado, 1954/Manuel Muñoz, 1959/Alfredo Zacarías, 1969) que quitaba al rico para darle al pobre, una epopeya de tres centavos tan brillantemente alegre como maltrecha y machacada hasta la maceración (olvídese infrabaratón filme homónimo de Arturo Martínez con el canoro inexpresivo Juan Gallardo en el papel titular, 1973), una caprichosa rescritura de la leyenda muy deliberadamente entre la grandilocuencia y la grandeza, una recreación de época con ostentosa artificiosidad visual y rebosante de infidelidades de vocabulario anacrónico cual película de Tin Tan (ojetes/desmadre/petate ortopédico/chalanes/cuaco/fusca/dar cuello y hasta el argentinismo suripanta), una genealogía del mito popular con inevitable corrido oportuno y líricos periódicos-historieta tipo *El Gavilán de la Sierra* (De la Riva, 2001) en versión urbana epocal con alivianadas dimensiones frívolas y softporno.

Nuestro Robin Hood o Quijote mexicano

El Tigre de Santa Julia, 2002

El Tigre de Santa Julia, 2002

actúa con un pelotón de Sanchas Panza nada despreciables, porque la feminoteca ardiente y ofrecida que se le lanza al Tigre abarca las cuatro edades. Rucona aún sabrosona a punto de podridona por lo putona indiscriminadona como la sexoiniciadora tía Simona jamona y resobadona. Maduraza con experienzaza como Tomasa. Jóvenes frescas y fragantes como la Gloria del duradero flechazo nomeolvides en la feria que se prolongará hasta la desafiante autoprueba de atracadora en Chapultepec, o como Rosa la caldosa hermosa celosa. Y pollitas fieles apenas nenas a duras penas como la espía agregada cultural Yola. En ellas, a diferencia de las frondosas hembras bragadas de la viejas historietas *Adelita y las guerrillas* o *Rosita Alvírez y el charro misterioso* de Ediciones José G. Cruz de los años cincuenta, predomina el erotismo del busto sobre el de la nalga o el piernón, e imperan la variedad de consumo y la cogida insólita, muy al gusto de los pubertos actuales, como si las tatarabuelas de las chavas de *La primera/segunda noche* se unieran cual banda de abejas obreras que se creyesen reinas por adorar al unísono a ese Tigre zángano, sujeto al comercio masculino del trasero (y selecto objeto privilegiado de él), restregándosele sobre el caballo o saltándole en el petate entre

cobijas más que cobijadoras. Medio masoquista medio orgiástica, una misma fantasía sexual viril se diversifica.

Érase la antiañoranza de una época violenta de abuso del poder, represión armada de manifestantes antirreleccionistas y sangrienta guerrita contra inmostrables indios alzados zacapoaxtlas, donde el Tigre se enfrenta a su archienemigo con diminutas antiparras oscuras de premonitorio chacal huertista Calleja (Adalberto Parra), supuesto excarcelero torturador de San Juan de Ulúa (donde seguramente se las vería con el genuino Chucho el Roto). Y la alta sociedad porfiriana, que de todo ello y ellos se beneficiaba, queda reducida al chapultepeco lagartijo asaltado que cobardemente pretende resguardarse tras su acompañante femenina y al hacendado opulento Giovanni (Mauricio Davison) a quien sólo le preocupa un velero en miniatura. Rencor al pasado, revisión flagrante, desquite histórico, venganza contra el poder abusivo de ayer y hoy, descodificación y relectura, al nivel de Frida Kahlo echando bala en la insurrección minera de *Pafnucio Santo* (Corkidi, 1976) y con más derecho expresivo que la tremebunda masacrofilia protolittinesca contra levantiscos peones esclavizados de *El valle de los miserables* (Cardona hijo, 1974) o la declamatoria huelguista de *Cananea* (Fernández Violante, 1976) vuelta chafísimo *Citizen Kanenanea, El Tigre de Santa Julia* viene a ser a la última fase represiva de la dictadura porfiriana previa al estallido de la Revolución de 1910 lo que fue *Pacto de lobos* (Gans, 2001) a la etapa del Terror de la Revolución francesa, con su posmoderna mezcla de géneros y, sobre todo, su incorrección política. ¿Un ominoso *Pacto de tigres* con garras afiladas, o cierto pacto entre tigre y tigresas de igual a igual (e incluso ellas juguetonas metiéndosele a él en la cama)?

Sobreactuaciones rutilantes/irritantes de tragicomedia paródica, confusas escenas de acción, cámara lenta de Leone Mariscal, avances rastreantes a lo Dogma y banda sonora ranchera de Santiago Ojeda. Sombreros de cono a golpe de jump cuts, virajes a b/n sobrexpuesto en asaltos nocturnos y luna pintada. Gags delirantes como el del bebé envuelto cayendo sobre la punta del maguey para luego alimentarse de su aguamiel, gags coruscantes como el del fugitivo por la barda aquietando a los perros a golpes de talega que desperdigarán sus contenidos hustonianamente por el suelo, y gags provocadores como la entrada por turno de las chicas al lecho del Tigre (incluso con metáfora eromaniaca de lluvia dorada) para la entusiasta cogida múltiple en cruel alternación con la tortura a la posadera Inés (Anilú Pardo) en una troje. Con todo su repertorio de efectos ópticos y mutaciones posvideo, la ficción neopopulachera autoconsciente permanece en estado de gracia, remitiendo incluso a la eficaz ingenuidad primigenia *El gran robo del tren* (Porter, 1903), full of zest aunque por debajo del encanto naïf de *Una de dos* (Sisniega, 2001).

Rescatado en la pelotera por sus chicas fieles y por el Espíritu Popular de Santa Julia (o Fuenteovejuna hecha precursora Bola) que acaba apedreando al siniestro Calleja, el Tigre finalmente prevalece a su fusilamiento y se va agonizando en caballo blanco con su rorra favorita en ancas, hasta perderse por el llano, hacia la muerte simbólica o hacia nuevas correrías. Érase pues la historia de un prevaleciente estoico tardío que, como Panecio de Rodas (citado por Jorge Arturo Ojeda en *Esfera*), consideraba ilícito el grito de dolor aunque podía permitirse el gemido, sólo un gemido, pero gemido ¿de Tigre?

El ranchero encanto naïf

Una de dos, *Una de dos* de Marcel Sisniega (2001), o las dos por el cargo/encargo de una, porque aquí se subliman las aventuras romántico-eróticas de las solteronas pueblerinas Gamal, bautizadas Constitución (Tiaré Scanda) y Gloria (Erika de la Llave), si bien intercambiables dueñas de un taller de costura en el chismoso pueblito coahuilense de Ocampo, que se alternan en las visitas dominicales del mismo novio bobón de rancho Óscar (Antonio Peñúñuri cual nuevo Agustín Isunza) para compartir las castas caricias y pasteleadas de ese soñador de un desértico restaurante caminero propio, aunque fuese la primera quien se lo ligó, por asistir tímidamente a solas ("Sólo una para no confundir a los prospectos") al baile de a brinquito y con nominal letrero al pecho de damisela en cierta boda del distante pueblaco de Múzquiz, hasta que la ruca competidora costurera Ofelita y su coro de vecinos fisgones (aquella graciosísima legendaria Tara Parra de *Poesía en voz alta* ahora flanqueada por Andrés Pardavé, Lucero Trejo y Carlos Cobos) le develen la intriga al galán engañado y éste estalle, exija el absurdo, se retire con sus propios honores y se consuele con Lucila la urgida madre soltera vendedora ambulante nieve en conos (Catalina José).

Basado con enorme gracia en la neobarroca novela homónima del cursipóstumo escritor "excéntrico" (Christopher Domínguez Michael dixit) de la literatura mexicana finisecular Daniel

Una de dos, 2001

Una de dos, 2001

Sada, adaptada en colaboración con él mismo, el originalísimo segundo largometraje del ajedrecístico excececiano heterodoxo Marcel Sisniega (*Libre de culpas,* 1996; *En las arenas negras,* 2000) es una estructura articulada en el humor ingenuo y la sabiduría espontánea, una distintiva muy avanzada y a la vez intemporal propuesta estética naïve, una fantasía fraterna cómplice/contemplativa/destructiva en otra longitud de onda pero tan sencilla bíblicamente poderosa como *Libre de culpas,* una reconciliación de contradicciones con reducido espectro pero siempre pa'pronto sin rodeos, una inserción de manera imaginativa en la más sabrosa tradición del cine rural mexicano, una inesperada renovación del ancestral y ya perdido género de la comedia ranchera en su penúltima etapa socarrona aunque ahora con *Dos tipas de cuidado* (Rodríguez, 1952/1988) muy *Tal para cual* (De Fuentes, 1952), una puesta en escena deliberada y falsamente inocente que se sostiene hasta el final cual apuesta cumplida, un agudo y transfigurador manejo profundamente cinematográfico y plásticamente neokitsch de materiales de origen novelístico, una ironía con base firme en el desempeño de sus dos protagonistas femeninas, como sigue.

Cuatitas compartidas y sin culpa en un show lírico como hilarante figura prístina, gemelas idénticas aunque viéndolo bien sólo disfrazadas con gafotas y maquilladas para que así lo parezcan, ordinariamente vestidas igual de largote y con el mismo peinado de raya en medio con chongo, simpáticas marcianas anacrónicas que duermen en camisón con cuetes en la greña como *Las señoritas Vivanco* (De la Serna, 1958), niñas únicamente amadas entre ellas que vueltas adultas comparten todo por completo hasta los berrinches de ruptura ("La casa y el taller para ti, los ahorros debajo del colchón para mí"), rústicas desternillantes diversamente ansiosas y lanzadas ("De la rodilla para abajo lo que quieras"), mujeres que te desprecian porque las trataste como reinas y te hicieron güey en el tronquito en la arboleda (a veces ocupado por otra parejita similarmente fajosorreprimida), hembras que se quedan frustradísimas hojeando el álbum de fotos familiares o acabándose las galletas de regalo o limpiando frijoles cuando no les toca su turno, pícaras y pedonas durante sus celebratorios arrebatos alcohólicos a dúo, pacíficos equivalentes femeninos de *Las hermanas Del Hierro* (Rodríguez, 1960) y aquellas ofrecidas norteñas ("Yo nunca bailo") que sólo andaban por ahí de sus viles acompañantes, dedos que se limpian la vaselina del galán en su espalda al besarlo, dulces criaturas humildes hasta el orgullo de combinarse abnegándose, treintonas doncellas justas hasta ser leales con su enemiga fraterna.

Ráfagas muy hábilmente dosificadas de vernácula música juguetona de Santiago Ojeda ("Ay qué bonito es besarte"). Monocromías de paredes rosa mexicano o amarillotas o liláceas y de vastos fondos con translúcidas cortinas celestes o tenuemente rojizas. Foto compuesta de Jorge Z. López cual jardineras o domésticas estampitas móviles. Flashbacks de la puerta del cuarto infantil derribada a hachazos que restan todo pathos a la cruel mentira hecha por la rechoncha tía Chole (Norma Angélica) a las gemelitas sobre su orfandad-abandono ("Su padre se largó para otro lado, su madre se juntó con un fulano"). Impresionantes imágenes visionarias del terrible territorio árido o de un camposanto arenoso en desolado contrapunto con el carrusel de sombrillas floreadas de las heroínas en busca genética. Distanciante uso dramático del golpeado acento norteño ("¿Me negaste?"/"Cierre los ojos a ver si le conviene"/"Me puse toda cosquillosa"/"Te lo presto"/"A nosotras las faltas de ortografía sí nos dan vergüenza"/"Si no llegó es porque no vino") y los volados decisivos ("Echémoslo a águila o sello"). Objetos insólitos como el volante-fetiche sobreviviente del supuesto vehículo chocado de los padres (luego

posando con él en la foto para la doble posteridad), como el codiciado lunar que aparece/desaparece de súbito en el hombro mujeril opuesto, o el autónomo espejo redondo con patas del cuidachivas acicalándose en mitad del páramo, o su peticional saco morado lustroso, que ya son gags en sí mismos. Devastadores day dreams/alucines al estilo desternillantencabronado *Las tres García* (Rodríguez, 1946) en el furor del exceso de trabajo sobre la máquina de coser (renuncia de la hermana rival mejor yéndose de monja sorjuanesca, o bien quemándole con la plancha el rostro a la otra). Sueños visualizados e incluso compartidos y buñuelianamente cruzados (¿*El naïf encanto de la ranchería?*) donde las gemelas imaginan la pesadilla utópica de sacrificarse por turno en la cama del macho dentro de su restaurante sin techo ni paredes mientras la carnala atiende a camioneros rudos en sus mesas de madera o posa ante tres idénticos hijitos obscenamente sonrientes. Un sofisticado encanto rancherito, pero sólo con los relevos de Amanda del Llano, Marga López y Lilia Prado, o de los sanchopancescos pilletes eternos Fernando Soto "Mantequilla" y el Chicote. Una deliciosa mezcla de imaginario estilizado y coruscante sarcasmo falsamente ingenuo al mismo tiempo efusivo cordial.

Y la parsimonia del ritmo graba una rara limpidez de evocación en esa conclusión en que las gemelas igualitas asisten a otro baile-festejo con atuendos distintos, aunque ambos coronados con sombreros blancos de moñote floreado, como una rotunda demostración de que la risa y la grandeza del encanto no pueden ser rápidas como el fast food pero sí más duraderas.

La saga fratricida

Cuento de hadas para dormir cocodrilos de Ignacio Ortiz Cruz (2001) se regodea en la lucha fratricida. Fratricida como la ignominia de seres crueles

Cuento de hadas para dormir cocodrilos, 2001

y a la vez sumisos que habitan en la sierra de Oaxaca. Fratricida como la aventura/desventura de varias promociones familiares de labriegos insomnes. Fratricida como la pesadilla nocturna del cuarentón inmigrante pueblerino fusilado en sueños Arcángel Juárez (Arturo Ríos) que resulta intolerable para su harta esposa abandonadora Teresa (Ana Graham) y contagiosa para su hijito autista con eterno Nintendo portátil Gabriel (que es también un Arcángel). Fratricida como la pesadilla que se volverá diurna en el pueblo natal, tras ser el hombre convocado telefónicamente por los muertos (el padre difunto hace quince años, el hermano asesinado en Estados Unidos). Fratricida como la maldición ancestral que va de generación en degeneración de Arcángeles al invocarse y revivir en el manantial de viejas historias malvadas que la socarrona parca de rebozo Isabel (Luisa Huertas) enreda a modo de una bola de estambre más. Fratricida como la rivalidad eterna y pertinazmente enconada entre el bisabuelo Tranquilino Arcángel (Arturo Ríos en segundo papel) que dejó de soñar por haber mirado de frente los ojos de un coyote y su hermano el tío bisabuelo Domingo "Mingo" (Dagoberto Gama) que sólo soñaba para platicar sus envidiados sueños hasta tornarlos reales o fuente de plusvalía. Fratricida como la guerra exterior de cada difícil etapa nacional, o la guerra contra la peste que hacía quemar las pertenencias en el patio durante toda la noche para dejarla afuera, o la guerra interior que siempre deforma y pudre todo lo que toca. Fratricida como una devastada y miserable obsesión erótica que incluye a la bisabuela solovina Refugio (Mayra Sérbulo) y la abuela ofrecida en el río Asunción (Leticia Gutiérrez). Fratricida como una cadena de indetenibles y recurrentes muertes violentas.

Con producción del Imcine y libreto propio, el segundo largometraje del prolífico guionista y director teatral shocking vuelto realizador regionalista Ignacio Ortiz Cruz (primer filme: *La orilla de la tierra*, 1994) es otra inabarcable gesta picaresco-telúrica, una saga familiar llena de ruido y furor (éste a veces algo gratuito), una épica navegación a los orígenes de nuestra nacionalidad en busca de la salvación del hijo ensimismado y de todos sus hermanos maldecidos por venir, una gran sorpresa en clave desacreditadísima y detestable (puede ser eso su clave con toda razón y la película no), una rijosa y áspera readopción de lo real maravilloso como lo propio de tu mejor expresión rural y universalista con dimensión tradicional latinoamericana (más que el blandengue y manido realismo mágico de García Márquez o de su seudónimo Isabel Allende), una laberíntica búsqueda de identidad mestiza, un retorno a la semilla oaxaqueña como universo sintético y culpable pero ebrio de expiación.

Nada aparece en un nivel meramente descriptivo, sino transferido a lo semifantástico o lo literario, y ya en situación, de yecto en el drama, en cada extraño drama. Se ha comprado a buen precio en un primitivo Registro Civil el nombre de Miguel Arcángel, irónicamente para el demonio engendrador de demonios, y fue de gratis el apellido de Juárez porque "era el de un indio jodido". La hermosa gente buena del campo hace cola para castigar/vituperar/escupir/patear a su gusto ("El que paga pega") al coyote atado y paseado por los hermanos. En su pasado la chica que fue vendida a los trece ya está cantando y bailando junto al lecho del provecto antes de ser llamada a ponerle sus chichitas sobre la rodilla para calmar sus dolencias. Nada es inocente, y sólo Dios sabe dónde Él se oculta, concluiría William Golding.

Cuento de hadas para dormir cocodrilos, donde lo único mamila es su título. Con amplia gama tonal y atonal, se ostenta la mejor música de cine de la ripsteinianamente desperdiciada Lucía Álvarez. A reducida escala efectista, los desenfoques y renfoques hacen de las suyas en la sofisticada cinefotografía de Patrick Murguía, sin caer

Cuento de hadas para dormir cocodrilos, 2001

en los excesos relamidos de la antirracista-chantajista *El pasado nos condena* (Forster, 2001). Una cámara esencial se vuelca a registrar lo insólito del bisabuelo baleando al hijo, un hermano aplastando a pedradas al hermano por adueñarse de tierras, o un joven expulsado entre maldiciones paternas. Todo al servicio de los diálogos vivaces y lo grandioso feraz ("El horror del crimen y el infierno de no dormir, de robarle el sueño al sueño").

Los infortunios caen de repente desde el cielo y sólo se mostrarán sus huellas-ecos. Nunca se sueñan original, sino repletos de ecos. Ecos históricos cual sucesión ininterrumpida y renovable de pírricas victorias, traiciones y derrotas en despoblado: la Intervención francesa será un soldado francés deshaciéndose bajo el sol para ser mejor despojado de sus pertrechos antes de rematársele descastadamente (érase que se era una vez la Historia de una Casaca y un Pistolón enterrado/desenterrado para matar hermanos, hijos, padres y más hermanos hasta el infinito); la Reforma de la ley Juárez será la cristiandad pueblerina aplaudiendo la pérdida de privilegios del señor cura escurridizo y un reparto de tierras por lista (érase que se era una vez la Historia de lo Político como algo Personal); la Revolución será el amenazante

arribo de un amenazante alzado totalmente de negro hasta en el rostro (érase que se era una vez la Historia siempre colateral y ajena, impropia para ser propia hasta en la Emigración al norte). Ecos rulfianos y severas referencias directas, ya no a *El llano en llamas* como en a *La orilla de la tierra*, sino más ambiciosamente al inabarcable *Pedro Páramo* cual relato-haz de relatos, con esa anciana canosa doña Isabel en tenebroso plan de Eduviges Dyada cual si te "hubiera estado esperando", o ese antepasado patriarcal añejamente sentado en la solitaria puerta del páramo que se derrumbará muerto de lado con un sólo empujoncito en el brazo. Ecos bíblicos y resonancias de la expulsión del cielo de los ángeles por el padre terrible, ecos de otros éxodos y reverberaciones de la historia de Caín y Abel, unas tras otras incansablemente, pero, pensando también aquí a lo Unamuno, ¿quiénes son peores, los descendientes de Caín o los de Abel, los cainitas o los abelitas? Ecos de carencias de identidad en medio de la semejanza. Ecos de la narrativa oral indígena y en especial mixteco-zapoteca (esa maldición en la mirada del coyote, ese coyote como personaje en sí amarrado e indefenso a la Bresson: la presencia más expresivamente inexpresiva y vapuleada de la cin-

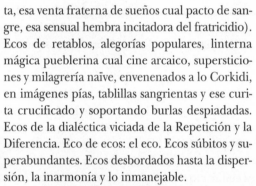

Cuento de hadas para dormir cocodrilos, 2001

ta, esa venta fraterna de sueños cual pacto de sangre, esa sensual hembra incitadora del fratricidio). Ecos de retablos, alegorías populares, linterna mágica pueblerina cual cine arcaico, supersticiones y milagrería naïve, envenenados a lo Corkidi, en imágenes pías, tablillas sangrientas y ese curita crucificado y soportando burlas despiadadas. Ecos de la dialéctica viciada de la Repetición y la Diferencia. Eco de ecos: el eco. Ecos súbitos y superabundantes. Ecos desbordados hasta la dispersión, la inarmonía y lo inmanejable.

Pero acaso la saga maldita se detendrá cuando un sacrificio acabe con tanta bola de desgracias. Por eso al final abierto, para salvar a su prole, al saber que su hijo autista pronto tendrá un hermanito, el varado héroe Arcángel se pega un pistoletazo desesperado, cual hermano ejecutor de sí mismo más suicida. Y el niño de la imagen final se mece en el columpio que cuelga del árbol de durazno de sus ancestros, indiferente a todo y a todos, acaso aguardando al nuevo hermano para entablar otra relación fratricida, quizá por fin comunicando con el placer del Cosmos, un cosmos que ha dejado de ser caos para afirmarse melancólico y racional como baluarte contra la genealógica irracionalidad.

La revelación de las cosas

Luego de un desconcertante anuncio publicitario para abrir apetito, el artista conceptual e instalacionista veracruzano Gabriel Orozco (él mismo) sube juguetonamente en subjetivo las escaleras de la Villa Medicis evocando sarcástico las pinturas de Francisco Toledo y atraviesa las baldosas desacralizando las centenarias estatuas-señoras como si les levantara las faldas-pedestales para verles los chones. Gabriel rescata codiciadas rejillas de hierro aún con cascajo en camiones de basura y hurga en tachos y en grandes basureros de NY para terminar irguiéndose como silueta oscura con fondo de rascacielos. Gabriel hace cien croquis previos y mil diseños sobre la marcha para adelgazar soberanamente a la mitológica Déese DS de la Citroën y de *La diosa del '67* (Law, 2000). Gabriel cagotea a sus cuates desde una hamaca mientras echa la hueva en la playa oaxaqueña de Chacahua y pone a un chiquillo a recolectarle latas oxidadas que ostentarán contrastantes etiquetas de cerveza Carta Blanca (una instalación a la intemperie naturista casi tan bella como la cósmico-playera del héroe retornante de *Bajo California. El límite del tiempo* de Carlos Bolado, 1995-1998). Gabriel forma CDs junto a enormes botes de pintura en una

efímera instalación callejonera. Gabriel decora severamente una calaca como tablero de ajedrez durante seis meses ("Como un ritual azteca" supone empavorecido el literato Pablo Soler Frost/ "Nada que ver con los aztecas" asegura en inserto subliminal el artista plástico) para exponerla de nuca enigmática y suntuosa a la entrada de una exposición. Gabriel evoca el burro de planchar que sembró sobre los techos de Rotterdam y la caja de zapatos vacía/baldía que mandó a una indignada Bienal de Venecia, Gabriel abre desairada muestra en el Museo Tamayo, Gabriel hace música en Viena con medientechnologie y fotos seleccionadas de su archivo personal. Y así. Son las secuencias principales de una doble revolución artística llamada *Gabriel Orozco* de Juan Carlos Martín (2002), premio Mayahuel en la XVII Muestra de Guadalajara ya declive foxista y otros pinchegalardones más.

Sin guión previo pero con libérrima producción propia de su Catatonia Films y edición crucial con Gabriel Rodríguez de la Mora, el primer largometraje del videoclipero egresado del CCC Juan Carlos Martín es un proyecto fílmico documental entre la disquisición y el humor, un seguimiento de dos años y medio a regañadientes o en complicidad con el artista nómada contra

Gabriel Orozco, 2002

viento y marea, un retrato del artista adolescente perpetuo par lui-même, un entusiasta y generoso dar a conocer al mexicano hoy internacionalmente más famoso pero apenas conocido en su patria, una colección de secuencias viajeras que son momentos supremos que son epifanías efímeras e irrepetibles apenas atisbadas, un safari estético/antiestético por rincones, galerías y museos de urbes abiertas en cadena y en canal (Roma, París, Nueva York, Sao Paulo, Frankfurt, Viena, Filadelfia) siempre a la cacería de lo insólito cotidiano, una superación cualitativa del solemne cine de arte sobre el arte muy cercano al provocador olvidado *Robarte el arte* de Juan José Gurrola (1972) y categóricamente muy lejos del pathos lamenombres de *El misterio Picasso* (Clouzot, 1956) o del tedioso agujero en el cerebro de *El sol del membrillo* (Erice, 1991), un informulado ensayo fílmico sobre cierto tipo de finmilenario arte multimedia que gracias al cine parecería cobrar su verdadera dimensión (como si sólo hubiera sido creado para adoptar la forma cinematográfica y valorarse a través de ella), un rosario de invenciones estructurales en donde ninguna secuencia se parece en planteamiento abrupto y desarrollo interno a ninguna anterior, un salto de veinte años en la concepción cine documental mexicano aho-

ra más envejecido que nunca pues aún anclado en formalidades y rollos ideológicos y contrastes de opiniones a lo Canal 6 de Julio, un testimonio contundente de la irrupción de la nueva generación de creadores nacionales sin Imcinito ni complejos ni fronteras para su imaginación excéntrica y desbordada, un nacimiento glorioso fuera del arcaico laberinto de la soledad en el tiempo actual y en el Mundo por derecho propio.

Gabriel Orozco o el ars poetica. Confiesa Martín que lo más trabajoso de su trabajo fue intimar con el artista plástico de neovanguardia para que se abriera. Pero lo consiguió, y de qué manera. Hasta constituir un ars poetica individual como ordenaban las retóricas antiguas que parecen ser vomitadas con regocijante dulzura y sin arcadas. El arte inglés apenas está descubriendo los años ochenta estadunidenses. En el arte, del estado ocioso al estado brillante es sólo cuestión de un instante. Cuando alguien dice que cualquiera podía haber hecho eso, es que nunca tuvo los huevos de hacerlo. El viejo artista ya sin ideas creadoras siempre envidiará al joven que las tiene en abundancia. El objeto siempre dice otra cosa (Elizondo) y sólo los errores nos pertenecen (Borges). Lo poético sucede cuando abandonas las expectativas de encontrarlo. El arte es cincuenta por

Gabriel Orozco, 2002

Gabriel Orozco, 2002

Gabriel Orozco, 2002

ciento voluntad y cincuenta por ciento acierto, cuando aceptas tus aciertos estás reflejando el mundo cambiante en miniatura.

Gabriel Orozco o el fin del arte. Accidentes y sorpresas, con cierto aire misterioso. Nihil sun sole novum: en la audaz obra plástica de este hijo de un ayudante de Siqueiros pueden detectarse huellas del idealismo megalómano de ese nuestro heterodoxo tercer muralista (esas miméticas manos-eco con corazón de arcilla) y por supuesto del viejo dadaísmo ("Dada: salto elegante y sin prejuicio de una armonía a otra esfera... todas las individualidades en su locura momentánea": Tzara). Pero documenta con eminencia un tratado implícito sobre el fin del arte. Los pintores se están encargando de acabar con la pintura y el arte se torna cada día un producto más intelectual que sensorial. Pesa más el rollo sobre la obra que las circunstancialidades ¿o puñetas mentales? del gigantesco letrero de "Clinton is innocent", o las bi-

cicletas gemelas sin volante, o la tumultuaria mesa de ping-pong para cuatro con estanque. El verdadero soporte de la pieza artística son hoy los curadores y los críticos con sus discursos definitorios y decisivos. Más el apoyo incondicional de funcionarios prepotentes y todopoderosos, más el negocio exotista de museos foráneos, más el coro de mediocres alumnos sumisos cual pequeños saltamontes omnirrepetidores del magíster y gurú, más los cofrades y hierofantes y miembros cómplices de la misma logia. Por eso, Gabriel pide que interroguen al artista rollero que conoce su obra *mejor que él.* Por eso, los que mejor comprenden la obra de Orozco son el crítico francés de arte Christian Boltanski, quien reconoce reconocer ahora cosas en la calle que parecen obras del mexicano o merecerían ser por él fotografiadas, y la curadora estadunidense Ann Temkin, para quien el objetivo del arte es inventar imágenes que no existen en la realidad y ver muchas cosas para valorarlas de otro modo. Las palabras condicionan, pero el punto arrastra. Una lección de cosas para rebelarlas y revelarlas. Una conjunta rebelión y revelación de las cosas como fotografías de sí mismas y como hallazgos.

Gabriel Orozco o de las impregnaciones. Cual máximo triunfo, Gabriel parece haber impregnado con su propuesta artística a Martín y a la forma misma de su filme-espejo (¿de ambos?). Hasta hacer de él un apabullante grito de libertad formal. Fueras de foco que poco importan, imágenes en cámara ultrarrápida, mezclas de 35 mm con video y color con b/n. Recorrido en automóvil de las calles estragadas de una rojiza y perpetuamente crepuscular ciudad de México sin perspectivas futuras y en transición eterna. Música experimental de Manuel Rocha Tosca e invasoras baladas techno de Porfmeister and Hubermus. Llamados jubilosos, a la vez desesperados y perdidos, que lanza al pintor el rústico niñito playero, ya desde un remoto off-screen (u off-scream). Dinámica de imperfecciones relativas donde la nada se vuelve importante. Y como leit motiv, la onírica estela blanca de un avión cruza ascendente/descendente el cielo azul, siempre igual y efímera, siempre distinta y perenne. Una cierta forma de grandilocuencia reflexiva que es también autorreflexiva. Una forma cierta de grandeza detonante que es también autodetonante.

La travesía de la luz

Para procurar un buen *Segundo siglo* (Jorge Bolado, 1994-2000) al cine, el mítico actor uruguayofrancés paradójicamente en el olvido Martín Lasalle (otrora titular del *Pickpocket* de Robert Bresson, 1959) será llevado por el cinedirector mexicano semiciego (Jorge Bolado), el camarógrafo mestizogermánico (Lorenzo Hagerman) y el superochero francés del making off (Philippe de Saint-Phalle) en caminata a través de Escocia, para que, al tér-

mino de la dura peregrinación, simbólicamente muera y simbolocamente resucite en Irlanda. Van en busca de la luz, con el propósito de darle nuevas luces y bríos al viejo invento de los hermanos Luz (los Lumière pues), pero también a descubrir un continente porque aquél desde el que se parte ya ha sido muy descubierto. Al cabo de mil vicisitudes y contratiempos que difícilmente podrían llamarse aventuras, desde las que a menudo se evoca tanto la biografía del actor de cine en cuestión como el México original y una muy particular concepción de la historia de la cultura en su conjunto, los viajeros cumplirán con su sino y

Segundo siglo, 1994-2000

se irán a visitar en Nueva York al artista fotógrafo Robert Frank (él mismo) que debe fungir como agente resucitador del antiguo amigo.

Con precario financiamiento independiente (de los publicistas Juan García y Simón Bross) pero filmado efectivamente en Escocia, Irlanda, Estados Unidos y México, el primer largometraje de Jorge Bolado (cortos *Prólogo*, 1985, *El señor*, 1991, y *Ferretería*, 2000; corto en video *Tomás*, 1990, premiado, y mediometraje en video *Nepomuceno Juanito*, 1991) es una cacería épica de la luz, una metafísica de la errancia a través de la travesía de las apariencias, una vehemente dialéctica del arraigo/desarraigo (arraigo de los hallazgos y los pobladores cruzados en la larga marcha; desarraigo de los cineastas y sus rencuentros consigo mismos), una "comedia mística donde se reflexiona sobre las causas últimas mientras se avanza" (Bolado dixit), una fábula cómica experimental, una mafufa novela picaresca a base de sugerencias indirectas y peripecias inasibles por la cámara, una soberana relectura-homenaje del Insólito Mexicano a la luz de la visión y la luz extranjeras (pintura artesanal una caminata campesina, cementerio inglés sólo para varones en Real del Monte, retorcida mansión a lo Gaudí en plena selva), un paralelis-

Segundo siglo, 1994-2000

mo más que subjetivo con canciones de los Beatles (explícito al cruzar nuestro cuarteto de viajeros cierta calle británica), un estético y fascinado/ fascinante rechazo culturalista al lenguaje desgastado de la cultura occidental que emparentaría las búsquedas del Bolado mayor (en edad que sus hermanos el director Carlos y el editor Roberto) con las de Rubén Gámez (*La fórmula secreta,* 1964; *Tequila,* 1991) y Adriana Contreras q.e.p.d. (en especial de *La nube de Magallanes,* 1989), un raro objeto de arte filmoconceptual, un delirio cinefílico (genial Vigo, Buñuel megalómano y paranoico, inclinado árbol sacrificial de Tarkovski), un anticipador y rotundo testimonio de la actual generación de mexicanos universales que ya pueden hablarse de tú a tú con los artistas y cineastas extranjeros sin complejo de inferioridad ni anacrónico laberinto de la soledad de Paz, una híbrida autoficción a la altura del excelente documental-retratoficción *Gabriel Orozco* (Martín, 2002), un ceremonial de a pie que nos dice tanto de aquellos que van como de aquello que ven.

Segundo siglo quería hacer una invitación/ imitación a los viajes de Marco Polo, pero su sostenimiento paralelo hubiera resultado demasiado largo y mejor se suprimió. Los castillos y museos topados en el camino impidieron que se filmara adentro, por lo cual hubo que conformarse con fotografiar sus exteriores y fachadas. Conejos destripados fueron hallados en profusión por el trayecto, hasta casi convertir al filme en un documental sobre ellos y se hizo necesario prometer solemnemente, poco antes del final, que ya no mostraría ninguno más. Aquí las frustraciones se ostentan en vez de ocultarse, y la suma de ellas va estructurando la película misma. Una extraña e hipervital coincidencia de inspiración con el archifatigado Godard aforístico años noventa (el de *Alemania nueve cero,* 1990, y *JLG/JLG. Autorretrato de diciembre,* 1994), aunque Bolado se limite a ren-

dir explícito tributo a los eternos juegos de palabras y aglomerados fraseológicos de poesía visual
del joven Godard (o sea el de *Alphaville*, 1965). Una
prueba palpable e impalpable de que la grandeza del pensamiento ya no reside al lado de los fi-
lósofos sistemáticos sino entre los fragmentarios
pepenadores de ideas (aunque sean místicas o ato-
mizadas). Y a lo largo y a lo ancho de su camino,
en el ave muerta mostrada a cámara por un luga-
reño o en las añejas excentricidades y costumbres
procedentes del medievo que se plasman en un
monumento insólito de villorrio, los peregrinos co-
secharán historias y sucedidos pertinentes e impertinentes, dentro de un manantial de fábulas sin
moraleja que remiten al mejor Alexander Kluge
(*La patriota*, 1979; *El poder de los sentimientos*, 1982).
Continuo y chispeante, el humor ("Aquí no pasa
nada"/"Claro que sí, pasan las nubes") incluye
también al absurdo intento del cineasta por resu-
citar a su madre desde hace veinticinco años en
el sepulcro. Lirismo interior, sentimientos de esperpento coral.

Imágenes casi autónomas en plano general
de gracia y equilibrio perfectos. Imágenes flamíge-
ras, aquoerótica de tormentas, oceano de tumbas
(en contrapunto con la de María Sabina en Huau-
tla). Imágenes del héroe sentado en campiñas interminables, o paseando su suéter ante fortifica-
ciones, faro y centenaria oficina postal, tirando
piedras o con impermeable como espantapája-
ros-molino de viento. Imágenes-vehículo de bromas culturales (el ciego bíblico guiaba) y autoi-
rrisiones (¡cómo no iba a tropezarse o desmayarse
luego de tanto traqueteo!). Imágenes que coexis-
ten con sus excedentes y sustitutos, con las sombras
y sobras del making off, además de acontecimientos elevados a sucedáneos manchones infantil-
mente coloridos, animación de mapas por Adriana
Camacho y hasta una colección de dibujos pa-
raimpresionistas de Lasalle cuando enfermó. Imá-

Segundo siglo, 1994-2000

genes emparentadas iluminatoriamente, plásticamente analógicas aunque opuestas, con las visionarias alucinaciones fraternas del *Bajo California. El límite del tiempo* de Carlos Bolado (1998). Imágenes en general contemplativas, como falsas fotofijas, si bien pocas veces inmóviles por completo y a todo lo largo, lo ancho o lo extenso de la pantalla-tiempo, la pantalla-profundidad y la pantalla-lienzo. Imágenes que contienen encuadres cual iluminaciones espirituales y desarrollos siempre inesperados (entradas/salidas/articulación de espacios off), invenciones y sorpresas invariablemente distintas. Y por añadidura, Bolado incluye

las voces invasoras e impertinentes de una anciana, una adulta y una niña con ancestral y efímero rostro de postales de época adquiridas en Pittsburgh, que comentan, discuten y desmitifican con gran pertinencia los contenidos objetivos, imaginarios y culturales de esas imágenes. Una verdadera lujuria del uso estructural del sonido cual mero "juego interactivo" (según Rafael Aviña). Todo se vuelve al revés gracias al despojamiento de cada imagen y a la suntuosidad depurada: las imágenes suntuosas al desnudo. Para que el arte muerto deje de estar en los museos y el arte vivo en los restaurantes, como afirma Lasalle con facha

Segundo siglo, 1994-2000

y picardía de montypytoniso John Cleese, es necesario que las imágenes del arte fílmico (o "filmístico") también mueran y resuciten, a cada plano, en todo instante. Es preciso profundizar y subvertir la vida del instante para retenerlo. *Segundo siglo* consigue la reinvención del cine desde la vida del instante, su desintegración, su burla, su reintegración y, gracias a todo ello, su glorificación.

Translúcido y ritualizado, el segundo siglo de la luz posmoderna del cinematógrafo ya puede arrancar, pues la resurrecta mexestrella fílmica Martín Lasalle sigue saltando de alegría sobre los basaltos erguidos de su Isla de los Muertos.

La muerte en la familia

Seres humanos de Jorge Aguilera (2001) parte de una situación casi inalterable en el tiempo. Luego de morir su hijita de seis años Dalia (Giselle Kuri) al salirse por una portezuela del coche paterno en cierto desierto túnel urbano durante una noche de lluvia, el padre de familia Derek (Rafael Sánchez Navarro) pierde el juicio de realidad, la madre con acento brasileño Dulce (Clarissa Malheiros) se concentra fanáticamente en su trabajo como TVconductora de un reality show sobre interfamiliares rencuentros tardíos y el hermanito mayor Damián (Pedro Guerrero) finge olvidar lo presenciado y padecido; pero a once años los estragos de la tragedia aún pesan sobre las criaturas, de repente otra vez en crisis, ninguna recuperada: el padre ronda en el mutismo creyendo aún convivir en el parque con el espectro de la niña, la madre vegeta sexualmente con un sometido amante TVempresario (Carlos Cobos) en imparable escalada de shows cada día más provocadores contra la moral dominante (perversiones, travestis, exhibicionismo) sólo para acumular éxitos ridículos (el premio Wizard), y el hermano ahora hermético adolescente inafectivo (Osvaldo Benavides) se liga a una bailarina rapada Fabiana (Jerildy Bosch) para exasperar juntos sus complejos de castración compartidos.

Con producción del CCC, libreto en colaboración con Andrés García Barrios y sorprendentemente segura para un simple trabajo postestudiantil, la opera prima del exitoso publicista Jorge Aguilera (documental *Pero sigo viviendo*, 1991; corto *Esperando la lluvia*, 1993) es un triple refugio infructuoso (en la locura balsámica, en el compulsivo escándalo, en el olvido imposible) para tolerar el dolor de la pérdida y la ausencia sin salida ni remedio, un hurgamiento ontológico en el sentimiento culpa como mito y esencia del ser

Seres humanos, 2001

y la conciencia occidentales, un análisis de las inasibles resonancias de la pérdida física por accidente que se remonta a la novela *Una muerte en la familia* de James Agee (o su insípida versión escénico-fílmica *Espejo de la vida* de Segal, 1965) cuya grisura e intensidades intimistas se reproducen ahora aquí casi literalmente, una involuntaria refactura de la grave y lúcida obra maestra neomilenaria que Nanni Moretti realizó simultáneamente a este humilde pero vanguardista proyecto mexicano (mucho más que *La habitacioncita de la hijita*, 2001, aunque menos realista que ella), una inquietante captura de aspectos tragicómicos de los personajes en sus elusivas relaciones intestinas (escena del ahogamiento en el lavabo con rescate por el padre) y en sus extrañas relaciones externas, una evidencia adicional de que la civilización contemporánea se aproxima cada vez más a la vida de las abejas (desde la anticipatoria fantasía satírica *Fantasmas de Marte* de Carpenter, 2001, hasta la sociología generacional *El último beso* de Muccino, 2001, ¿sólo hay ya machos zánganos y reinas/obreras?), un severo drama innombrable con tono oscuro y secreto de calculados ángulos sutiles y finas líneas muy deliberadas, un pudor desarmante al estado puro sin mácula de chantajes sentimentales si bien repleta de ingenuidades dramáticas (esa obsedente muñequita de trapo), un cuento de familia con perdedores urbanos en las antípodas de la teatralidad efectista de *Crónica de un desayuno* (Cann, 1999) más que narrado apenas nombrado cual novela extrema de Mario Bellatin, una pieza ética de bajísimo presupuesto con alta rentabilidad emotiva.

Encomiable y riesgosa búsqueda formal con mayúsculas, la mayor parte del filme está realizado sobre fondos irrealizados/desrealizados (rutilantes monocromías rojas en el TVprograma del travesti), fondos oscurecidos o definitivamente en tinieblas, con mínima escenografía realista/irrealista. Fondos negros por austeridad de los senti-

mientos y en las imágenes equivalentes, por rigor, como en los partis pris estéticos de *Teresa* (Cavalier, 1986, sobre Santa Teresita del Niño Jesús) y *Yo, la peor de todas* (Bemberg, 1990 sobre sor Juana Inés de la Cruz vía Paz), cuyos dramas biográficos de época los utilizaban para evitar distracciones pintorescas o superficiales derivadas de la superproducción, facilitar el acceso a la interioridad, acentuar los rasgos brutales de las relaciones en el seno del convento, concentrar la violencia moral de cada situación en particular y sostener una metáfora evidente del encierro de las almas, en sus casi como alegoría poético-religiosa de la santidad, no exenta de cierto didactismo en ambos casos, en busca de una efectos que al mismo tiempo distancien y envuelvan, involucrando de otra manera en el sentido del relato anómalo, espiritual, interiorista, vehículo de lo indecible. Análogamente, *Seres humanos* transcurre en fondos negros por valoración de instantes innombrables, del latente mundo interior de súbito explotando como burbuja, el sueño desesperado abriendo la puerta a la fatiga existencial, a la emoción cada vez más irracional y al discurso del inconsciente, por fin capturados con elocuencia y grandeza.

Premoniciones, lamentos aullantes en off, colores fríos y azulosos, diálogo escaso y oblicuo, silencio guardado sobre lo sucedido cual voto de castidad masoquista. Historia sarcástica de un show estridente como único contexto realista, enjambre de cortas escenas superelípticas, cortes obvios como distracción suprema, entretejido relatoheterodoxo de *Fantasmas* (Civeyrac, 2001, donde "lo que ha desaparecido hace su retorno, remonta a la superficie de la película y luego de la pantalla... percepción muy viva de dos mundos, entre Pasolini y Cocteau, digamos entre *Teorema* y *Orfeo*, de una escisión tajante entre el afuera y lo interior, entre el día y la noche, tomando forma, cuerpo y melodías, comprometiendo la construcción dividida, inspirada y secuencial del filme": Marie-

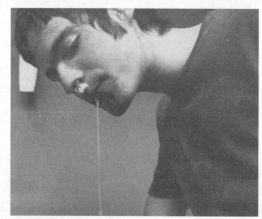

Seres humanos, 2001

Anne Guérin en *Cahiers du Cinéma,* núm. 565), estructura fragmentaria conducida con mano dura por pequeños toques y desplazándose a velocidad de caracol al borde del vértigo. Leit motiv de los niñitos/adolescentes dándose los brazos extendidos bajo el agua en la alberca, jetas rotas ante el espejo del camerino, espejo estrellado y chorreante en recorrido macabro, resurrección entre paletadas tras autoentierro al estilo *El sabor de la cereza* de Kiarostami (1997). Cine luctuoso casi necrófilico, pathos desdramatizado, ausencia de exaltación de la ausencia. Una ruptura con el ostensible fracaso actual de los humanismos, sin caer en la trampa del discurso humanitario, ni caritativo poscristiano o sensiblero. Un filme más que subjetivo, personal, por el lado de lo informulado informulable: insinuante, incompleto, sugerente, quizá sólo porque "vivir es obstinarse en terminar un recuerdo" (René Char).

Ensoñaciones de la remembranza que se niega a ceder su lugar a una amnesia igualmente borrosa. Y por añadidura, una enrarecida y espectral retórica de cuerpos fragmentados. Figuras convulsas en su quehacer hermético o atareado y en su apariencia sin pálpito. Rostros que se despliegan y se duplican pero jamás se desdoblan. Troncos surgidos de su propia memoria ancestral que se ha diseminado en espejos hallados con míriadas de fisuras. Extremidades reflejadas en abismo al interior del ojo oscuro del abismo. Entes invocados por otro leit motiv gritoneante irónico o inscrito en los muros: "Todos somos seres humanos y merecemos un lugar en el mundo", pero "cuando vuelven al lugar de la pérdida apenas han crecido un poco". Gestos enfrentados por fin a sí mismos como sombras de sombra en el umbral de una patria sin nombre ni sombra. ¿Cómo mirar más allá del silencio? Almas siempre sometidas a los abusos de una desazón, de un dolor contamina-

Seres humanos, 2001

dor, y que callan en mínimos incidentes, sin conseguir franquear sus infiernos. ¿Cómo hacer para retornar?

El tránsito final

Con producción mexicano-germano-franco-estadunidense, *Vera* de Francisco Athié (2002) ejerce su fantasía con mínimos elementos en desuso y en todavía no uso. Al despuntar el alba entre las humeantes cabañas neblinosas, mientras pasta el toro cebú, las mujeres de la región transportan vasijas sobre la cabeza, la niña carga áspera jaula aún sin pájaros y los campesinos se entregan a las labores del campo machete en mano, el anciano yucateco minero de plata con hirsuta barbilla blanca don Juan (Marco Antonio Arzate) desciende mediante poleas hasta la veta de una mina subterránea donde pica piedra, ayudándose con un pequeño zapapico, a la luz de las velas y del quinqué que traía colgando. Pero ese día lo atrapará fatalmente un derrumbe y perecerá bajo las rocas tras larga agonía solitaria, entre recuerdos y visiones, invocaciones de un chamán local (Cándido Balam) o promesas auditivas de fidelidad conyugal y evocaciones de una Lupita joven (Lorena Caballero) o vieja provecta rodeada de su vasta progenie, recibiendo finalmente la visita de una especie de androide, surgido de una extraña clepsidra ranurada, de nombre Vera (Urara Kusanagi), que se encargará de liberar mediante evoluciones y danzas con otros espectros, su alma, para hacer el cruce final al más allá.

Con guión por supuesto suyo, el tercer largometraje del pequeño auteur en lenta pero perpetua renovación por fin acometiendo un proyecto acariciado durante quince años Francisco Athié (*Lolo*, 1992; *Fibra óptica*, 1997) es un ensayo predominantemente visual sobre las postrimerías del hombre, una serie de fantasías visionarias absolutamente imposibles de formular por medio de la transmisión oral, un sincretismo todoabarcador que también implica a Castaneda con la presencia de ese chamán al lado de rezos off en lengua aborigen o española y acendradas representaciones litúrgicas católicas (cuerpo con abertura luminosa como traslación magicóptica del Sagrado Corazón de Jesús, aparición de la Virgen de Guadalupe con resplandores sobre la roca), un tedioso sermón masturbatorio comercialmente inexhibible, una prolongación irrealista en danza japonesa butoh porque es la única generada para honrar a los difuntos y bailarse a su lado (nacida entre los herederos de las familias que murieron al explotar la bomba en Hiroshima) con coreografías de Ko Murobushi que incluyen enanomexicanísima calaca festiva (¡faltaba más!), un inasible objeto fílmico más estático que estético, un documental seminovelado para exportación sobre la fotogenia grandiosa de las cuevas en la zona maya de Campeche y Yucatán, una dudosa traslación de ciertos temas de la cosmogonía maya, una desventura turística más del tan gustado México Mágico (sin caer en la triple aberración indigenista de opereta del *Mundo mágico* de Tavera/Zermeño/Mandoki, 1980), una ambiciosa fusión de la alta tecnología de animación digitalizada y la más naca congestionada imaginación febril diseminadora de signos, una antiquísima consabida divagación grandilocuente al interior de cierta innombrable meditación grandiosa y trascendente, una desatada "partitura sonora" del también editor Samuel Larson para armonizar con imágenes reducidas a pretexto visual para su diseño (a base de percusiones, instrumentos prehispánicos y tazones tibetanos), un proyecto experimental concebido en el Centro de Cómputo Avanzado para las Artes de la Universidad de Ohio y desarrollado estructuralmente con el especialista John Chadwick en sus estudios fílmicos, un ejercicio de estilo producto de la puntual investigación de punta de nuevas técnicas

relacionadas con la integración fílmica de acción en vivo e imágenes computarizadas, una incongruencia estilística entre electrónica y naturalismo que rompen todo encantamiento y potencia de atmósfera (vaca blanquísima claramente opuesta al simulado escenario natural, flotante muñeco virtual que de pronto se torna pesadez carnal de actriz corpórea), una enigmática idea plástica tan arbitraria como transubjetiva del tránsito final ("Y correr hacia el eco y encontrar sólo el grito": Villaurrutia), un homenaje mórbido en el extremo límite que se sostiene insensata e irracionalmente durante 85 minutos, una nueva visita obsesiva y obsedente al *Mictlán, la casa de los que ya no son* (Kamffer, 1969) y a la alegoría críptica con elementos cienciaficcionales de la rara avis perdida *La respuesta* (Ernesto Lecuona, 1974) haciendo erguirse otro ser incorpóreo de cráneo rasurado en cierto retorno a la materia inorgánica y al mito que es también ascensión divina, una atroz agresiva e irritante mezcolanza de mitologías prehispánicas y fantasías extraterrestres sobre el tema de la muerte, una astucia en mezzo-tempo que siempre cede la última palabra.

Descendiente de los alienígenas comunicativos de *Encuentros cercanos del tercer tipo* (Spielberg, 1977) o los destructores de *Marcianos al ataque* (Burton, 1996), alígera extraterrestre atípica en el supremo grado de la evolución ascendente de *Misión a Marte* (De Palma, 2000), hembrita Caronte futurista o ente creado desde los grafismos del cero y el uno maya, la delgadísima Vera se manifiesta como un ser proteico tanto en figura y movimiento como en ambigüedad y ambivalencia esencial. A un dilatado tiempo alter ego funeral del moribundo, representación de sus deseos y temores, guía virgiliano en el cruce del Estigia, encarnación de su amada inolvidable Lupita ("Vendrá la muerte y tendrá tus ojos": Pavese) y criatura renacida por excelencia ("La muerte, basura sagrada que alimenta a las flores puras": Marie Noël).

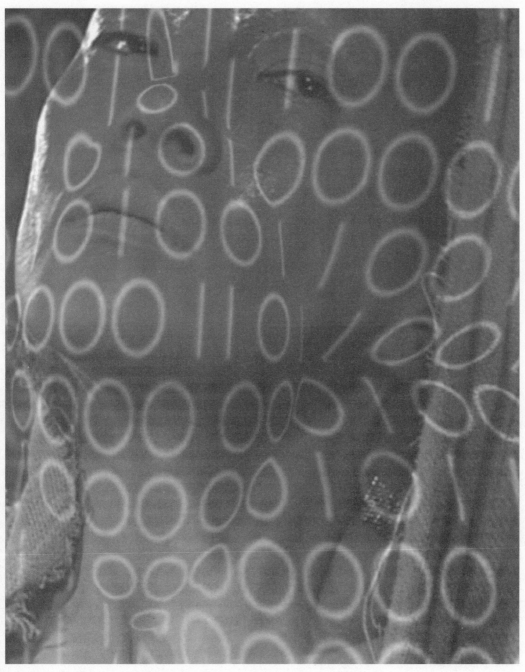

Vera, 2002

Siempre invocación plástica, aunque de origen verbal, el nombre mismo de "Vera tiene múltiples significados, por ejemplo, en ruso significa fe y confianza, en italiano verdad, en español orilla del camino; Vera es un bello nombre de mujer: camino + fe + verdad + confianza + eterno femenino = Vera" (Athié dixit). A la vera de la vera Vera vera. Experiencia onírica que resume y condensa todas las experiencia oníricas. No presentida antes ni por en el marco vacío que de repente se llena, arrebatada como el agua que brota como manantial de la piedra-averno. Azarosa diosa de plata, hombrecilla con pintura verdeazulosa, perversa perfecta y bella en su clave, dolorosa difunta resurgiendo a la vida efímera, júbilo feroz de la caverna donde sólo se oyen los ecos, duro viento que asalta coagulado, prodigio que abruma y señale que espantan seduciendo, baile como lucha fraternal de áspera pesadumbre, pálida luz sin secreto viendo en el pecho de un enano el rostro de la nieta, horrores de inmortal tristeza y soledad lívida vertiendo la sangre del pene automutilado dentro de un enorme perol. En esta soporífica el Ángel de la Muerte los inyectados ojos rojos de piojos cojos, cadencia viviente en el rigor helado de la mueca nocturna y la amenazante madrugada infamante.

Una crónica de veinticuatro horas de agonía entre la neblina del alba y la neblina del alba, un viaje del largo día hacia la nada, una fascinan-

Vera, 2002

Vera, 2002

te jornada por el ámbito imperial e insignificante e irrepresentable de la muerte, una diminuta composición elegiaca más sencilla que misteriosa de lo que parece, un Más Allá comiendo fruta colorida que se deshace en polvo junto al árbol fantasmal, una transparencia de atmósfera que concita y conjura todo misticismo/antimisticismo devaluador de las pasiones humanas, un suave y dulce llamado a la paz última del alma, un retorno al huevo original, una aleve alevosa gravedad agravadamente grave cuando se te graba, una reflexión entre racional y profundamente apasionada/desapasionada sobre la reivindicación de las emociones posmortem y la sempiterna devoción por la naturaleza, una plácida metafísica de la espera ("la tortícolis de la espera": Georges Perros) aguardando primero la aventura de la muerte como obligatoria coronación de la vida, y luego el inevitable repetitivo nuevo amanecer.

La pesadilla viviente

Intempestivo corto estudiantil del CUEC-UNAM con excepcional calidad, acreedor en el I Festival Internacional de Cine de Mazatlán 2001 del premio especial de un jurado internacional compuesto por jóvenes cortometrajistas valorando el trabajo de sus compañeros, de igual a igual, como debe ser, sin que manipulen los peleles de las comisiones del Imcine ni los autopremiadores de la seu-

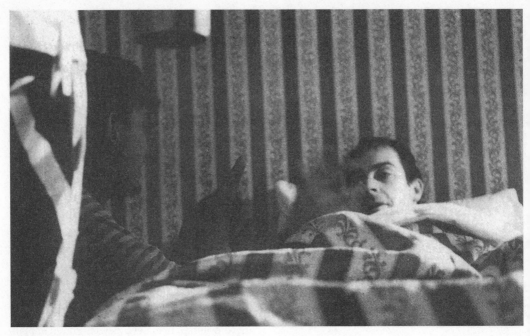

Ombligo, 2000

doAcademia arielera o del fraude Guadalajara, *Ombligo* de Carlos González García (16 mm, blanco/negro, 30 minutos, 2000), con guión original y montaje propios, pero ostentando estoica fotografía anacronizante de Pedro Ramírez Durón, hace el seguimiento alucinado de un infeliz pelón acaso despierto (Juan Carlos Vives) que sale de un suceso perturbador sin poder retomar su normalidad cotidiana. Obseso de la limpieza, restregando en la cocina o enjabonado bajo la regadera, pero siempre proclive al desmayo y paulatinamente acosado ese fin de semana por el fantasma de su madre bruja (Elena de los Reyes), que lo asedia con los restos de sus poderes maléficos a través de un irrestregable muñeco ojos de botón, y pesadillesca, horrorosamente ensangrentada, chorreante, amenazadora, resurge de entre las duelas del piso al tercer día.

Difusa, metagenérica, retorcida y enigmática, pareciera que la trama fuese tan sólo un pretexto para la elaboración de imágenes envolventes o de choque, muy plásticas. Plástica transfigurada, transida, sofisticada, surrealizante. Plástica irrefragable en sombrías profundidades de campo, escaleras postexpresionistas con reflejo en espejos extremos, top shots claustrofóbicos e hiperrealistas big close-ups de cubeta, manguera o manos crispadas sobre el rostro. Plástica irrefrenable sobre respiración asfixiada en las olas de la pecera, ruidos de pulido de pisos y llanto-risa culminante. Plástica irrespirable cual eco de *Por encima del abismo de la deseperación* (Hernández, 1993-1996). Pero también: grandiosa plástica del montaje a veces acelerado de atracciones eisensteinianas y de impacto, más evidentes referencias plásticas tributarias al asesino adolescente de *Psicosis* (Hitchcock, 1960) atesorando a su momia materna de cabello blanco en camisón, plástica delicuescente y sin embargo en trance.

Fundamentalmente visual, esta ficción hipotética apenas necesita y con punteos de música inquietante, pero jamás empleo de diálogos ni narración en off. Azote viril a lo bestia encerrada en el desamparo, banalidad del mal, muñeco-rana sin nariz al hombro, sarcástica pasión crística escalonada en días de guardar (viernes santo, sábado de gloria, domingo de resurrección), lógica y vivisección oníricas, hacia el final inesperado con una niñita (Andrea de la Torre) recogiendo bajo la reja al muñeco sin faz y perdiéndose al fondo de la calle, en el ignorante e ignorado mundo exterior, más allá del inabarcable e inasible Ombligo.

Ombliguismo: "Si hubiese nacido objeto, sería objetivo; pero como nací sujeto, soy subjetivo" (José Bergamín). Ombliguismo maltrecho y desecho. Ombliguismo desafiante y triunfal. Existen muchos mundos, pero todos están contenidos en éste, y existen muchas visiones, pero todas están contenidas en el ombligo de *Ombligo*.

El humor antimediático

No se mide en su mofa *Un mundo raro* de Armando Casas (2001), pero la destila muy bien. En uno de los habituales asaltos exprés que realiza con otros léperos del barrio (Tomihuatzi Xelhuatzin y Jorge Zárate: "Léperos, mis huevos") bajo el violento liderazgo del hermano pelos de puerco espín (Jorge Sepúlveda), el sensible raterillo que se sueña TVcomediante Emilio (Víctor Hugo Arana) identifica como secuestrado al cobarde aunque despótico TVconductor Salvador Herrera "Tolín" (Emilio Guerrero); rendido de admiración, lo desatará para pedirle un autógrafo ("A mi colega") y le obsequiará un billete para que huya en taxi; pero pronto el muchacho lo perseguirá por teléfono y en su oficina para obtener una oportunidad de presentarse en *El Show de Tolín* y usará el hiperbólico papel autografiado ("Para mi colega, esperan-

Un mundo raro, 2001

Un mundo raro, 2001

do que no me robe mi público") como abretesésamo para ganar la amistad solidaria de la edecán Dianita la de las Vueltecitas (Ana Serradilla), siendo inútiles para quitárselo de encima tanto la seguridad privada del canal como el guarura de cabecera el Pollo (Raúl Adalid) e incluso un explotador primo gangsteril, por lo que deberá darle algunos roles insignificantes en su programa (como muelita, como cuentachistes interruptus), aunque sólo sea para humillarlo al aire reiteradas veces ("¡Hable bien!"), hasta que el novato acabe harto y estallando pistola en mano a media emisión.

Con producción CUEC-Imcine-Foprocine y guión escrito al lado del novelista a-gogótico Rafael Tonatiuh (codirector con Santiago Huerta del mediometraje heterodoxo *Amanecer en Disneylandia*, 1989), la opera prima del cortometrajista egresado cuequense vuelto docente Armando Casas (*Los retos de la democracia*, 1988; *Binarius*, 1991) es una película universitaria cuya índole académica y hasta teórica no debe notarse, un paralelismo deliberado con *El rey de la comedia* de Scorsese (1982, pero siempre inexplicablemente inédito en México) que más bien resulta homenaje posmoderno o confesa burla impotente o relectura lumpen, una soberana superación cualitativa de la historietilla del humilde mozo de TVestudios Resortes vuelto incógnito bailarín pareja coreográfica de la estrella Evangelina Elizondo en *Te vi en TV* (Fernández Bustamante, 1955), una investigación/incursión en terrenos del cinefrecuentado humor satírico nacional cuyos únicos antecedentes se hallarían en el mejor Gabriel Retes (el de *La ciudad al desnudo*, 1988; *El bulto*, 1991; y *Bienvenido/Welcome*, 1993), un delirio de la risa simplona en el extremo opuesto de *Demasiado amor* (Rimoch, 2000) porque aquí se la trabaja y exhibe como tal (esa entrevista con Carlos Monsiváis como autor de la novela cosmopolita-rural *El llano en llamas*), una denuncia/autodenuncia del humor locochón antimediático (gloria y caterva, pasión y oprobio).

Como prólogo, subjetiva vivencial de la víctima de un secuestro exprés al fondo del taxi desde donde ve subir a dos empistolados durante un alto, y sólo habrán contracampos después de los créditos. Como cumbre de la humillación sexual de la Barbie artificial de las Vueltecitas, profundidad de campo donde se divisa al corrupto conductor aprovechado que está bombeándosela en un rapidín de camerino, mientras la ingenuota no menos aprovechada ni corrupta intenta convencerlo en frontground que le dé un papelito al simpático aspirante tan inerme como ella ante la jerarquía de la empresa. Como signo inequívoco de transformación moral, vertiginoso dolly back dejando clavado en una silla al ladronzuelo apañado y siguiendo un pasillo de guardarropía con cubiertas plásticas hasta descubrir al intimidado. Como máxima definición de la inspiración televisiva de Tolín, top shot del personajillo dándose su cocazo en un privado del baño, detrás de cuya puerta se escuchará la tímida voz del raterillo suplicante intentando no parecer demasiado inoportuno y por donde aparecerá luego en amenazante contrapicado el hermano feroz que plomo en mano lo apoya. Como punto clave del familiarismo con trastos sucios en el fregadero que define la vida cotidiana de los raterillos, inserto de un videocaset ya rotulado ("Emilio en la tele") coronando con crueldad la frustración de la familia reunida con vecinos en torno al televisor para admirar la no aparición del joven héroe dentro de una muelita viviente y vapuleable a reglazos en *El Show de Tolín*. Como instante supremo de la vida erótica del aspirante a hombre famoso, gesto de infinito gozo de Emilio como si Dianita tras un fallido acostón estuviera mamándosela off screen, cuando en realidad sólo está ensoñando al despertar por elipsis engañosa en el mismo depto rosado donde hallará a la chica durmiendo abrazada del mingitorio. Y así. En suma, hay en *Un mundo raro* un cálculo formal y estilístico muy inusitado para la comedia mexicana que por fin sabe lo que quiere y cómo lograrlo, con elegancia y toque Lubitsch enfrentados a un mundo de doble vulgaridad (la de los pequeños delincuentes que se deriva de la enquistada en la tele comercial). Un milagro de frescura al interior de un cine estragado y demostrativamente didáctico.

Mucho se ha avanzado desde que ser filósofo mexicano significaba encabronarse porque los connacionales suelen suspender la seriedad a la menor provocación, burlarse de cualquier cosa y echar relajo como válvula de escape y proyecto de venganza contra la realidad plurioprimente (cf. *Fenomenología del relajo* de Jorge Portilla, 1948-1962). Pero, aparte de citar a la homónima canción ranchera niegapesares de José Alfredo Jiménez, ¿qué hace tan raro al mundo de *Un mundo raro*? Es el mundo de la humillación multiirracional y omnívora como única forma de supervivencia, el mundo después del tornado de mediocridad y la catástrofe de la era zedillista, un mundo de traumatismo social y mental más profundo que la simple evidencia de la pobreza, un mundo en ruinas donde todo está en desarreglo interior, el mundo de *La ciudad al desnudo* dándole su *Bienvenido/Welcome* (ya un medio criticando otro medio) al arranque de milenio pero cargando con *El bulto* del pasado y desmembrándose entre la saña de la inseguridad con *Todo el poder* (Sarisaña, 1999) y la estupidización televisiva omnipresente como exclusivo modelo relacional. Mundo raro, enrarecido, en una *breezy comedy*.

¿Y la humanidad de los personajes principales para que la sátira cale y duela? Matices chabrolianos tipo TVanimador francés Philippe Noiret de *Máscaras* (1987) en la doble personalidad del Tolín, ese tiránico regordete descompuesto cual bastardo del difunto Paco Stanley y de don Francisco con afición al Necaxa de Jorgito Ortiz de Pinedo, enfurruñado como niño en el sótano bandoso o en la desierta fábrica habilitada como bodega de *Perros de reserva* (Tarantino, 1992), a la espera de exhibir martirológicamente a la TVfrivorreportera cómplice Normita (Anilú Pardo) su moretón en el ojete de arriba y volver a cagotear en sala de juntas a su aplastable guionista pobrediablo (Rafael Tonatiuh autosatirizándose), antes de aposentarse en su macroficina con dominante vista sobre el apantallable/aplastable edén citadino. Contradicción generosidad/cinismo, para con su efímero peoresnada Emilio, de Dianita, bien asentada en la otra contradicción esencial de su cuerpo antojadizo que debe dar vueltecitas a perpetuidad, cual chica huequita huequita con novios de rayita y carrazo, pero que desea superarse aunque su mentalidad de muppet manifiestamente carezca de imaginación. Ostentando playera de Rana René o sacote de fantasía con estrellitas estampadas a plancha, afectoimplorante fragilidad fassbinderiana tipo *Sólo quiero que me quieran* (1976) del lamentable Emilio el que recibe las bofetadas, con gorro cascabelero de bufón-joker de naipe al final de una cascarita futbolera cual patético payaso-padre de *Amanecer en Disneylandia*. Y luego de salvarlo en un asalto de estacionamiento, Tolín contrató como fiel guarura al cómico paria, ya desenrabiado y famosillo durante la TVgrabación

del zoo: en esta escuela de la vida con carcajadas y aplausos inducidos formamos sólo guaruras felices ("Les diré que llegué de un mundo raro/que no sé del dolor/que triunfé en el amor/y que nunca he llorado").

El humor fresCUEC

Frescuras con humor y con estilo porque basadas por igual en el cálculo y la espontaneidad. Frescuras trabajadas más allá de fragancias y lozanías evidentes o aparentes. Frescuras de magistrales trabajos estudiantiles que hacen respirar con nuevos pulmones jubilosos a nuestro cortometraje al parecer petrificado en los babosos filmes-gag que patrocina el Imcine oficial. Frescuras como valores absolutos o relativos, de uso, de cambio y simbólicos en la periferia y en el meollo de sus anécdotas-pretexto. Frescuras de anómalas, insólitas y explosivas ficciones discretas, narradas de manera coloquial y elegante, sin tremendismo ni grandilocuencia.

Primo tempo: La frescura sensual

La casa de enfrente (Super 16, 27 minutos, 2002), tercer ejercicio exhibible con dirección-libretomontaje del cuequense Tonatiuh Martínez (*El plato*, 1999; *Los guardianes del volcán. Popocatépetl, cerro que humea*, 2000), despliega la personalidad de repente antojadiza de la solitaria joven ciega por funesto accidente a los doce años Rebeca (Evangelina Sosa soberbia de sobriedad y delicadeza) que, pese a su educación católica y a las timoratas recomendaciones maternas, acostumbraba escuchar las vívidas historias ("Allí mismo en la sala me lo hizo") de una amiga casada considerada mala influencia Silvia (Flor Payán) sobre sus amoríos con el futbolero Hugo (Arnoldo Picasso), otro habitante del vecindario también con pareja ("Su mujer nos iba a cachar"), mientras la amante adúltera le acariciaba el cuello o le metía mano entre las piernas añorantes a la pobrecita invidente, hasta que ésta decidió pasar a la acción sin salir de su depto, primero ofreciéndosele al bocabajeado Juan (Paul Choza), el estudiante de pintura marido de la indiscreta, y en seguida al galanazo Hugo con quien tanto gozaba aquélla, sosteniendo el mimetismo de sus clandestinas visitas eróticas sin importar alguna ruptura exprés o el ocasional espionaje tras las cortinas que las descubría.

Frescura de una red de cámaras viajeras con grúa que encadenan corredores de calle cerrada y ventanas de casitas autónomas con la sugerente destreza narrativa del prólogo o el epílogo del *Más allá de las nubes* (Antonioni y Wenders, 1995), inquietas cámaras en círculo, acezantes cámaras fijas y cámaras móviles que sueltan una acción y retoman otra, para insinuar historias instantáneas con o sin origen con o sin desarrollo, unir personajes hasta con burlona elipsis mediante ("No, pues sí") y revelar conflictivas relaciones ocultas. Frescura de un mejor corte psicosociológico de unidad habitacional que el de *Corazones rotos* del veterano excuequense Montero (2001), ahora enfocada ésta cual minicolmena-digest de la posmilenaria clase media deefeña, tan sexopolíticamente idiota como hipócrita hasta la cogedera

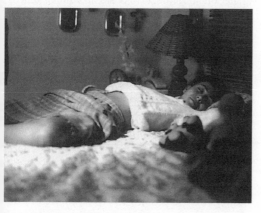

La casa de enfrente, 2002

a escondidas. Frescura de recuperables/irrecuperables caricaturas citadinas, como el de la sermoneadora madre beata sobreprotectora Dolores (Oralia Olvera) o la energuménica esposa psicoanalizada por ende "impropia para cualquier uso" (diría Houellebecq) ya imbuida de "mezquindad/egoísmo/necedad arrogante/incapacidad crónica de amar" Laura (Laura de Hita), que se insertan y tejen cual ecos lejanos de otras líneas narrativas en busca de su Alan Rudolph o su Robert Altman.

Frescura de una ausencia completa de sentido moral, haciendo el auténtico elogio de una amoralidad naciente y provocadora, sin prejuicios ni límites sensuales en el comportamiento seductor carente de paternalismo, cristiana caridad vejatoria, conmiseración o romanticismo de la joven ciega (esos telefonemas para concertar cita, esos cuidadosos arreglos cosméticos, esos aretes sacados del joyero aterciopelado, ese anacrónico vestuario excitante con la lustrosa bata nupcial de la madre, esa ofrenda pueril de flores artificiales, esa fingida caída del regalo para mostrar las piernas), hasta en la satisfacción de sus fantasías sexuales (esos spaghetti para el baño acompañada en la tina), que contrastan con la cachondería pinche y la represión exacerbada en el intercambio o el encimarse de sus rutinarias parejas adúlteras que creen estar viviendo la gran aventura. Frescura de caracteres interesantes por desagradables, pero que no dejan de moverse para romper barreras sin hacer apenas ruido. Frescura de un sexual humor de afelpada suavidad que se eleva sin prisas a la grandeza laxa de una simplicidad minimalista y metonímica (esa jerga deteniendo la puerta para que entren el acicalado galán en turno o el ya sembrado pelón de playera).

Frescura de un detachment que nunca se cuestiona si es pudor caluroso o excesivo. Frescura con criaturas de farsa cotidiana y simpáticamente libidinosos para quienes la carne es alegre, un tanto picante y sin gravedad alguna, en un relato a semejanza suya. Frescura de una sarcástica bendición infinitesimal infinitamente sutil, velada y parsimoniosa hasta en la erotomanía. Frescura de un furor uterino con curiosidad insaciable, por encima de la marea, pero a la altura altiva de sí mismo y su nueva sensibilidad carnal por fin humanista más allá de la calentura jodida o el metemano que se finge distraído. Frescura al fresco del mundo del jugueteo sexual que funge como revelador de cobardías y pasiones volátiles. Frescura de una venadita despreocupada cual invidente Bambi de pronto fogosa y promiscua. Frescura de una cacería erótica, con vago disfraz de metawestern urbano (en la curva socarrona del *Amigos y aventureros. Rancho Deluxe* de Perry, 1975), bien ritmada en su estancamiento involving/uninvolving. Frescura de un irónico aprendizaje/desaprendizaje sentimental, tras una finta errónea ("Que se divorcie de esa bruja para casarse conmigo"), por el fast track ("Esto es meramente físico, así es la onda, ¿lo tomas o lo dejas?").

Frescura de una invención idealizadora pero tangible e inmediata del Ángel del Deseo sin conciencia realista ni reparos ni pathos ni culpa, pero también sin retórica liberacionista femenina ni revolucionarismo sexpol ni figura de playmate buscaplaceres ni glorias de la ninfomanía nudie (a lo *Manifesto* de Makavejev, 1987). Frescura de una inocencia anterior a cualquier perversidad pero capaz de acometer actos por y para otros considerados perversos. Frescura de una minusválida que afirma como mujer y ahora opina sobre las aventuras sensuales de la casada infiel ("Sientes cosquillas con Hugo porque tiene callos en las manos") y vendándole homologante/perversamente los ojos a la antes toqueteadora aprovechada, para ahora ser quien le meta mano. Frescura de un relato sensualista-filosófico a medio camino entre los cuentos morales y las fábulas y proverbios de Eric Rohmer, incluso con moraleja de inconsolable frustración carnal del varón. Frescura de una utilización de un punteo de música deliberadamente elemental de Lucía Álvarez, al interior de un enclave carente de ella (con la musicalidad de los desplazamientos de cámara y criaturas basta), a base de escalitas musicales en los créditos iniciales y finales, cajita de música para recorrer el cuerpo de nuestra entrañable soñadora húmeda, sonoridades de práctica pianística para las reflexiones del cruel galán rechazado pero ya obsedido dando pinceladas o haciendo telefonemas de mudo arrepentido, y ladridos lejanos en la conclusión desde la perspectiva de ese perro de las dos tortas viendo alejarse también el auto de su despectiva esposa.

Secondo tempo: La frescura mesiánica

Juego de manos (Super 16, 19 minutos, 2002), segundo corto del también autor completo cuequense Alejandro Andrade Pease (primer corto: *Hoy supe que te mueres*, 2000) despliega la recién redescubierta pero nueva eterna personalidad etérea del tranquilo adolescente presionado por sus neopermisivos padres clasemedieros (Eduardo Cassab, Elizabeth Guindi) para terminar la tesis Agustín el Conejo (Humberto Busto más que beatífico), a quien cierta noche de reventón lisérgico y éxtasis se le aparece un Cristo raver (Alejandro Ramírez entre surrealista y meliflúor) y, tal como ya había ocurrido cuando niño (Bernardo Bucio), se convence de que es un santo y puede hacer milagros imperceptibles e inexpresables con tan sólo tocar a los demás, aunque sin lograr convencer ni a Nuria de mechones rojos (Liliana Flores), ni al Petizo con barbita rala de san Juan Diego (Tarek Becerril), sus escépticos amigos burlones.

Frescura de un provocador retrato de la juventud actual con cierto antiejemplar chavo inexplicablemente traumatizado como centro y motor. Frescura de una búsqueda amorosa en particular y afectiva en general de difícil éxito en el mundo de agresiva trivialidad donde compulsivamente se realiza. Frescura de una odisea promiscua de audaces fantasías subjetivas. Frescura de una subtrama secreta al interior del relato banal que se expone a través de la irrecuperable mirada del chicuelo transida por la iluminación temprana para ser luego seguramente añorada, mano dirigiéndose lentísima hacia la cabeza ajena para posarse sobre ella diez años después en otro tiempo y espacio cerrados, ojos de pescado místico cual Turturro de *Barton Fink* (Coen, 1991) adolescente hasta el gorrísimo, palmas extendidas que se juntan cual unción de *Lolo* (Athié, 1992) besando de perfil el crucifijo/crucijijo, incantatorios toques en la frente a los amigos o rápidos roces en el hombro a los fiesteros que se sienten afectuosos o en vías de irónico ligue.

Frescura de un precioso estilo preciso que se manifiesta mediante el dolly lateral que presenta a los chavos pasándose un toque de mota en cuclillas en la sala, cambio de luces en la aparición-faje con sombras de ventanal, jump cuts hasta el rencuadre abierto final. Frescura de un conjunto de flashes atisbadores de la verdadera vida como demoledor viaje alucinógeno. Frescura de

Juego de manos, 2002

una voyeurizacición intransferible de la propia intimidad dulcemente psicótica, con efectos secundarios del LSD consultados en la lap-top. Frescura de una alivianadísima comedia dramática que evita a cada instante, con imaginativa habilidad, los nidos de víboras de la explotación genérica. Frescura del ritual sadomasoquista de un alocado universo juvenil tersa e inmisericorde a un tiempo. Frescura de un simulacro que conduce al descenso a los infiernos en la peor de las soledades. Frescura de un personaje cuyo desvarío se mantiene a distancia pero cuya fascinación y desespero involucra al reinventarse sin cesar. Frescura de un diario íntimo con multilayered visuals como sustanciales tentáculos y añadidos prismáticos. Frescura de una panorámica mirada nihilista de un presente que puede burlarse de su propia inventiva visionaria y de su iluminación chata.

Frescura de una definición de lo juvenil que en momentos clave no puede dejar de ceder a las tentaciones del montaje nervioso y el contrastante ritmo furibundo ("La paz sea contigo"). Frescura de un innegable carisma cinemático con actor protagónico tan formidable como la derretida beatitud post*Santitos* de sus deliacuescentes apariciones crísticas. Frescura de una urgencia mesiánica como tren cuyo ruido murmurante ya se alejaba sin poder detenerlo impotente para treparse o desviar el rumbo. Frescura de una fábula que irradia la sonrisa triste y melancólica de una juventud desperdiciada y recuperada en su misma entropía misantrópica. Frescura de un delicioso enfoque de la Trascendencia como enfermedad acaso congénita del ánimo, del ánima y de los sentidos (de punta/embotados).

Frescura de una cadena de insertos con objetos vueltos inteligentes: sea la bolsita con pastas insinuante que el cuate agita sin prever sus consecuencias irreversibles ("Ya no se claven, pinches atascados"), los ñoquis batidos con la cuchara sobre el plato inapetente, la serie de foquitos ensartados en la navideña corona de espinas del Cristo raver con inmarcesibles ojos borregunos, la botella de agüita Bonafont como antesala del faje con Nuria y primera aparición crística, la historieta religiosa cuyos dibujos cual estampas sucedáneas permiten el descubrimiento del Sagrado Corazón con sicodélica perforación en el pecho cual modelo del reiteradamente aparecido, los libros de divulgación sacra más chafos que nunca por su mostración en close-shot (tipo *Los poderes ocultos de los santos* de Jorge Espejel) que van directo al cesto de basura donde siempre pertenecieron, la Biblia para niños conservando foto del iluminado vestidito de santo con corona de espinas, o sea la pelotita de esponja haciéndose apretar por la desesperación frustrada cuando ya no puede creerse que cualquier "güey normal pueda ser un santo". Frescura de un ensayo lamentoso en forma de fábula moral sobre el vacío de los jóvenes llenando el tedio doliente de sus horas muertas y sus hoyos negros con droga y misticismo inutilizable pero persistente.

Frescura de un clima que se crea con introductoria música medio heavy original (de Paco Aveleyra y Benny Schwatz), efectos sintetizados para la iluminación cotidiana una década después o los toques en el hombro a los saltarines miembros de la banda fiestera, y culminación silenciosa para que entre en off la balada-rock "El signo de la cruz" a guisa de conclusión ("Hay otro mundo superior/en su interior"). Frescura de un relato que inicia con el flashback de un infantil juego de persecuciones por Cristo-Roña a los compañeritos ("Arrepiéntete y cree en el Evangelio"/"Ja, já, yo no me arrepiento, ni creo en el Evangelio"/"Era chido ser Cristo") y finaliza con la terca tentación de las visitaciones del Cristo raver extendiendo, propagando, difundiendo su inútil mano más allá del juego, pese a la mofa de los derrumbados amigotes cómplices en la grifa (con ade-

cuado vestuario por Grypho), en la crisis y en los deseos de huir de la ciudad hacia la India o la playa ("Esta ciudad ya no me inspira"), hasta dormirse al pie de los sillones.

La picaresca instantánea

La canción del pulque (*Pulque Song*, 2003), primer largometraje documental inicialmente en video del cinefotógrafo del CCC egresado Everardo González (cortos escolares: *Niña canica*, 1995; *Gladiola*, 1999; *Zurcido invisible*, 2002), acomete una visión general de la historia y la leyenda, el consumo actual y el no futuro de la tradición del pulque en el centro del país, en especial en la yerma Tlaxcala y zonas del D.F., centrándose en la pulquería La Pirata de un barrio cualquiera y en el Virgilio conductor-comentador Héctor Zamora el Cantarrecio, suerte de raído Tin Tan espontáneo moviendo el canoro bigote quejoso entre parroquianos y parroquianas del ínfimo estrato social, cantineros, meseros, tlachiqueros del campo, productores de hacienda en ruinas y demás fauna pintoresca que lúdicamente gira en torno de la industria del espumoso aguamiel fermentado.

Picaresca aguda e hiriente como la punta de los *Magueyes* (Gámez, 1962) sobre la hierba dorada y contra el horizonte cercado que enmarcan al incontenible flujo de imágenes y abestiadas visiones sin distancia. Picaresca deliciosa vuelta conciencia en un cine-ensayo más visualista/visionudo/visionario que retórico. Picaresca instantánea y al mismo tiempo ancestral, intentando desentrañar actitudes, de lo disperso a lo esencial y a la libertad cual incoherencia del bebedor de pulque. Picaresca-homenaje líquido, espeso, denso, grueso y ultraviscoso como los pulques curados con frutas autóctonas como el tejocote o remotas como la mandarina, brotando en monocromáticos chorros horizontales del barril distribuidor abruptamente taponado por una cuña-púa. Picaresca do-

La canción del pulque (Pulque Song), 2003

La canción del pulque (Pulque Song), 2003

lorosa a partir de 75 horas de película rodada con lujo de imágenes insólitas, estímulos, detalles, en el vaciadero de la sociedad injusta. Picaresca variopinta e inteligentemente miserabilista, pero suprasórdida aunque antisensacionalista y provocadora-seductora.

Picaresca-descubrimiento de un submundo oculto de tan evidente, cielo e infierno para menesterosos nostálgicos de lo rural o simplemente humano. Picaresca entonada por una canción plural: la canción ranchera de los infaltables troveros de octava, la canción religiosa de la bendición de los tambos y el anciano murmullo en la iglesia, la canción coral de rostros curtidos y desentonados ante guadalupanos altares de tristeza, la canción de la vivacidad desinhibida a fuerza de verba dinámica y charadas de imitación que rebotan hasta lo último. Picaresca añorante de su propia existencia ya en vías de extinción por agotamiento de recursos naturales (un maguey tarda cinco años para producir y sólo proporciona fruto/usufructo por siete meses).

Picaresca de un montaje elíptico que picotea con habilidad, se estaciona, contrasta varones y una mujer segregada en su apartado despotricando contra el otro amoroso ("Sólo fui objeto sexual para dos o tres culeros"), cae al suelo y yergue en un "¡Viva México!" que se sueña unanimista Voz de la Raza. Picaresca comunitaria en espacios de convivencia imposible, límite y congestionada, donde se cruzan piquetes de culo, solemnidades tartamudas ("Está estipulado"), zapes encubiertos, tirones de gorra, y se agolpan palinodias con pechos tatuados y bailes putones, para coronar ese microuniverso virilista, ya en la absoluta peda perpetua, brindando con el vaso blancuzco dando rituales vueltas en círculo, nomás por lo que les resta.

El verbo barroco

La pausada, insólita e incomprendida *Sofía* de Alan Coton (2000) se funda en un discurso que entronca con el decimoséptimo. Hasta San Miguel Nepantla, cuna mexiquense de Sor Juana Inés de la Cruz en las faldas del Popocatépetl, arriba la vulcanóloga tejana en détresse por un tumor cerebral Sofía (Issabela Camil reveladora delicadísima), para estudiar nuevas rutas de evacuación del ahora más que nunca amenazante volcán, haciéndose auxiliar por el científico mexicano Pedro (Damián Alcázar), quien se enamorará de ella en secreto; alojada en la magnífica sencillísima casa de huéspedes de la cariñosa doña Ana (Angélica Aragón) y extrañando al bebé que ha dejado a cargo de su equilibrado esposo matemático, empieza a enfrascarse en discusiones circulares con el anciano culterano cura del lugar también hospedado en la misma pensión don Toño (Martín Lasalle beneficiado por la resurrección espiritual del *Segundo siglo* de Jorge Bolado, 1994-2000, cual *Segundo sueño*), sin saberlo en términos análogos a los que utilizaba con sus confesores-acusadores la monja gongorina en el siglo XVI y, tras visitar el museo a ella dedicado, obsesionándose por esa lúcida y trágica figura femenina cuya avidez de conocimientos comparte ("A mí no me detiene nada"); cuando el ancestral don Goyo entre en erupción, una extraña beata milagrera que rondaba en torno suyo cual rencarnación de la Muerte (Luisa Huertas), la conducirá a un manantial en mitad del bosque donde tendrá la visión de la Décima Musa reaparecida (Arcelia Ramírez) para ayudarla a resolver su conflicto existencial, tranquilizando su conciencia.

Con guión hiperliterario suyo, el arrollador primer largometraje industrial del exvanguardista cuequense vuelto por concurso en ambicioso auteur total Alan Coton (*El viaje en paracaídas*, 1995; *El repartidor de pensamientos*, 1996) es una armoniosa y reflexiva fábula cuya belleza y fantasía van surgiendo de modo casi natural, una rotunda y hermosa exclusión de toda coloquialidad pero con mucho más, una invención sobre la subjetividad poética de la ilusión posible que identificará a la mujer emancipada con la ilustre leyenda dolorosa, un opúsculo del error permanente de los espíritus superiores por qué no audaz y airosamente femeninos, una arriesgada estilización que va contra todos los gustos y todas las prácticas significantes del espectador actual de cine mexicano, un martirio escolástico sin superficiales bardolatrías sorjuaneras (*Constelaciones* de Joskowicz, 1979, o *Yo, la peor de todas* de Bemberg, 1990) ni envidiarle nada a la TVexcepcional *Sor Juana Inés de la Cruz o las trampas de la fe* (Echevarría, 1988) o la militante tardía *Ave María* (Rossoff, 1998), un advenimiento de lo extraordinario en el seno de lo ordinario (que a su modo ya lo era) y la intrusión de lo impensable en el seno de lo común y corriente (que de alguna manera nunca lo había sido), una deriva cultista-literaria-fílmica de toda Sofía en Sofía más cerca de la filosofía novelada de Gaardner-Gustavson (*El mundo de Sofía*, 1998) que del relato desesperado de Styron-Pakula (*La decisión de Sofía*, 1982), un difícil e insostenible objeto cinematográfico, un filme independiente con sendos primeros premios en festivales de Calcuta y Nueva York pero rechazada dos veces en Guadalajara

Sofía, 2000

y estrenada con cuatro años de retraso, un icono museificado fetiche prestigiosoficial y escombro de asombro heredado por devuelto a la vigencia candente, una límpida recreación desde el interior que supera dialécticamente el tema ya constante del homecoming de los semimexicanos con cruda anglosajona (iniciado cósmicamente por *Bajo California. El límite del tiempo* de Carlos Bolado, 1995-1998, y continuado realistamágicamente por *Entre la tarde y la noche* de Blancarte, 2000) en busca de las otras raíces del ser y el existir, un soliloquio en voz off ante el helipuerto crepuscular ("Los sueños truncados de siempre") o ante los cristales llovidos que de pronto adopta la platónica forma dialogada, una hipnótica solemnidad grave de indolencia mesurada generando el deseo de que algo rompa con ese tibio itinerario de maravillas cotidianas, una sujeción de esencias sin melodrama ni romance ni rivalidades ni conflicto ni situaciones dramáticas y casi carente de trama, una película carente de efectismos fáciles y mediocridad visceral (*Amores dioses* vs. *Amores perros* de González Iñárritu, 2000), un conflicto soterrado en las antípodas kafkianas de la locuacidad de Kiarostami, una colección de imágenes formidables (camarógrafos Arturo de la Rosa y Esteban de Llaca, directora de arte Lorenza Manrique) que irradian placidez y plenitud incluso en los desenfoques del campo al contracampo, una vía láctea de gritos amorosos a la noche diluvial rumbo a las tomas ahuecadas por el montaje acelerado que constituyen el momento en suspensión más fuerte del filme, un terso prodigio regional antirrealista/antinaturalista de monocromías inquietantes (bancas azules, toldo rojo, pensión amarilla, interiores verdosos) que de pronto estallan en la aparición de la Virgen-Poeta con gran tocado de flores multicolores brotando ahogadas desde el estanque.

Sofía o el duelo verbal. Los héroes hablan y hablan, chocan desde la primera vez en el puente, entrechocan oralmente, citan a Voltaire/Génesis/Eclesiastés y hallan poema de Drummond de Andrade en su lap-top, polemizan sobre el Miedo (alejado por el sueño, fresco en la mañana), la Teología contra la Ciencia, la Crueldad de la Pasión, el Libre Albedrío, la Anticivilización del café en polvo ("¿Acaso tomaría usted vino soluble?"), la Libertad Humana, el Silencio ante Dios y la Vida en la Muerte, pero consuman el paradójico prodigio de que la película jamás se vuelva psicológica, sino cada vez más dulcemente introspectiva, lírica e intimista, hasta lo telúrico, como lo anunciaba el desmayo de la heroína por aparente mal de montaña. Culmina una trascendencia que revalora el poder de la palabra y la beligerancia del concepto en el cine nacional, incluso con la presencia desplazada de la beata leyendo en atril en su atrio privado ("No ver el ultraje de ser vieja"). En *Palabra y utopía* (2000), el genial cinenarrador portugués de derechas Manoel de Oliveira centraba su ficción *de época* sobre el verbo barroco, mediante sermones selectos del ilustre jesuita Antonio Vieira (1608-1697), pretextando y textualizando así una tiesa biografía postStraub del príncipe del barroco lusitano; Coton centra su ficción *actual* también sobre el todoabarcador verbo barroco, insertando frases de la *Carta Atenagórica* de Sor Juana, que en 1690 respondía con irreverencia al *Sermón del Mandato* (en torno a las "finezas de Dios") predicado entre 1642-1652 por el mismo Vieira y que provocó ipso facto la desgracia de la religiosa nepantlense, y poniendo matices y sutilezas en boca de personajes del presente, sin pretextar intención biográfica alguna y textualizando sólo un instante de cierta aventura íntima temporal e intemporal a la vez. Una verborragia descomunal desbordándose, descosiéndose y escociéndose en ese delirio que será su negación misma.

Sofía o las voluptuosidades distantes. Pero duelo es también luto. El verbo hasta el delirio

Sofía, 2000

mortuorio y, así como "lo sobrenatural es también carnal" (Agel), el delirio verbal será también visual. Volcán de palabras, erupción de apologética novohispana. Y el delirio volcánico dicta un extraño testamento sobre el limbo, la conciencia reducida y su automoribundia. Como en el Lowry-Huston de *Bajo el volcán* (1984), la metáfora del Volcán designa a la última morada, la destrucción latente, la naturaleza incontrolable por la razón y por el lenguaje. Delínea el retrato moral de una incrédula vulnerada. Heroína perturbada, película perturbadora, ausencia ensordecedora después del sismo. A la mañana siguiente de la catástrofe natural, derrumbadas en una banca, la sabiduría de Sofía sabe más que la del cura ("Cada día que amanece es un milagro, padre")

y un sol distinto esplende en el alba del horizonte. luz devota, resplandor de grandeza: pulsión de muerte ascencional y profunda, muerte y transfiguración resurrecta, réquiem de reconciliación.

Las mutaciones internas

Mutaciones internas de notables minipelículas nacionales en el VI Festival Internacional de Cine Expresión en Corto de Guanajuato en 2003.

Primo tempo: La mutación trascendental

La caja (11 minutos, Canal 22-Imcine, 2003), cuarto cortometraje sinfónico del excuequense guionista-director-editor Jaime Ruiz Ibáñez (*Agonía*,

La caja, 2003

1991; *Los maravillosos olores de la vida*, 2000), se funda en la obsesión de una modesta anciana (Ana Ofelia Murguía prodigiosa) con hijo idiota (Silverio Palacios) por ser enterrada en una caja de muerto a su gusto, pues la que se prueba ante el funerario (Abel Woolrich) le queda incómoda; pero su falso deceso y el robo callejero de su rollito de billetes ahorrados, la orillarán a convertirse, secundada por su vástago, en furiosa asaltante de tiendas y parejitas románticas en automóviles, a punta de fusil, hasta lograr financiarse ambos unas merecidas vacaciones postreras en la orilla del mar. Mutación ritual de una nostalgia de la muerte, atesorada en los zapatos de charol, la silla mecedora vacía y el hueco sonido caracol-ansiedad. Mutación narrativa con inesperados y jubilosos cambios de tono que llevan del drama a la tragedia, a la súbita road picture maldita (Bonnie and Clyde ad absurdum), a la farsa de humor negro y al finalmente desatado lirismo irónico de un poema beatífico y vengador/reivindicatorio. Mutación acústica de un silencio generalizado (todos los personajes comunicándose sólo por gestos y ademanes) en el que sólo se escucharán los gritos ("Mamá, Mamá") del idiota que ha dejado de comer gusanos de maceta cual Macario rulfiano degustando flores de obelisco. Mutación trascendental del objetivo punto de vista contemplativo al punto de vista solidario con los seres más débiles, frágiles e inermes de la escala social, para revaluar esa debilidad/fragilidad/inermidad como fortaleza vital soberana. Mutación genérica de una fábula abierta a nuevos horizontes morales, geográficos y sensibles. Mutación de un relato casi subliminal a base de planos únicos con insertos-puntuación arrasadoramente sugestivos. Mutación fragmentaria en que los trozos distorsionados del tema se armonizan noblemente en fanfarrias portentosas. Mutación solar de la última placidez de la anciana gozosamente enterrada bajo la arena en un iluminista scherzo crepuscular.

Secondo tempo: La mutación hertziana

Luciano (10 minutos, 2002), cortometraje del actor Manuel Blejerman, se funda en la obsesión incomunicada de un discriminado niño-radiorreceptor (Alonso Leñero) que fue concebido en una estación radiofónica gracias al orgasmo de un rayo sobre dos amantes, que será utilizado durante la segunda guerra mundial como único enlace posible de su aldea Luna Grande con el conflagrado mundo circundante y que sólo habrá podido intimar con una cariñosa niñita (Ingrid Fragoso) pronto perdida y recobrada ya jóvenes. Mutación de una saga regional a lo *Heimat* (Reitz, 1980-1984) del más desatado imaginario mexicano que se ha disfrazado de falsa fábula neorrealista, cual escrito por una especie de bicéfalo Zavattini-Calvino, tributaria tanto de *Milagro en Milán* (1951) como de *Las ciudades invisibles* (1972). Mutación de un ophülsiano narrador-titiritero omnisciente en testimonial narrador-animador de asombros (Mario Iván Martínez con admirable verba transalpina), al pie de un mundo-maqueta con asombrosos edificios de cartón y ventanas animadas mediante escenas actuadas de súbito cromos fotográficos. Mutación legitimadora de la ternura de la parábola hertziana repleta diseminando recursos expresivos (actitudes de frente, virajes, sobreimpresiones, barridos, oscurecimientos) a dimensión pastoral, rumbo a la trayectoria elíptica de la luna descendente a voluntad, entretejiendo historias, bajo el micrófono que oscila en la oscuridad.

Terzo tempo: la mutación romántica

Ana (10 minutos, Universidad de Guadalajara-TV Azteca, 2003), cortometraje del camarógrafo-TVcolaborador Sergio Yazbek, se funda en la obsesión amorosa del barbudo oficial revolucionario (Damián Alcázar hipersensitivo) que, tras un lustro de ausencia, regresa en busca de su amada madura

Ana, 2003

(Patricia Bernal reclamando el extraño carisma de su hijo Gael), ahora casada con el obeso mejor amigo de ambos (Jesús Ochoa); tras renunciar a la violencia pero no al lance, la recuperará a solas en una sala suntuosa, sólo a través de la imaginación. Mutación visual de una cinefotografía-rotograbado en sepia del propio director que puede pasar sin cortes del épico plano general en picado del patio, al intimista two-shot de los viejos cuates junto a la baranda. Mutación dramática de confidentes y traidores, según cuarteto musical iraní de Reza Vali, sin tregua ni esperanza. Mutación sutil de un guión sentimentalista de Alejandro Lubezki transformándose en conato de viscontiana elegía amorosa ya irremediable ("Ella se negó a verte"). Mutación de un imaginario vivido como realidad presente por el espectador y una bifurcación de lo real resuelta como disrealidad del relato lacunario. Mutación difuminadora de un rencuentro entre tres criaturas que deviene en luz reventada y espejismo aural.

Quarto tempo: La mutación pluscuanplástica

Los sonidos del color (TV UNAM, 8 minutos, 2002), cortometraje experimental de "animación auditiva" del cineasta desaparecido accidentalmente en el oceano poco después Daisuke Amezcua Furaya, se funda en la obsesión de un hombre con la facultad de escuchar, en la explanada de la Rectoría de la UNAM y sus alrededores, los sonidos que corresponderían a cada color. Mutación de texturas con cambiantes tonalidades inasibles y densidades iridiscentes. Mutación metamorfoseándose mediante cromatismos en trance que hacen sonar trombones y flautas en concierto para rasgar la página de sus partituras anegadas de repente o el vacío del estadio universitario al ser barrido por una sola mujer limpiadora. Mutación de geometrías, guijarros y papel bomba, con la estructura circular del cosmos que se desgarra para saber qué hay por debajo de la piel de las apariencias.

7. La miserable grandeza

□

Es ser grande reconocer que se es miserable.

Blaise Pascal, *Pensamientos*, 255

La telenovela náutica

Escribiendo entre relámpagos su última bitácora para enviarla por paloma mensajera a la posteridad, naufraga el solitario capitán del galeón español *Santísima Trinidad* en el golfo de México del siglo XVII; trescientos años después, buceando muy cerca del mismo lugar, se ahoga el ingeniero petrolero Joaquín Aguirre al querer retornar a la superficie con una pesada caja metálica que yacía incrustada en un arrecife subacuático. Concatenando al hilo esos dos prólogos mortuorios, arranca *El misterio del Trinidad* de José Luis García Agraz (2003). Así pues, a raíz de la muerte de su padre, el médico de urgencias escupido por *Nosotros los pobres* pacientes rabiosos Juan (Eduardo Palomo reciamente apagado) con exesposa abusiva en trance de poner bajo su cuidado exclusivo a la tranquila hijita común de diez años Ana (Regina Blandón), es convocado por el vejancón abogado cuate René Marengo (Alejandro Parodi sintiéndose todavía autoritario Santa Anna vencido) a la lectura del testamento del difunto, donde nuestro hijo ilegítimo va a enterarse de que fue nombrado heredero del barco *El Meridiano*, al tiempo que conoce a sus opulentos mediohermanos rapiñosos que pronto le disputarán el legado mediante triquiñuelas legalistas, el arrogante mediohermano dueño de constructora Federico (Carlos Aragón) y la sensible mediohermana historiadora del arte Isabel (Rebeca Jones ya vuelta Rebe Cajones), casada con el violento empresario acomplejado Mauricio (Juan Carlos Remolina), aunque bien controlados todos mediante un gesto por Elisa (Raquel Seouari), la anciana esposa legítima del muerto con doble vida. Aunque apenas se han visto en sus vidas, padre e hija se trasladarán al puerto de Veracruz, tomarán posesión de buque y de sus rústicos tripulantes comandados por el pícnico generoso Agustín (Guillermo Gil), se instalarán en la nave por capricho de la niña, intercambiarán lecciones de buceo y de enternecimiento preocupado, saldrán a una supuesta última navegada en el barquito antes de rematarlo, darán mañosas largas al contrato definitivo, reñirán y se reconciliarán apenas, intimarán con la fina mediahermana Isabel que los visita en tan buen plan que Juan acabará acostándose con ella, se conflictuarán a puñetazos con el mediohermano y el marido en bancarrota, sufrirán a causa del inminente despojo de la embarcación por resolución jurídica, decidirán partir (llevando como lastre de última hora a la culpabilizada Isabel) en busca del galeón que obsesivamente buscó sin éxito el abuelo por más de treinta años, estarán a punto de morir ahogados y zozobrar durante una

El misterio del Trinidad, 2003

tempestad, hallarán sin consecuencia alguna los restos del naufragio ibérico así nomás mientras los marineros arreglan el timón, y aquí se rompió una taza, y cada quien para su casa, la divorciable mediohermana se negará a irse a su casa y padre e hija irán en pos de la suya, al fin rencontrados sentimentalmente y tras entregar pacíficamente las llaves del barco a sus legítimos propietarios.

Con base ampulosa en un desastroso guión hipertelenovelero de Carlos *Y tu mamá también* Cuarón, financiamiento parcial del Foprocine-Imcine en coproducción con España y rodada en locaciones de Veracruz y Puerto Rico, el sexto largometraje del mediocre representante de una de tantas generaciones intermedias perdidas en el cine nacional José Luis García Agraz (del destempla-

do *Nocaut* de 1982 al torpe refrito del *Salón México* en 1995) es un melodramita grandilocuente-alergia con luchas melodramamonas por herencias impugnadas e hijos expósitos y codicia de hermanos rivales desde la primera lectura notarial acartonada hasta el ampuloso final abierto reconciliador, una fallida voluntad de reciedumbre en el noble trazo de sentimientos fuertes cual versión aguada de *Tiburoneros* (1962) con difunto con doble hogar y personajes-efigie alvaradeña que sólo saben expresar sus afectos vomitando grumos de frases altisonantemente cariñositas con reiteradas palabrotas-muletilla ("Mañana viene el pendejo del cabrón que lo quiere comprar"/"No seas pendejo, pendejo") del gordinflín barbón canosín bufón bofín Agustín picaresco-pintoresco, un co-

El misterio del Trinidad, 2003

nato de pueril novela de aventuras náuticas a cansino ritmo xochimilca con trepidantes hombresrana y niñas-sapo en el *Paraíso* (Alcoriza, 1969) retrofotogénico de las solarizaciones y los claveles en el mar, una continuación por otros medios de los submarinos desplantes machistas venidos a menos de *¡Tintorera!* (1976) cuando ya hasta inadvertidamente murió el eficaz director René Cardona hijo, un arcaico folletín decimonónico sin encanto ni estilo y en serio perpetrado por el desprecio clasista ("Nacazo, nacazo") a la otra familia de *La casa chica* (Gavaldón, 1949) con indomable *Doña Diabla* (Davison, 1949) y usufructo lacrimógeno de *Angelitos negros* (Joselito Rodríguez, 1948) muy blanqueables, una trastornante readopción humanizadora a lo *Kramer vs. Kramer* (Benton,

1979) donde se efectuarán los hipotéticos pero esquematiquísimos rencuentros consigo mismo y con la hija tras padecer otro microhundimiento del *Titanic* (Cameron, 1997) reducido a leve zangoloteo durante otra *Tormenta perfecta* (Petersen, 2000) en una tina de agua.

El misterio del Trinidad o la rutina retroactiva. Una tradicional semifantasía costeña con hallazgos plásticos tan notables como la anciana dama entre veladoras y la implantación inútil de objetos decorativos de época (campanilla verdegrís, pesado cofrecillo mortífero sólo hediondo al fin rescatado del fondo marino) desprovistos de toda inteligencia, una sitcom rutinariamente resuelta mediante campo-contracampos de personajes sentados y en close-up cuando todos los cineastas de la generación de García Agraz (hasta los que parecían más convencionales: Montero, Cann, Sariñana) filman ya de manera muchísimo más compleja e inventiva, una trama edificante centrada en el despertar-asunción de la ternura masculina y la difícil manifestación de sus pretensiones vitalista-virilistas por un macho llorón descendiente de *Pepe el Toro* (Ismael Rodríguez, 1952) pero a la Hawks (si bien a setentaiún años-luz de las robustas pasiones inexorables de *El tigre marino*, 1932), un vergonzante aunque inagotable tufo de solemnidad autopatética si bien transferida que pasó con más pena que gloria en la cartelera comercial (incapaz siquiera de superar a *La tregua* de Alfonso Rosas Priego, única cinta directamente financiada en 2003 por el superfluo Imcine foxista ya en el nirvana, basada en el homónimo cursinovelón bestseller uruguayo y nacida muerta al grito de "Un hombre con experiencia... que sabe estremecer el cuerpo y alma de una jovencita", con la bella-bella extemporánea Adriana Fonseca y el otoñal Gonzalo Vega en el convincente papel de Mario Benedetti).

El misterio del Trinidad o el desiertos divanes. Una búsqueda terapéutico-edipizada de sí mismo sobre las huellas puñeteras de la bragueta del mismo padre ya desaparecido en los insufribles psicologistas *Desiertos mares* (1992), un grandilocuente y ridículo drama psicoanalítico que va de la ñoñería (o niñoñerías de la chicuela radiante al timón, las pulseritas del amor a papito en el suelo, los puestos de artesanías en el malecón para el clímax de esa epifanía paterno-filial y para el gran finale) a la fotonovela sin nada en medio pero con pavorosa música archielemental de un barcelonés llamado Ignacio Mastreta, una definición del amor primario como mezcla insoluble de dobleabandonos traumatizantes y macabronas revelaciones epistolares, una redefinición del erotismo medioincestuoso y globero en la regadera del *Postcoitum animal triste* (Rouan, 1997) como

lepra familiarista tan densamente alcohólica que se cree etérea en la indelicadeza de sus arrebatos cómplices en la cantina y en las lágrimas descongeladas dentro de la sangre por un suspiro largo y culpable cual tardías caricaturas conceptuales del Cioran crepuscular.

El misterio del Trinidad o la telenovela omnívora. Una demostración fehaciente de que nada identifica más a los separaditos miembros amputados de una comunidad malunida que ostentar cada uno por turno su telenovela recitada (¿o más bien radionovela platicada-referencial?), incluyendo hasta a los muertos: la telenovela del abuelo al que abandonó su gran amor cuando le mejoraron la oferta, la telenovela de la abuela balita perdida que acabó mal, la telenovela del padrastro masoquista y buenaonda pese a todo, la telenovela del padre que aún llora la ausencia paterna en su campeonato de fut infantil, la telenovela de la mediohermana pocopadre y malcasada, la telenovela del abogado Marengo como ambiguo exgalán desechable de la madre promiscua, la telenovela de *Ustedes los ricos* que de pronto necesitan el producto de la venta de *El Meridiano* porque están súbitamente arruinados, y uf así sucesivamente, hasta casi desembocar, según el cinecrítico Ernesto Diazmartínez (en *Primera Fila* del *Reforma* el 24 de octubre de 2003), en la secreta telenovela-gag del rudo Agustín confesando impertérrito de buenas a primeras haberse acostado con *Y tu mamá también*. O bien, intercambiar telenovelas como omniconsolador afrodisiaco autocompasivo antes de irse a coger juntos al conjuro de aquel comercial de tequila a dúo, una cándida ingenuísima manipulación ficcional que ambiciona secundar cierta supuesta trampa perversa del difunto para que los medio hermanos desconocidos cometieran el terrible pecado del incesto ¿¿¡¡¡ay %1&* hermanos o amantes guau???!!!).

El misterio del Trinidad o las largas vacaciones. A todo esto, ¿cuál era en realidad el Misterio del *Trinidad*? ¿Una inscripción demasiado brillosa bajo las aguas, un churrelismo de utilería, un improbable anillo flamante, una sonriente calavera folclórica, una colección de tarjetas postales con turísticos barquitos mirando ocasos boricuas, o *El Triángulo diabólico de las Bermudas* de Cardona hijo en 1977? ¿A quién le importaba ese Misterio del *Trinidad* tan trascendente/intrascendente que parecía estar sólo en la mente de personajes que nunca conocimos y en la imaginación de esa insostenible Santísima Trinidad padre-hija-hermana/transitoria madrastra/amante de criaturas vaga/episódica/efímeramente incestuosas? Fin de las vacaciones develadoras de hueros o huecos secretos inexistentes.

El misterio del Trinidad o la tristeza reaccionaria. Cine de acción inmóvil e inconducente, racconti coincidentes y meramente ¡orales! anteriores a los de *La diosa arrodillada* (Gavaldón, 1947) o de *El ciudadano Kane* (Welles, 1941) o hasta de *El beso de la muerte* (Sjöströn, 1916), triunfo del "intruso", TVestrellas de hace veinte años en plan de muchachones y muchachonas (se extraña a Ignacio López Tarso como galán joven muy prometedor), y el filme carece incluso del dulce encanto del anacronismo premoderno, ¡hélas!

El subproducto codicioso

Con coproductores argentino-españoles, financiamiento rastacuero del corazondemelón del Fide-cine y sobretrabajado libreto de Martín Salinas, la exitosa *Nicotina* (2003), el segundo largometraje mexicano del subdirector cececiano y TVargentino virtual Hugo Rodríguez (diez años después del desértico/baldío cerco tendido por el thriller pasivo *En medio de la nada*, 1993) tiende ahora un nocturno cerco barriotero sobre el anteojudo hacker acomplejado de veintidós años Lolo (Diego Luna) que sólo piensa en espiar mediante webcams a su guaposa vecina chelista hispana Andrea (Martha Beláustegui) de la que está enamorado sin esperanza, pero al ser airadamente descubierto por ella, hará entrega de un CD-ROM equivocado (que debía contener las claves secretas de acceso de un banco suizo) a sus delincuenciales socios contratantes, el rabioso pistolero cuarentón mexicano Tomson (Jesús Ochoa) y el lindo pistolero argentino el Nene (Lucas Crespi), lo cual provoca una balacera fatal con el contacto rusobeso Svoboda (Norman Sotolongo), quien irá a reventar en la burronesca peluquería El Rizo de Oro con turno nocturno del barbero ruco Goyo (Rafael Inclán) y su amargada esposa manicurista Carmen (Rosa María Bianchi), quien aprovechará la ocasión para intentar sacarle de la panza unos supuestos veinte diamantes tragados (¡sin antes buscar en sus bolsillos!), pero sólo consigue ultimar a un inesperado policía confianzudo baboso (Jorge Zárate), mientras el gaucho veloz se refugia para ser curado a punta de pistola en la farmacia del boticario histérico Bato (Daniel Giménez Cacho) y

Nicotina, 2003

Nicotina, 2003

su humillada dependienta-esposa harta Clara (Carmen Madrid), desencadenándose una enloquecida serie de balaceras finales y la escabullida victoria azarosa de Lolo en posesión única de los diamantes para regresar a su depto y seguir manipulando electrónicamente a la vecina, ahora atrapada entre dos amantes inoportunos, hasta el verdadero final-final funesto.

Subproducto de una intrascendente comedieta de equivocaciones tan arborescentes cuan fatigosamente mortíferas. Subproducto de un darky cheeky crime caper, diría cualquier *DVD and Video Guide 2004* de Martin and Porter, aspirando al estilo stravaganza grounge inglés de moda tardíamente plagiado vía Madonno Ritchie (*Juego, trampas y dos armas humeantes*, 1998, y *Snatch. Cerdos y diamantes*, 2000). Subproducto de una multitud de personajes más o menos ingeniosillamente entrelazados y profusión de significativos objetos-fetiche (la camiseta Indigo Denim del lamentable héroe, los perpetuos cigarrillos encendidos o apagados colgando del labio para justificar el título del filme, la llave en las macetas incrementadas y cambiantes de lugar, el papel sanitario del farmacéutico cagón, la muñequita preñada de piedras preciosas). Subproducto de un objeto fílmico lleno de vuelcos y digresiones guionísticamente controladas. Subproducto de un cuidadoso atadero de cabos sueltos que sólo existen para ir siendo reiteradamente cancelados a todo lo largo y lo ancho del relato juguetón y banal.

Subproducto de un raudo puñetazo superpuñetero de pirotecnia-web, a base de imágenes a mil por hora, chorrillo de lucecitas de colorines que corren por las calles, transmisores escondidos para espiar a la vecina, monitores y CD-ROMS inflamables por doquier, acelerados a lo *Corre Nicotina corre* (Tykwer, 1998), silver retains, pantallas múltiples, rencuadres de ventanilla-pip al interior del fotograma, abuso del zoom electrónico y demás efectos snob apantallapendejos, tan posposmodernos, aunque se sientan gratuitos y forzadísimos (¡oh el vértigo del ciberespacio con todo su caos de simultaneidades sólo para tus ojos!), ni le den más eficacia a la acción que un pavoneo o coqueterías de estilo o un guiño forzado, ni vengan a cuento, ni añadan ni sirvan narcisísticamente para nada. Subproducto de una acumulación de paradojas instantáneas y una maraña de tramas paralelas. Subproducto de un mamón reguero de cadáveres mamones y desternillantemente destripables, aunque sin irrespetuosos excesos carniceros gore del primer Señor de los Ladrillos Jackson (*Picadillo. Mal gusto*, 1987). Subproducto de un enfático efecto carambola que en dos horas de improbable tiempo fílmico-real arruina la vida de casi todos. Subproducto de una fuga musical de escenas chistositas que antes de ocurrir ya están en busca de complicidad.

Subproducto de una farsa privilegiada de humor negro light e hiperkinético (¿en el polo opuesto de *En medio de la nada*?). Subproducto del apogeo malgré tout del cine argentino actual, por supuesto no el innovador de los jóvenes autores independientes más grandes (Rejtman, Martel, Trapero, Caetano, Lerman, Alonso, Villegas), sino el masturbatorio vetarro cachatodo o saqueatodo de los Bielinsky (*Nueve reinas*, 2000), los Piñeiro (*Kamchatka*, 2002) y los Campanella (*El hijo de la novia*, 2001) de segunda división. Subproducto de un falso antisermón en torno al "cómo salir del pozo y la guita como únicos motores" (Diego Lerer en el libro colectivo bilingüe *Nuevo cine argentino* de 2002). Subproducto de una sesión de susurros estridentes y bostezo-eco que se creen astucias vivales.

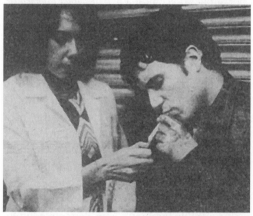

Subproducto de una policial-receta con ultratecnificados estafadores internacionales, hackers geniales, especímenes superarmados al servicio de las mafias rusas y demás villanos ambiguos

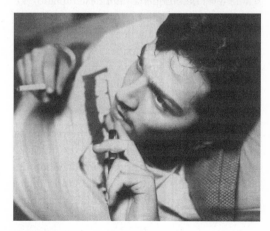

Nicotina, 2003

en boga. Subproducto de un compendio de sádicos, salaces o definitivamente sangronazos lugares comunes tarantinianos/prepostarantinianos, a veces salvados de la insignificancia por la presencia de espíritu de excelentes comediantes (Ochoa y Crespi como buddies de multinacional Sotolongo) o hígados teatrales desatados (Giménez Cacho, Bianchi). Subproducto de un desfile/cadencia/trizadero de pobrediablos unidimensionales cuya sola pasión e interés vital son la codicia y la traición, entre los que destaca el pobrediablo hampón nacoirascible ("No está el culo para besitos") y la pobrediabla hispanopromiscua vodevilesca (por supuesto arrancada a *Y tu mamá también* de Cuarón, 2001), sobreviviviéndoles los pobrediablos más cobardes como la boticaria o el peluquero autoescamoteado superando su mandilona crisis conyugal, y last but not least nuestro pobrediablo personaje principal torpevoyeurista escurridizo que se había extraviado en el caos narrativo de las anécdotas con chistorete y sólo resurge para encender el cigarrillo que hace estallar el gas de la estufa malvaloradamente implantado/anunciado por el relato retorcido desde la primera secuencia.

Subproducto pese a todo con el digno y deseable nivel de búsqueda (aun destemplado/domesticado) y de calidad (técnica) de una industria fílmica nacional hoy, pero que, no existiendo ésta, obliga a idealizar/desidealizar cual rara avis cualquier objeto como éste meramente comercialero. Subproducto de una atropellada travesía nocturna muy por debajo de la gracia decadente y anticonformista del fantasioso *Después de hora* (Scorsese, 1985) y su terco cruce heroico de la noche-bloque unitario. Subproducto de una aciaga demiurgia que pretende esforzadamente derribar el llamado sentido común. Subproducto de una reflexión demasiado agitada y voraz sobre la muerte violenta por el abuso de la nicotina cual pugna letal entre Estadística y Coincidencia.

Subproducto de una larga discusión sobre el daño que hace el tabaco, pero acaso inferior el histerizante retiro de él ("Mejor hubieras seguido fumando" concluye la mujeruca del boticario). Subproducto de un mucho ruido y pocas nueces que hace reír con su Lelo más que Lolo (José Luis Ortega Torres de www.revistacinefagia.com dixit), forzadamente, a veces, pero que no dice un carajo, aunque funda el Efecto Nicotina.

Nicotina o de cómo un simpático very cool confabulario de empedernidos fumadores terminales puede tornarse un inflado subproducto infumable.

La feminidad-mascarada

Ladies' Night de Gabriela Tagliavini (2003) se basa en una antinomia femenina, dos tipos irreconciliables de mujeres, una tipología instantánea a partir de las inquietudes de las chavas mexicanas actuales, una extraña bipolaridad en principio bastante novedosa dentro de nuestro cine, como si se tratara de la imbricación de dos películas diferentes y complementarias, pero que se atraen mutuamente, como sigue.

Ladies' Night o la película de la Una. Por un lado, la trayectoria vital y ominosamente presente y pasiva de la fresísima dibujante incomprendida desde niña Alicia Virginia (Ana Claudia Talancón buscando seguir bendita por el taquillero padre Amaro tan milagroso) que aprendió a dibujar su imaginería personal de Alicia en el País de las Maravillas y a enmarcarlas en pequeños cuadritos para tapizar su cuarto hasta extenderse a toda su casona de Tecamachalco (fantasías que hoy estallan en minisecuencias posmodernas de dibujos animados), a coleccionar las lágrimas de su abandono en frasquitos, pero hoy se encuentra a punto de casarse con el cínico jefe de mercadotecnia de la revista sensacionalista *Bang* Fabián (Fabián Corres), quien ni siquiera ha descubierto el talen-

Ladies' Night, 2003

to dibujante de la chica para hacerla colaborar con él, hasta que ella descubra, durante su destrampada despedida de soltera y pasándose billetitos bajo la puerta de *Blade Runner* (Scott, 1982), una mayor y mejor comunicación amorosa of all people con el traumatizado stripper tatuado Rocco (Luis Roberto Guzmán) que la narcotiza con un chocolate y la desvalija de sus pertenencias más valiosas, así como las de todas sus amigas despatarradas en la suntuosa sala de estar, pero ha retrocedido ante la idea de tomar su virginidad, cosa que volverá a hacer una y otra vez (como signo de amor verdadero), en la calle próxima a una casa de empeño de la colonia Buenos Aires donde providencialmente ella lo ha localizado so pretexto de recuperar su inestimable anillo de compro-

Ladies' Night, 2003

tearla mediante el desorden erótico que deberá provocar un atractivo e irresistible stripper contratado por teléfono, pero luego, tras el robo colectivo, sintiéndose ella misma supuestamente deseosa de recuperar la videocámara que contiene grabada la escena de su más reciente cogida con su colega, se ofrecerá para acompañar a su rival en su pesquisa nocturna por los submundos hamponiles de *Nicotina* (H. Rodríguez, 2003) durante varias jornadas, se instala con ella en un hotelucho de mala muerte, la obliga a entender su relación con un Fabián que la menosprecia y se queda con el galán indeciso a perpetuidad, ambos sembrados más que sentados en la banca de la iglesia al final de la boda abortada, la cabeza de ella esperanzadoramente recostada sobre el hombro de él.

Ladies' Night o las definiciones veloces. Con base en un guión encantador aunque desvirtuado de la excuequense libretista de telenovelas Issa López Lozano (sencillos cortos estudiantiles: *Tan callando,* 1993; *Quimera,* 1996) y coproducción mexicano-hispano-estadunidense encabezada por Miravista-Disney Latinoamérica-Buenavista-Grupo Telefónica y nuestro inefable Argos Films ostentando el nada deleznable presupuesto inicial de 1,600,000 dólares, el tercer largometraje pero primero circunstancial quizá último mexicano de la galardonada realizadora argentina de treinta y cinco años afincada en el cine independiente estadunidense Gabriela Tagliavini (*La mujer que todo hombre quiere* en Estados Unidos, 2001; *El sexo contra mí* en Argentina, 2003) una historia de amistad entre contrarios que se cree insólita, un rondó en ocho dúos para jovencitas vacías pero encantadoras que sólo saben hablar de los hombres, un andante trotando y creyendo talonear por espejos al interior de otros espejos, un retrato al carbón de cierto semirrapado ángel del sexo pasoliniano a lo *Teorema* (1968) que hasta aquí le daba a todos lo que siempre habían añorado y luego apenitas a la reprimida heroína, una comedieta romántica

miso, en el interior de la sex shop del antro para concursos de strippers en donde realiza sus performances el fornido cínico, o incluso en la cúpula anaranjada del Monumento a la Revolución, hasta que los enamorados sensibles se reúnan para siempre en un *Distinto amanecer* (Bracho, 1943), al cabo de fatigosas tentativas de huida mutua, conato de boda y esperas.

Ladies' Night o la película de la Otra. En el polo opuesto, la culipronta diseñadora-editora revisteril Ana (Ana de la Reguera), ultragresiva escupepastillasenlacara compañera de trabajo y superrebelde nalga de emergencia sólo por mientras de Fabián, que todo se lo debe a su empuje y por celos se presenta intempestiva en la despedida de soltera de la novia de su amante para sabo-

de fórmula alivianada-light que ya ha demostrado su deprimente ineficacia durante los primeros años del milenio, un burlesco con aspiraciones de burlesque atropellándose por engrosar cual ecléctico pop's cycle tiránico ineludible la insustancial línea caudalosa de fracasos *Sin ton ni Sonia/Dame tu cuerpo/Corazón de melón/Nicotina* que cambia tradición del lenguaje de la fantasía sofisticada por los efectitos visuales (secuencias interrumpidas que posteriormente serán retomadas sin añadir nada fundamental a su irrecuperable superficialidad a lo *21 gramos* de González Iñárritu, pantalla dividida en porciones deslizantes, obviota obviable voz explicativa-comentarista de narradora extradiegética irónica, chispazos monólogo en off protagónico), una metida con calzador del conflictivo stripper español bisexual el Daga (Hugo Silva) y de la despistada espantadísima ultraconservadora mamá popis alburera (Sofía Álvarez) y el gratuito curita bizco en la boda engalanada (Jesús Ochoa) y fugaces cameos de actores televisos (Héctor Bonilla, Cynthia Klitbo, Karime Lozano) como vil gancho publicitario, un injerto de la desinhibición abrupta de nuestro *Sexo, pudor y lágrimas* (Serrano, 1998) y el puro aire desinhibido hueco de cualquier gamberrada baturraza a lo *Airbag* (Bajo Ulloa, 1997) con desenfrenado toquecín para certificar el acercamiento lejanamente lésbico (complicidad de género obliga) en un aburdelado hotel de paso con espejo gigante en el techo al mismo nivel pintoresco que el hiperdecorado automóvil-bang de la seductora medio machorrona, una pudibundería de cogida Fabián-Ana vestidos bajo la mesa de diseño y de los escarceos Rocco-Alicia interruptus que se sueñan provocaciones iconoclastas de escandalosa proyección fantasma en el stripcongal desmadroso, un excitante tour también interruptus pos*Los caifanes* (Ibáñez, 1966) pos*El diablo y la dama* (Zúñiga, 1983) por antros de pecaminosas más que amenazantes atmósferas demoniacamente enrojecidas ahora frecuen-

Ladies' Night, 2003

tados por damas gritoneantes y cloróticas enardecidas, un carnaval de atuendos significativos ¡sin calzones! o con calzones de serie semanal que plantea trascendentales dicotomías entre la vestimenta color pastel azul pureza y los pantalones de impura mezclilla gandalla para acabar yéndose juntas de compras a cierta boutique-videoclip al estilo cómo odio amarte de *Amar te duele* (Sariñana, 2002), un potpourri más bien painstaking de atolladeros dramatúrgicos del boy meets girl con salidas fáciles para aplazar al máximo el previsible final feliz, un cancionero de moda peor que inoportuno puesto que convierte a las mejores escenas y a todos los fajes del filme en videoclips promocionales de grupos como Ultrasónicas/Moderatto/Toro/Elefante para culminar con el vocalista de éste el gordis Reyli entonando en big close-up la canción-tema "Desde que llegaste" durante los inacabables créditos finales tan agradecidos con el mundo entero como de costumbre.

Ladies' Night o la relectura feminista. Pero sobre todo y antes que nada, una dialéctica de la fresota y la desenfadada promiscua, la culiapretada y la culipronta, de acuerdo con una taxonomía femenina retomada/retocada en femenino y supuestamente vivida desde dentro para una película con dedicatoria para mujeres ("Quienes mejor lograrán entender el mensaje": Tagliavini en declaraciones recogidas por Jorge Caballero en *La Jornada*, 10 de diciembre de 2003). A buena distancia de las iniciales limitadísimas posiciones sociologizantes de la teoría feminista que se concentraba sobre la denuncia de los estereotipos de la mujer en el cine de toda sociedad patriarcal, nuestra cinta propone... otros estereotipos, más actualizados y vigentes, pero estereotipos al fin y al cabo. De acuerdo con la filmoteoría feminista más avanzada, tal como la enuncian Jacques Aumont y Michel Marie, la que se apoya en estudios de género y deconstruye de manera radical la noción misma de identidad femenina (Kristeva), el filme ha pasado de la "denuncia de la diferencia"

a la "exaltación de una idea de la diferencia", la diferencia-opresión (¿encarnada por la casadera fresota?) y la diferencia-liberación (¿encarnada por la casadera culipronta?), al mismo tiempo cual modo de pensamiento, producción de afectos y simbolización del deseo, pero sólo parece haberlo hecho para evidenciar las contradicciones básicas de cada una de ellas, aunque resultando ambas heroínas igualmente inseguras, infelices y dependientes del falo ajeno, antes de que la ficción quede a la deriva e intente con ellas cualquier cantidad de inversiones inmoderadas.

Ladies' Night o el neolibertinaje vienés. La ficción se sitúa entonces en los terrenos ya transitados por las clásicas cintas libertinas austriacas de la segunda preguerra del siglo XX, como las protagonizadas y/o dirigidas por Willi Forst, que eran verdaderos homenajes al amor puro, a partir y en contraste del libertinaje vienés de época, de preferencia ambientados en la belle époque, con distinción refinada, tipo *Mascarada* (Forst, 1934) o *Mazurka* (Forst, 1935). Cada entidad estaba representada por una heroína o una pareja distinta, siempre a punto de ceder y convertirse en su contrario. Entre tentaciones, mundo de artistas de teatro o cabaret envejecientes y decadentes, pinto-

Ladies' Night, 2003

Ladies' Night, 2003

res, carnaval, seducciones, desmembramientos por dos amores, perversidades, desenfrenados valses de Strauss como sustitutos del vértigo orgiástico, equívocos, rompimientos matrimoniales, cancelaciones de boda, hijas en peligro, situaciones melodramáticas sublimes o delirantes, venganzas femeninas, sacrificios de amor maternal y salvamentos de la virginidad in extremis, el libertinaje reinante sólo servía para valorar la pureza. Nueva mascarada de un juego con la virginidad en las antípodas virilistas gachupinas de *Ese oscuro objeto del chocheo* (Buñuel, 1977), rumbo a la paradoja sacada de la manga al final pues resulta que la fresísima cuidaba una virginidad inexistente, porque ya no era virgen, y que la furiosa temperamental le había ofrendado su virginidad a su bienamado repulsivo. Nueva mascarada del cinismo enfrentado consigo mismo y su cruel insensibilidad (masculina/femenina) hasta demostrar su falsedad esencial, la falsedad esencial y temerosa de todo cinismo según la ficción. Nueva mascarada inaugural años setenta tardíos a lo Erica Jong que ya se atreve a hablar de vergas de oso hormiguero o pandeadas para un lado transfiriendo su *Miedo de volar* a cierto hombre-objeto sorpresivamente hipersensible y paradójicamente musculoso bofo/

bufo sentimentalón. Una nueva mascarada aún enmascarada.

Ladies' Night o las oportunidades desperdiciadas. Intercambio de lamidas de chocolate embarrado en el cuello y la barbilla, forzadísimo paralelismo a la brava plasticista con la paradigmática obra maestra inmortal de Lewis Carroll, convulsa persecución al conejo correlón por una Alicia sexoconvulsionada o tiroteo contra la rival que se vuelve súbito suicidio compulsivo en las secuencias de historieta vagamente underground en animación, eclosión bombástica de strip-teases masculinos sobre un dispuesto lecho de latón o descendiendo como piloto desde los aires humeantes o con atuendo de bombero manipulando un bastón con relamidas lenguas de fuego, geografía caprichosa e inverosímil e irritante de una semivacía ciudad de México lista para encuentros y desencuentros e incluso asalto de soledades repentinas (donde la catedral se halla esquina con la hamponil colonia Buenos Aires y a un ladito de la Plaza de la República con pasos subterráneos para peatones de la calzada de Tlalpan), engolosinamiento con efectos digitales (cien horas en la posproducción), inutilidad de un guión sobretrabajado y lleno de retorcimientos arbitrarios y prolongaciones interminables de la misma situación repetida al infinito o sorpresas sin motivo ni chiste por culpa de asesores externos de libreto (Marcela Fuentes Beráin) y un equipo de especialistas en diálogos adicionales (Guillermo Ríos y el Rafael Tonatiuh de *Un mundo raro*) por si el número de albures no era suficiente (un solo Güero Castro nos falta y todas las farsas pícaras se han despoblado), pantalla de cuadritos a modo de rápidas cortinillas a la antigüita pero muy modernas.

Ladies' Night o el cine de autora a la de a huevo. En su famosa fantasía futurista cienciaficcional indie estadunidense *The Woman Every Man Wants. Perfect Lover* (galardonada en los Festivales de NY y en el Latino de San Francisco), la libretista-realizadora Tagliavini describía las inventivas penalidades de un diseñador tímido (Ryan Hurst) que compraba una mujer robot y cobraba confianza gracias a ella, hasta volverse lanzado donjuanesco, pero acababa enamorándose de una mujer de plástico incapaz de amar, y así sucesivamente. Ahora, de manera más que análoga, en su fallidísima semierofantasía paródica *Ladies' Night*, Tagliavini describe las poco inventivas penalidades de la aspirante a una diseñadora a punto de comprar nupcialmente un hombre robot y cobra confianza gracias a plantearse cortarlo, hasta volverse lanzadaza, pero acababa enamorándose de un romántico stripper de plástico que toma fotos callejeras para capturar la "esencia humana" aunque es "incapaz de amar", y así sucesivamente. Lo que antes era invención, creatividad, gracia original y divertimento puro, se ha tornado añoranza autoplagiaria, falta de creatividad, chistosada lugarcomunesca y prédica feminista en dos vertientes: el poder de lo femenino cómplice (según la directora, y "la importancia de las decisiones futuras" porque "ésta es la vida, tú eliges dar el salto al cambio o seguir como siempre" (según la TVnovelista Issa López de *Primer amor* entrevistada por Miriam de Regil en *El Financiero*, 10 de diciembre de 2003), pero intentando sostener un enésimo paralelo con la *Alicia en el país de las maravillas* de Carroll sin ser ni *Alice* de Woody Allen (1990) ni contar con la imaginación animadora de *El viaje de Chihiro* de Hidao Miyazaki (2001) y pretendiendo venderse como versión con faldas y a lo loco de los inexpertos chavos reventados de *Y tu mamá también* (Cuarón, 2001), hasta con narrador omnisciente, en rojos pleonásticamente sonrojados callejones chilangos medio backlot medio atijuanados, sin la frescura citadina del Gamboa de *La primera/segunda noche* (1997/2000) ni la esquizofrenia estructural del Sariñana de *Amar te duele* (2002), si bien con la desfachatez snobista del Echevarría de *Aburrir mata* (2001), aspirando a protagonizar no obstante *La boda de mi mejor amiga* (Hogan, 1997) llena de cancelaciones en el último minuto, porque tu novia ya no es Virginia, siempre en pos del amor puro entendido como asexuado aunque narcotizado y despistadamente precoital, huyendo de una telenovela para caer en otra, mala nacha no y así sucesivamente.

Ladies' Night o la eterna noche feminina/antifemenina de un petardo mojado.

La feminidad irreverente

Irreverencias como espejos convergentes aunque distorsionantes y por ello más que reveladores. Irreverencias como ideas estratégicas de productos audiovisuales menos avasalladores y más grandiosos de lo que parecen. Irreverencias de jóvenes realizadoras aún en formación pero ya con madurez en sus tentativas de vencer y diluir la inanidad dominante. Irreverencias dirigidas hacia el universo sideral, cultural o fervoroso.

Primo tempo: La irreverencia sideral

La luna de Antonio (35 mm, 18 minutos, blanco y negro, Centro de Capacitación Cinematográfica-

Imcine, 2003), tesis para egresar del CCC de la periodista uruguaya Diana Cardozo Benia (primeros cortos: *Fronterizos*, 1997; *Salvo una sombra*, 2000; *Treinta años no es nada*, 2002), premio principal dentro de la categoría de cortometraje de ficción en el Primer Festival Internacional de Cine de Morelia, celebra el simultáneo arribo del hombre a la luna en julio de 1969 y, para ver la caminata satelital por cortesía del partido del demagogo populista (Jesús Ochoa) en el poder vocinglero, la llegada del primer televisor al pueblito donde habita el anciano campesino aguafiestas de luengas barbas blancas Antonio (Ernesto Gómez Cruz anticarismático sensacional), quien observa con desazón cómo se trastorna su realidad, que ahora gira en torno a la cantina donde se coloca el extraño aparato al que acudirán a contemplar hasta las señoras curiosas y alebrestadas incluyendo a la suya antes sumisa esposa reprimida desgranamazorcas (Martha Aura), y con incredulidad ante el fenómeno interespacial ("¿Y si llueve y no sale la luna?") que pronto decepcionará a todos.

Irreverencia ante los restos de la última atrasadísima comunidad patriarcal del planeta. Irreverencia ante un fenómeno sideral pronto siderado ("Te dije") por los pleitos entre borrachos y el agua bendita del cura que funde el agitador aparato eléctrico malogrando la transmisión. Irreverencia ante una desorbitada caricatura colectiva/correctiva dentro de las autocomplacientes arenas movedizas de la bizarra tradición farisaicosainetera nada peligrosa que va de *Subida al cielo* (Buñuel, 1951) y *El brazo fuerte* (Korporaal, 1958) a *Las fuerzas vivas* y *A peso te cojo* (Alcoriza, 1975/1978) y *Calzonzin inspector* y *Picking Up the Pieces* (Arau, 1973/1999), aunque ahora afectada por

La luna de Antonio, 2003

el regusto de un Mexican pueblito curious para buenas conciencias satíricas y documentadas cinefilias latinoamericanas en pos de su antimaoísta *Ermo* (Zhou Xiaowen, 1994) por fin aclimatado a nuestros afanes, temores y fantasías negativas.

Irreverencia ante una malévola radiografía todoabarcadora del disfrutable rezago popular. Irreverencia ante el álbum de imágenes cochambrosas y precarias. Irreverencia ante los primeros pasos y la huella indeleble del rabioso viejo sobre el lodo lunar de la insurrección femenina y el estallido de la bienaventuranza cósmica.

Secondo tempo: La irreverencia cultural

El alebrije creador (16 mm, 19 minutos, color, CUEC-Producciones Fin del Mundo, 2003), brillante y agudo ejercicio de la aún estudiante Olimpia Quintanilla, acomete un retrato-semblanza del sexagenario dramaturgo de éxito y profesor de creación dramática en los talleres de la Sociedad de Escritores de México Hugo Argüelles, visitado y entrevistado en su madriguera de egocéntrica fiera verborrágica y destructora.

Irreverencia ante un hombre de teatro visto a un tiempo como personaje teatral, autodramaturgo y director de escena de sí mismo. Irreverencia ante un trabajo al escalpelo, equivalente al efectuado por *La cuarta casa, un retrato de Elena Garro* del cececiano José Antonio Cordero (2002), homologable en todo, salvo en aquel enfoque plasticista de grabado en agua fuerte y por supuesto intercambiados aquellos roles masculino/femenino, ahora con lo femenino viendo acebamente lo masculino, o casi (¿como una venganza de género?). Irreverencia ante el autor de un bestiario

El alebrije creador, 2003

teatral-cineguionístico enamorado de los impulsos instintivos ("No se trata sólo de una actitud zoológica, zoomórfica o zoofílica") y de la parte animal de la naturaleza humana ("No en el sentido peyorativo en que lo usa la Iglesia católica", sino "en el admirable sentido de supervivencia, de afirmación", "ahí donde descubro en la conducta humana lo nahual"), para darle título zookitsch a la mayoría de sus producciones fársicas (*Los cuervos están de luto*, *Las pirañas aman en cuaresma*, *La primavera de los escorpiones*, *El festín de la loba*, *El ritual de la salamandra*, *El cerco de la cabra dorada*, *La tarántula art nouveau de la calle de El Oro*), y de inmediato predica con el ejemplo, definiéndose a sí mismo como "un alebrije, todavía en proceso", habiendo mudado varias veces de forma y cambiado de animalidad ("Una metamorfosis en continuo proceso de evolución"), un alebrije siempre de fiesta. Irreverencia ante la desnudez de un seudoerudito provinciano culterano vuelto Hugo Argüendes ("Bueno, a mí me gusta escribir a mano porque definitivamente yo creo que la mano viene a ser una maravillosa antena para comunicarse, lo que los medievales ya consideraban la cognósfera, el mundo del conocimiento que rodea a la Tierra"), aquejado a perpetuidad por una incallable verba compulsiva autoexegética, autojustificadora y autoelogiosa ("En mi obra prevalecen las mujeres, pero las mujeres fuertes, con propuestas distintas, bastante subversivas y que se la juegan, son homenajes secretos a mi madre; por eso las otras mujeres, invariablemente lloronas, autocompasivas y caguengues, no me gusta que aparezcan").

Irreverencia ante la cámara asediante que arranca desde la opresión reiterada a un apagador de luz, hurga actitudes y respuestas, corre ávida, puntúa con megaimágenes profusas del biografiado, lo deja en omnipresente compañía canettianamente lamenombres de escritores famosos, atropella, se atropella y hasta se tropieza consigo misma

por los corredores de una guarida-torre de marfil-sancta sanctorum al parecer inexpugnable pero por fin mancillado. Irreverencia ante una casa-escenografía cual futuro automuseo con pasillos retacados de fotografías amplificadas y dibujos o pinturas grandeur nature del culto al ego, celosías que no esconden ningún secreto y alcoba-efeboteca con cromos y grabados para excitar la imaginación desde la hora el despertar. Irreverencia ante la macrochafez de un medio escénico-cultural mexicano que genera y endiosa monstruos de la farsa como creadores y admirados maestros de dramaturgia que quieren compartir con las sillas vacías de los alumnos ausentes sus inspiradoras preferencias por los lugares comunes de la música clásica más aceda. Irreverencia ante un envejecido provocador extemporáneo y cansado ya sólo capaz de sorprender a un puñado de sensibles inexpertos chavillos deseosos de aprender cayendo en sus garras de eterno etéreo alebrije deletéreo.

Irreverencia ante la silueta en los detalles de un manual del paranoico perfecto de tiempo completo. Irreverencia ante un repelente aúniño lamentable, ostentosamente ultraedipizado por una madre pianista veracruzana, que se confiesa sin falso ni verdadero pudor, se explica y enarbola su homosexualidad como una elección segunda pero permanente, porque las mujeres eran "otra cosa" y "sólo el misterio de los varones es insondable". Irreverencia ante un gusto enfermizo por el paroxismo verbal intelectualoide y por el oirse operáticamente a sí mismo. Irreverencia ante la tristísima figura de un rollero patético/autopatético que gusta de disertar en pijama para mejor husmear en sus propios parlamentos-shocking bajo las frazadas, se despide de su perro Jasón al irse a recibir su primer homenaje posmortem en la Cineteca Nacional ("Pero primero déjenme mear"), hace que el mucamo-esclavo-amante en turno repita su interrogatorio al llevarle el desayuno a la cama, pontifica por enésima vez sobre la bestialidad humana reflejada en los periódicos amarillistas del D.F. y sigue soltando imparables parrafadas aun concluida la película sobre su cáncer recién descubierto con metástasis en los huesos e invadida la columna vertebral ("Un cáncer voraz, no me extraña, un cáncer mío tenía que ser voraz"). Irreverencia ante un decimonónico anacronismo viviente con gasnés obviotes para esconder la papada ridículo-psicopática que se conforta de su muerte inminente poniendo enfrente de sus ojos (y los nuestros) un DVD del *Rigoletto* de Verdi y un volumen de poemas de Victor Hugo. Irreverencia ante la propia mirada insatisfecha, nunca meramente documental, jamás devastadora ni desenmascaradora, pero lo suficientemente ambigua para desmembrarse entre la vivisección clínica más dulce y una ternura más que terrible.

Nota bene: poco después de la realización y estreno de este corto y la redacción de estas notas falleció Hugo Argüelles (1932-2003).

Terzo tempo: La irreverencia fervoral

Te apuesto y te gano (Super 16 mm, 23 minutos, color, CUEC-Departamento de Cine de la UNAM-Argos TV-Comisión de Cultura de la Cámara de Diputados-Alpha Star Rentals City, 2003), tesis ficcional de la documentalista posmilitante cuequense Alejandra Sánchez Orozco (*Desdentado desde entonces. El chimuelo*, 2001; *Ni una más*, 2002), también realizadora del TVprograma científico *In Vitro* del canal 11 e invitada por este mismísimo corto al seminario Talent Campus para nuevos cineastas de mundo durante el Festival de Berlín, 2004, sigue los pasos deseantes de la vendedora de gelatinas en una terminal del tren ligero Herminia (Dana Berman), tiránicamente encelada por su hermano Iván (Fabián Cortés) pero clavadaza hasta las chanclas por el aprendiz de zapatero remendón Rogelio (Rodolfo Valdés), quien la desatiende al ceder al asedio de la ruca ofrecida Laura (Cristina Michaus), por lo que la chica debe encomendarse a un milagroso san Cayetano (Hilario Jongitud) que se le aparece en vivo para que cruce con él apuestas en las que la desesperada ofrece pagar los favores recibidos (que consiga dinero para obsequiarle una camisa al novio, o que éste la espere por la noche) con mandas cada vez más titánicas (llenar de veladoras su altar, cargar el cuadro del santo a cuestas por todas partes, caminar de rodillas hasta el templo), hasta que el muchacho termine largándose del barrio y ella se hunda en el desconsuelo.

Irreverencia ante un fervor religioso que la cotidianidad disuelve en ímpetus de la cámara

Te apuesto y te gano, 2003

siempre gozosa hacia el rostro expectante en el andén, tomas subjetivas del sueño vivido, jump cuts solitarios y colorines de imágenes litúrgicas y borrosas creencias de una religiosidad más que politeísta, llena de obligaciones dogmáticas y acuerdos íntimos de orden pagano en torno a la fe desviada. Irreverencia ante la ironía doble de una dependencia del varón (infiel/desleal/explotador/ingrato/huidizo/inasible) que para seguir sosteniéndose debe ahora dependerse también de una figura masculina litúrgica (imaginariamente segura, explotadora de otra manera, saciable mediante penitencias), teniendo por consecuencia de una sarcástica definición del amor como apuesta sagrada ("Te apuesto y te gano"). Irreverencia ante

la amistad peligrosa con el santo, cualquier santo, otorgador de favores, aunque sea a cambio de apuestas.

Irreverencia ante la fábula semifantástica de parco y limpio pintoresquismo de la pobreza, con un bolero goloso (Raúl Rodríguez) y una callejera payasita enana (homónima de Columba Domínguez) como únicos amigos y confidentes posibles. Irreverencia ante la conciencia crédula y la "crueldad de la ilusión a la que los seres humanos se someten a sí mismos" (Tolstói en su *Diario* hacia 1895). Irreverencia ante la historia melodioso-visual de una mujer sin sombra pero con alma de gelatina en espera de ser engullida por su príncipe azul. Irreverencia ante el infortunio femenino que tiene remedio y al que irónicamente le basta para consolarse un hermoso galán recién llegado de Juárez que la aborda de manera providencial, desentendiéndose de santos y liberándose de milagrerías (el cuadro de san Cayetano quedará en el suelo de la estación mientras suenan los itinerantes trovadores rancheros). Irreverencia ante la glorificación y el culto a la sentimental/autovalorativa/estructural dependencia femenina del falo (¿más vale seguro falo terreno que ver un ciento de ausentes o celestiales volar?, o ¿más vale pájaro en mano que siento bonito?).

La feminidad neolírica

Los últimos días (14 minutos, 2002) de la estudiante de cine del CCC y de música en el INBA Dana Juárez Kiczkovsky (integrante del ensamble vocal Muna Zul, primer ejercicio fílmico *Toc toc*, 2001), que ganó una mención especial para cortometrajes en el Primer Festival Internacional de Cine de Morelia en 2003, se inspira en un haiku del gran poeta del seicento japonés Basho y se articula sobre las corrientes de un lago apacible y los divagantes monólogos interiores de un petrificado

Los últimos días, 2002

viejo guardabosques trepado sobre una torre de salvavidas y enfundado en un raído traje de látex (Rafael Pimentel Pérez), cuya concentración autista ("Soy un hombre y recuerdo, una brisa, un cosquilleo; vigilo, soy el vigía") sólo es interrumpida por una rana, un árbol y una escuálida viajera de atuendo colorado (Genoveva Álvarez) que maleta blanca en mano llega presurosa por la carretera para pasar de lado, internarse en el lago y perderse bajo las aguas, ante la impasibilidad del cuidador, o bien motivando su reacción de rescate demasiado tarde.

Neolirismo de una estructura determinada, fundada, fundida y guiada por la música, y qué música, para dos violines solistas en registros muy agudos disonando y persiguiéndose o enredándose en diálogos imposibles y dúos imantados/desimantados (¿duólogos?), del radical minimalista y budista zen inglés Gavin Bryars, cuyo nombre *The Last Days* (1992), literalmente traducido, da título al corto y cuyo cuerpo se funde y confunde con el flujo laminar de lamartinianas imágenes lacustres. Neolirismo de un montaje sonoro que sabe valorar sabiamente las interrupciones de la música en favor de los ruidos ambientales: salto desde la piedra y clavado de la rana como desencadenantes del palmario dispositivo narrativo, mudo deterioro del tipo leído de súbito en la lombriz que emerge metafóricamente de sus vetustas aletas inutilizadas, descubrimiento aspersivo de la ubicuidad del pedestal de madera sea a la orilla de las aguas sea en medio de ellas, arrastrar inicuo de la maleta al sumergirse jalándola. Neolirismo de un ritmo sostenido y enigmático, pese a ciertas imperfecciones: encuentro en despoblado de figuras cual producto de imaginario infrarretrojodorowskiano (*El Topo*, 1969), enfatismo teatralizado de los impulsos y ademanes de los actores, presencia corporal del protagonista cual canoso Sean Connery barbitas con arrebatos vigorosos de Mad Max, abuso de disolvencias para conceder mecánica fluidez de ensueño al espejismo (aunque la asesora del corto María Novaro ya creaba atmósferas análogas por corte directo desde *Una isla rodeada de agua*, 1984), clasicismo del juego de miradas entre la mujer viajera y el vigía luego de los audaces puntos de vista a orientalistas 180 grados de la munificente primera parte.

Neolirismo de un haiku fílmico ("Un hombre, un lago, una rana: el encuentro"), o más bien un haz de haikai, expuestos a base de intermezzi concisos, sencillos en apariencia y separados por espacios de oscuridad, que se sustentan sobre diversos aspectos fluentes y confluentes fotogenias de la naturaleza (acuática, vegetal, zoológica, humana) que conforman y significan verdaderos momentos de iluminación contemplativa y de consumación del ánima. Neolirismo de una elegancia manierista que ensarta divagaciones de notable parsimonia poética y dinamismo extraño, como esas visiones de la mujer de rojo caminando por la carretera reducida a cinta asfáltica señalada con marcas y señales-signo en el borde como sucesora de *La mujer de ninguna parte* de los cineimpresionistas primeraoleros Delluc-Dulac (1922) o bajo las aguas como en el relato literario *La desconocida del Sena* de Supervielle con un tácito representado ("creía que una se quedaba en el fondo fluvial, pero veo que vuelvo a subir"), sin degradarse a ningún discurso místico devaluador de pasiones humanas.

Neolirismo de atípicos insertos con mascarilla en forma de visor del hombre-rana donde transcurren y discurren, en desvaído amarillo diríase enfermizo pútrido (un color "imaginario" que nos obliga a ensoñar, según la definición del teórico catalán Joan Costa en *Diseñar para los ojos*), posibles recuerdos de cementerios de autos, vía férrea cercada hacia el horizonte cancelado, un perro vagabundo, torres de electricidad a lo lejos y basureros panorámicos. Neolirismo de una trama no trama de minianécdota bifurcada que de improviso se corrige y retoma ímpetu cual si resurgiera o recomenzara, tras uno de sus tantos silenciosos parpadeos en negro, con el simple emerger de un zapato escarlata a la indiferente superficie fluvial vuelta deferente y condicionante. Neolirismo de una meditación sobre el movimiento y la inmovilidad ("Tengo la impresión de que todo se mueve, todo, el agua, el suelo"), sobre la esencia del movimiento (desorganización relativa, desdicha, extravío) y la inmovilidad vertiginosa ("sonrisa de la velocidad": Ferré, pérdida del equilibrio), mediante escasas tres líneas melódico-visuales sobre el ojo verde descolorido del varón y giros repentinos de las copas de los árboles, porque "de pronto un impulso, y el movimiento que parecía imperceptible se condensa y explota").

Neolirismo de una ambigüedad final donde el devastado hombre-rana y lamentable sobreviviente de sí mismo baja de su simbólica torre de marfil para abalanzarse hasta el clavado en las aguas, tras arrancarse con furia su traje y aventar su visor, sin que nadie pueda saber a ciencia cierta si está lanzándose a la salvación desesperada de la mujer en el último posminuto tardío, o bien sólo desearía alcanzarla en el suicidio para vivir con ella el postrero de sus Ultimos Días. Neolirismo de una fuerza de optimismo espiritual ("Es extraño cómo las cosas, el agua, el árbol, la rana") y una dignidad casi viscerales.

El masoquismo intelectual

Parte del masoquismo intelectual reside en abordar siempre los mismos temas profundos, aplicar las misma categorías de distintas maneras, en diferentes tiempos y con variantes muy diversas, dentro de un discurso fílmico único que el autor completo Marcel Sisniega inició como una epopeya de la culpa, asunto masoquista si los hay, en *Libre de culpas* (1996), y hubo de prolongarse, lúdica aunque sesgadamente, en la burla de identidades de *Una de dos* (2001), para explayarse ahora en dos heroicas cintas independientes, condenadas de antemano a una difusión difícil, masoquista por supuesto, en DVD o en video. ¡Qué díptico! *Fandango* y *En las arenas negras*, una bicéfala crónica descarnada del masoquismo intelectual en su ya inaplazable variante mexicana, como sigue.

Primo tempo: *La anticelebración zapateada*

Fandango (2003) goza celebrando la antipatía hosca y hostil del cuarentón poeta fallido de pomposa verba despectiva Bartolomé Espina (Martín Zapata) que cierto día hace un trato con un camarógrafo (Diego Arizmendi) para que filme sus últimos días, intenta vender y acaba obsequiando sus libros y cuadros a un despreciable comprador (Tomihuatzi Xelhuantzi) con niño (Bruno Carrera) y viaja de regreso a su tierra natal veracruzana durante la celebración de sus fiestas, trata de recuperar agresivamente el afecto de su antigua amante por él traumatizada Lía (Eugenia Leñero) ya medio resarcida en su vida emotiva por el jaranero canoso Miguel (Arturo Meseguer), pero la vanidosa fragilidad masculina empieza a dejarse atraer y seducir por su jovenzuela exhijastra gordezuela Rosalía (Zamia Fandiño), con quien pasará su provocadora involuntaria y postrer noche de amor, antes de sumergirse al amanecer en las aguas del río, para siempre, ante la perplejidad y desesperación de la chica abandonada junto con el omnipresente camarógrafo en una lancha sin remos y en la incapacidad de comprender la magnitud del masoquismo intelectual del suicida.

Fandango o el anticarisma irritante. Anticarisma de una experimental videocámara voyeurista denunciada como tal y apenas tolerada, aunque el protagonista hace irónicos acuerdos mortíferos con ella todavía fumante ("Después entregas la cinta a quien yo diga, si estás de acuerdo apúntame y dispara"), funge como testigo cómplice, escudriña, actúa como perro faldero y molesta sombra sujeta a reclamaciones ("Por esta vez te la paso,

Fandango, 2003

pero las sombras no preguntan"), reconcentra y divaga, deambula virtuosísticamente movida en mano y precisa renfocando a perpetuidad, arranca tanto comentarios y confesiones como manotazos o puñetazos de todos los filmados-grabados a pesar suyo, recibe testimonios de compasión sarcástica ("Mientras todos se divierten tú tienes que trabajar") y peticiones pudorosas a la hora de la verdad erótica, se entromete en todas las festividades, otorga callando el espetamiento de sus limitaciones ("A ti qué te digo si la cámara no capta los olores"), corre todo tipo de riesgos y cornadas, rehúsa volverse personaje pero ayuda a remar con las manos a la chava abandonada a la deriva y sus cintas son entregadas como último testimonio a la heroína joven para solventar su efímera viudez. Anticarisma de un breve romance amargo para el hombre cansado, esperanzado para la

fresca y pudorosa adolescente inexperta y entusiasta. Anticarisma de un escritor frustrado y crepuscular en egoísta, vanidosa y contradictoria fuga/búsqueda de sí mismo en el polo opuesto del héroe de *Japón* (Reygadas, 2002), no para imponer la selección natural o supervivencia del más apto agandallancianas, sino el irremediable naufragio del multiagresor emocional más inepto y débil. Anticarisma de una docuficción extrema, premeditadísima y cuidadosamente controlada (aparición de una chava ligable al final de un panning placero o pérdida y recuperación del héroe en ámbitos con distinta iluminación flamígera), curiosamente con pocos espacios de margen para el azar creador-dios kieslowskiano. Anticarisma de una verborragia de incontinencia arreoliana (con homenaje explícito a su *Confabulario*) que no desperdicia oportunidad para urdir desafíos más bien al desgarrante dolor propio ("Que viva el fandango") frases inolvidables y pontificar desde su desencanto vinagrillo, sea antes de los tragos de licor ("La vida sólo se cura con la muerte"), durante los tragos ("Hacemos un documental sobre la belleza del desamor") o después de los tragos ("Los genios y los ángeles se alejan/asidos a los rayos de la luna"), sea antes de la cogida ("Quizá no transcurre un día sin que un hombre haya ardido por una mujer y por su hija"), durante la cogida ("No soy Luzbel, ni Prometeo, ni mucho menos el Cristo rebelde; no tengo el valor de amar") o después de la cogida ("De niño tenía fe y el mundo tenía sentido; ahora trato de recomponer el mundo por los medios más atroces"), desgarradas valentonadas literarias que a veces serán respondidas a su mismo nivel tanto por la hija enamorada instantánea ("Ni por lastimarte ni por frívola, me atre el hecho de que todo le valga madre") como por la progenitora rabiosa ("Va a cogerte hasta el hartazgo, porque sólo así calma su angustia"). Anticarisma de un triángulo

Fandango, 2003

pasional de TVnovela demasiado reflexiva ("No te estoy mirando como debiera"), demasiado gozosa ("Lo que sucede entre nosotros no tiene nada que ver con ella"), demasiado generosa ("Sólo sé que te amo") o demasiado brutal ("Ya habrá otros"). Suma de anticarismas irritantes para experimentar con una ficción posmoderna más compleja, distanciada y extrañante, urdida como castigo a la lucidez del masoquismo intelectual.

Fandango o la revisitación de la provincia. Con sus calles monocromáticas, plazas idílicas, anchurosas riberas, pescadores enredando sus redes de madrugada, zócalo bullicioso e iglesia barroca, la bella ciudad puerto de Tlacotalpan, en la caudalosa cuenca del Papaloapan, presta con prodigalidad su apretada o vasta fotogenia y sirve como espacio privilegiado al drama interior: reveladora y redención denegada para ese héroe camisa de fuera sobre playera negra que ha quemado sus naves urbanas y vomitado su Detritus Federal, con el objeto de entregarse de lleno, en ese inmerecido marco espléndido y contrastante con los azotes irresueltos de la crisis inexpresada/inexpresable/adivinada/plurimanifestada por todos los poros, a los deleites del masoquismo intelectual.

Fandango o el pintoresquismo de los otros. Cae el Bartolomé en Tlacotalpan exacto durante las celebraciones paganas y religiosas de las fiestas titulares de la Candelaria y el Encuentro de Jaraneros, 2002. Toritos de cacahuete, zapateado pú-

blico, grupos de son, hotel-casona añorante, puesteros, visita al museo del gran malogrado pintor costumbrista naïf local de exportación por añadidura modelo de suicida trágico Alberto Fuster (1872-1922) con caprichoso tríptico sacro Luzbel/Jesús/Prometeo para prolongar la disquisición lírico-filosófica tomada del poeta náhuatl ("Estamos sólo un rato aquí"), copla callejera de yatechingué, cruce de toros por el río, minipamplonada hacia el encierro ("Nada torito que el agua se acaba"), exótico rito de la presentación del Niño en el templo. Será el pintoresquismo inasequible, siempre ajeno, extraño, exclusivo de los demás, toral y coral en ese litoral. Catálisis del agónico autodio sin catarsis para el autoflagelante agobio existencial. Se me despertó la nostalgia, pero conocí a un hombre que dijo Yo vivo donde la Virgen no llega, mejor escribir sobre la piel, ya como turista ajeno al mundo y a sí mismo, en el *Edén, edén, edén* (Pierre Guyotat). Rebozo de luto color naranja, collar sobre la almohada en el lugar del difunto, pero ante todo un tajante atajante dicharacho cual frase célebre materna ("Quien no sepa zapatear que se dedique a lo suyo") y un burlón estribillo-muletilla folclórica ("Ay tilín tilín tilín/ay tolón tolón tolón/qué bonitas qué bonitas/las hijas de don Simón"), tan inoportuno y maldito como las "Dos palomas al volar" de *Los hermanos Del Hierro* (Rodríguez, 1960), que se descubrirá cada vez más

Fandango, 2003

doliente, hasta devenir testamento del masoquismo intelectual.

Fandango o las relaciones primarias palmarias. Encuentros, rencuentros y desencuentros múltiples con la otrora hijastra Rosalía que dará el primer beso en la boca, rebeldía de la pareja que desconoce sus límites, personajes hiperconscientes, manota sobre la lente, con tantas relaciones el corazón se cansa. Las relaciones primarias no sólo son palmarias por claras, patentes, manifiestas, sino un lastre para establecer otras más genuinas. ¡Cómo jode haber pertenecido a un núcleo-familia-cautiverio no elegido! No ha existido generosidad alguna ni en el proyecto recuperador de Espina por fortuna desmontado de inmediato tras alguna flaqueza nostálgica ("Esa Espina ya me la saqué"), ni en el impulso parafamiliarista-metaincestuoso de antihéroe. Incluso la muerte libremente elegida, aceptada y cursada como proceso irreversible puede ser y estar ahogada en las aguas heladas del cálculo egoísta del munificente trópico mexicano. Propiciatorias campanas de réquiem, globos y gracias, luces de la ciudad desde la desembocadura fluvial y Fandango en off olvidando demasiado pronto el exilio tlacotalpeño del masoquismo intelectual.

Fandango o la autodestrucción consentida. Autodestrucción del melodrama desde adentro. Autodestrucción de la postura Dogma 95 (iluminación natural, prescindencia de tripié, cero música de fondo no motivada por la diégesis, sonidos ambientales) llevada hasta sus últimas consecuencias, hasta morderse la cola realista. Autodestrucción de una atípica película-dogma destinada a servir de mero excipiente a un delirio verbal. Autodestrucción del bufón pedante que no deja hablar a las imágenes. Autodestrucción de un relato que replantea el lugar extradiegético del narrador, proyectado, disimulado, omniexpuesto en ese camarógrafo ubicuamente irrescatable e irrechazable, aunque trascendente como cámara-personaje y sobreviviente. Autodestrucción de un rasante arrasante monólogo a cámara, verdadero diluvio literario de un locutor a una cámara receptora, impasible ante esa "oralidad devorante, permanente, pánica" donde "el texto se alimenta del resto del texto, como el feto de la placenta" no permitiendo "interpretación reaccionaria o anarquista, porque el texto está allí, demasiado coherente, demasiado riguroso" (Guyotat en *Literatura prohibida*). Autodestrucción entre la grandilocuencia del autopatetismo narcisista y algo más: hay cierta grandeza en desaparecer de la tierra ahora sí que sin dejar huella, ni siquiera dentro del más antipático masoquismo intelectual, de pronto silencioso, parco, negado a cualquier patetismo/autopatetismo sublime, incluso a aquel que la muerte ("La muerte: lo sublime al alcance de todos": Cioran) podría convocar, conceder, condenar.

Fandango o antes de ahogarse en lo Absoluto.

Fandango, 2003

Secondo tempo: La anticelebración mitológica

En las arenas negras (2002) goza celebrando la ingenuidad casi cretina de la rubia estudiante de antropología con gabardina beige y gorro de estambre Anacruz (Mariana Gajá) que se remonta a las faldas del Popocatépetl para redactar su tesis profesional acerca de la supervivencia de los mitos prehispánicos en la región. Llega en una vistosa camioneta roja para renunciar a toda comodidad urbana, tras instalarse en la semiabandonada cabaña familiar, sólo acompañada por su amante desempleado y en crisis Horacio (Rodrigo Vázquez), quien pronto desertará para entregarse a un retiro espiritual en un monasterio de la zona llamado La Ermita. Así, la mujer restablecerá contacto con los cuidadores de la casa, la abnegada nativa doña Mari (Teresa Rábago) y su hijo el buscavacas ebrio consuetudinario Mónico (Tomihuatzi Xelhuantzin) e intentará en vano entablar amistad con el ermitaño astroso Soto (Jesús Angulo Soto) que se dedica al tenaz acarreo de piedras para herméticos ritos funerarios y pronto será alcanzado por su exesposa (Lucero Trejo), rabiosa aún porque extravió al bebé de ambos en una borrachera en la Plaza Garibaldi de la ciudad de México. Mientras hace rápidas entrevistas grabadas ("¿Crees que los volcanes sean dioses?") y redacta sus impresiones, recibirá algunas visitas, la del asesor científico de su tesis Leopoldo (Rodolfo Arias) que aprovechará la jornada para acostarse con ella (tras acusarla de "dejarse llevar por el lirismo"), y la del padre corrupto (Raúl Zermeño), quien llegará escoltado por su tercera esposa (Ana María González) para enfrentarse con amenazas a las instintivas exigencias morales de su hija. El drama informulado se precipitará cuando Mónico pierda la vista a causa de alcoholes en mal estado (presumiblemente de caña mal destilados al eliminarles el metanol), cuando el amante regrese de su reclusión voluntaria más tierno que nunca y cuando el ermitaño ya no sea tiroteado sólo admonitoriamente en las piernas sino acribillado en el pecho por una rencorosa bala uxoricida de su autoviuda fulminante, dejando a todos con el ánimo alterado.

En las arenas negras o el anticarisma irritante. Anticarisma de una fotogenia volcánica gris, en despoblado y antiidílica, en las exactas antípodas barrocas de la fascinante *Sofía* (Coton, 2000) que la antecedió en el tema. Anticarisma de frases dichas con limpidez ("Dicen que la ceniza volcánica fecunda los campos") que luego se revelarán trascendentes ("Para el tiempo sagrado la espera es siempre eternidad; cada piedra de un altar simboliza el corazón de la montaña"). Anticarisma de grandes y pequeñas elipsis en el relato desdramatizado, con audaces saltos de tiempo al interior del plano, aunque a veces con disolvencia). Anticarisma de una ficción arborescente de imprevisible estructura multiforme aunque minimalista que parece cambiar de estatuto a cada episodio: inicial rigor a lo Antonioni cuando el amante entra a la habitación para despertar de madrugada a la joven acariciándole apenas una pierna, sátira contra la investigación antropológica tipo *Raíces* (Alazraki, 1953) cuando la chica interroga con su minigrabadora al aborigen mirando hacia el vientre del Iztacíhuatl donde se extravió la genuina madre añorada ("Don Goyo es Cristo con traje de licenciado y doña Rosita, la Virgen con su vestido"), fábula convocadora de la absurdidad existencial del Sísifo de Camus cuando la protagonista sube pendiente tras pendiente mochila al hombro para acumular rupturas emocionales o más hondamente cuando el viejo colectapiedras autista arroja sus rocas rituales a la arena negra, esperpento buñueliano cuando estalla de repente sin preparación ni clímax la tiroteante violencia conyugal, enfrentamiento poético-escénico entre Yermas de Lorca cuando la irrumpiente esposa de Soto en un extremo del encuadre hace escuchar su historia a la intimidada heroína en el otro extremo, misticismo insólito-icónico al estilo del primer Tarkovski (*La infancia de Iván*, 1962) cuando el invidente con el cuadro de la Virgen de Guadalupe a cuestas queda sembrado en medio de la zacatera, teratología a lo Alcoriza cuando el ciego es conducido a su nuevo refugio con el ermitaño, caricatura a lo Arau cuando el infeliz corporal se inmoviliza envuelto de cabeza a pies en su sarape como indio *Calzonzin inspector* (1973), y así sucesivamente. Anticarisma de numerosos virtuosismos fílmico-expresivos del regio innovador camarógrafo Diego Arizmendi: planos-ofrenda a 360 grados que crean extrañas ubicuidades espaciales del mismo personaje de perfil o escamotean a la dama al final del movimiento, o insertos sofisticados de flashbacks imaginarios en un sofá defeño o sobre una plancha clínica en imágenes sobrexpuestas. Anticarisma de un proceso de reducación radical en tabula rasa, durante el cual Anacruz no sólo modifica el sentido de sus conocimientos (mención a acciones y frases de emperadores indígenas, sor Juana y Torquemada), sino por encima de todo reconsidera "los mitos falsos de su propia vida", lo que la obliga a desaprender lo aprendido y ponerlo en irrisión, en pos de verdades más esenciales y creencias fundamentales que ya no sean ideas recibidas. Anticarisma de una convicción de que la fe es incomunicable y que todo puede explicarse, pero no volver a sentirse, por haber renunciado a nuestras creencias, así fueran las impuestas. Otra suma de anticarismas irritantes para experimentar con una ficción posmoderna más fina, compleja, distanciada, extrañante y sintética, quizá más avanzada y molesta aun que *Fandango*, con apariencia premoderna y urdida cual modesto castigo a la lucidez del masoquismo intelectual.

En las arenas negras o la revisitación de la provincia. Reina presencia viva de un volcán humeante, con vastas y cambiantes fumarolas como nubes ("Nubes, ¿la arquitectura del azar?": Borges), al que ahora a nadie le está permitido ascender por su estado previo o posterior a la erupción, vuelto intocable, inaprehensible, más inabarcable, hostil, objetal y ajeno que nunca. Y los escasos habitantes de sus faldas viven anclados en el atraso y la penuria, cual si se esforzaran por liquidar ancestrales deudas impagables. Una provincia reducida a paisajes magníficos rodeados de páramos, las vigas desnudas de una cabaña y figuras que se buscan en la oscuridad, cual solitarias invocaciones al infierno cíclico de la incapacidad de entrega y formas de poder del masoquismo intelectual.

En las arenas negras o el pintoresquismo de los otros. Esa leyenda no es veraz, ni ésta tampoco. Esta región representaba el paraíso terrenal y la morada de los dioses. Monumento al fiero conquistador español en Paso de Cortés, siempre entre la inocencia y el cinismo, hasta converger en los rencuentros solares de los copulares héroes copuladores al interior de las suntuosas monocromías de la tienda de la campaña verde hacia el final. El pintoresquismo le pertenece a los demás y nada vale ante los tronidos del volcán o los ecos del monólogo interior en off. Pero también, acaso Anacruz lo único que ha hecho sea hacerse atravesar simbólicamente la lengua con puntas de maguey (el silencio) y autoflagelarse la espalda (a cada encuentro/desencuentro con los demás y consigo misma) en aras del masoquismo intelectual.

En las arenas negras o las relaciones primarias palmarias. La estudiosa Anacruz carga con el lastre afectivo-existencial de un amante inútil y con el de su propia impotencia para atreverse a procrear ("Y del hijo que no tuvimos ¿qué me dices?"), con un amigo director de tesis cual gandalla padre incestuoso, con un auténtico padre envilecido que llega de visita enarbolando a su nueva adquisición humana, hostilizando, cantando favores para justificar las transas que le han permitido sobrevivir con fortuna en el "país del peculado" (según la expresión de Fernando Vallejo en *El desbarrancadero*), y last but not least con una sueca madre abandonadora que aún obsede a la heroína y la acompaña de manera fantasmal tan rubia impasible como ella (Ana Graham), sentada en su sillón favorito junto al fuego tranquilo, apareciendo y desapareciendo al final de cada vuelta de panning sintetizatiempos en el estilo clásico escandinavo preBergman de *La señorita Julia* (Sjöberg, 1950), e incluso intercambiando lugares fantásticos con su hija reiteradas veces casi lúdicas. Por otra parte, el ermitaño Soto, su se-

mejante, su hermano, su alter ego patético y deshecho, apenas registra a sus prójimos en la alta montaña, vive escondido de sus propias culpas exalcohólicas y acaso filicidas, vegeta oculto de la sagrada ira familiarista y de los disparos con escopeta que le dedica su feroz exmujer ("Yo me voy a encargar de que te acuerdes"), incluso morirá de un tiro paradójicamente cuando el hijo perdido haya sido localizado y por ende las culpas del pasado —todo su drama— se haya disipado ("Lo encontraron, nunca lo volverás a ver"). y el infeliz briago Mónico, hijo de la sufrida doña Mari,

En las arenas negras, 2002

En las arenas negras, 2002

está en ese estado ebrio desde la muerte violenta de su padre, e inclusive por ello perderá, aunque logrando recuperar en ese movimiento a una figura paterna sustituta (el ermitaño con quien se va a vivir) y hasta una madre de remplazo (la propia Anacruz) para disfrutar momentos privilegiados de nocturnal armonía tanática al lado de ambos al calor de una fogata como si fuera chimenea en

una enjundiosa Kaminabend con fondo negro y canturreo de balada lamentosa ("Ha de ser mi consuelo"). Las relaciones primarias no sólo son ahora palmarias por claras, patentes, manifiestas, sino determinantes. ¡Cómo jode pertenecer a un núcleo-familia-cautiverio no elegido! Relaciones determinantes del destino y para el destino, persiguen como un fatum de la tragedia antigua o sacrificio humanos de bebés-guajolotes, converti-das en palpable/impalpable situación fetiche, ri-tos penitenciales para propiciar algo más que la lluvia, presencia de fisura y bloque errático, con-sumando las posibilidades eternas de un renova-do (y siempre el mismo) masoquismo intelectual.

En las arenas negras o la autodestrucción consentida. Autodestrucción del melodrama cós-mico-pasional desde adentro. Autodestrucción de la búsqueda constante, la huida y el rencuen-tro de sí mismo en soledad y meditación ("Yo no sabía lo que había venido a buscar, ahora que lo sé nada será igual"). Autodestrucción de toda ejemplaridad de un filme metaedificante y des-viado que concluye paradójicamente con la ago-nía del ermitaño y el milagro de la recuperación de la vista del único que resta para llorarlo reve-rentemente al pie de su fosa. Autodestrucción del hombre que se cubría con la ceniza de las Arenas Negras del volcán y del que le espolvorea otras cenizas sacras sobre su tumba. Autodestrucción de un giro circular de cámara en torno al insos-pechado personaje luctuoso cual legendario Gue-rrero Hincado junto a la Mujer Dormida, acari-cia en su transcurso visual la cumbre cenicienta del volcán y reinicia sin corte con las manos que entran por la parte inferior del encuadre para mejor dirigirse, agradecidas o aun suplicantes, al cielo, desde un ancestral masoquismo intelectual que se ignora. Autodestrucciones entre la gran-dilocuencia de los mitos perdidos y algo más, porque hay cierta grandeza en esa reversión de la primordial inversión del Mito, acorde con la añeja imagen del viejo Marx: de cultura, historia, ideología, semiótica y lirismo barthesiano, otra vez a endoxa del origen y en algo que parece tan sólo ir de sí, acaso la grandeza de una liturgia pa-ra un Dios muerto aunque todavía terrible y com-pasivo.

En las arenas negras o antes de respirar en lo Absoluto.

La dañadez grandiosa

Será preciso seguir de cerca la sinopsis del filme que propone, tan inmejorable como necesaria-mente, la autoconciencia del realizador Julián Hernández. El chavo homosexual de diecisiete años Gerardo (Juan Carlos Ortuño), que trabaja en unos billares de barrio bajo, ha tenido una re-lación ocasional con Bruno (Juan Carlos Torres) que le gustaría continuar, pero acaba de ser aban-donado por él. Atormentado por su ruptura, o más bien la desaparición, dejando una nota en la re-cepción del establecimiento, y sus inmediatos fan-tasmas, se dedica a errar por las calles de la incle-mente ciudad de México. Cada cuerpo masculino lo remite al recuerdo de su amado, acaso jamás su amante, pero poco importa, lo imagina de nue-vo a su lado. Ni sus visualizados sueños húmedos ni sus prácticas masturbatorias alivian mínima-mente su dolor. Ni los breves encuentros sexuales que acomete con desconocidos, ni su promiscui-dad de braguetas ajenas lo ayudan a sobrellevar o sobrepasar su estado de pérdida. Como si quisie-ra alcanzar las nubes que se disipan en el cielo, desearía conservar por lo menos los objetos de su amor muerto, pero sólo cuenta como consuelo con una indescifrable carta hallada en la basura y no dirigida a él. A consecuencia de ello, se ciega a las realidades de su entorno y sólo percibe a los demás como un vago reflejo de su ego apaleado y agónico. Ni el trabajo ni la opinión de los de-más le interesan, sus amigos, parientes y amigas son incapaces de abrirle los ojos a otros intereses. Encerrado en su soledad de pavimentos, cuartu-chos y mesas de cafetería, preserva ya a duras pe-nas la evidencia de su deseo de Bruno y se aferra a las visiones ilusorias de él, arremolinándose en la eternidad de su despedida a través de una ciu-dad también para él eterna.

Con guión propio y financiamiento de su Cooperativa Morelos, *Mil nubes de paz cercan el cie-*

lo, amor, nunca acabarás de ser amor (2003) es el segundo largometraje independiente en blanco/
negro y escasos 75 minutos minimalistas del exdi-
sidente cuequense Julián Hernández (mejor corto
Por encima del abismo de la desesperación, 1993-1996;
primer largo *Largas noches de insomnio*, 1998) es una
película clave y en clave. Se sitúa en el enclave privilegiado de la mitología juvenil. Abre un territorio
necesario, un territorio digno para el tratamiento de la homosexualidad en el cine nacional, en
las antípodas de los azotes cenozoicos de Hermosillo y sus innecesarios-autopatéticos-grandilocuen-
tes *eXXXorcismos* (2002); un territorio al lado de
las mitologías juveniles lumpenfemeninas de *Perfume de violetas* (Sistach, 2000) y como nunca podrían lograrlo cosas tipo *Amar te duele* (Sariñana,
2002) mejor extraviado en sus mórbidas *Ciudades
oscuras* (2002). Hernández establece una extraña
relación entre la vivencialidad despojada de ideología y la sublimación del mito. Una mitología juvenil pura e instantánea, sencilla pero hipecalcu-
lada, verdadera tabula rasa de prejuicios y exceso
de juicios, con enorme parquedad. Cinta a imagen y semejanza de su personaje, lacónico y solitario, en las antípodas de la glosolalia de los mitos
juveniles vivientes del posgodardiano *Trust* (Hartley, 1991), pero convocando pequeñas solidari-
dades liberadoras como el largo y delicioso episodio de la compra del disco callejero de Sarita
Montiel (con la banda sonora de "El último cu-
plé" de Orduña, 1957) en un puesto callejero y
cantándolo previamente cual señor anónimo en
la tienda de discos de *¿Por qué corre amok el señor
R.?* (de Fassbinder-Fengler, 1969), la obra maestra
neogermana del azar controlado. Se consigue así
una identificación inmediata, casi de significante
vacío, con adolescentes gays o no, aunque de preferencia gays, de las más distintas y distantes latitu-
des de todo el mundo (*Mil nubes* obtuvo en el Festival de Berlín de 2003 el premio Teddy Bear que
otorga un riguroso jurado gay internacional). En

*Mil nubes de paz cercan el cielo, amor,
nunca acabarás de ser amor*, 2003

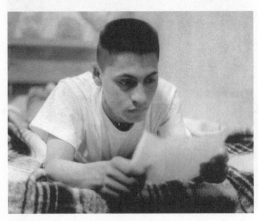

efecto, hay una universalidad cierta, insólita, inesperada y lamentable, en ese chavo sin atributos, ese subempleado proletario hundido en la marginalidad de donde sabe que nunca saldrá, como antes sus congéneres los antihéroes juveniles de Hartley, Tsai y Kar-wai. Sin mayor conflicto familiar, ni siquiera por su homosexualidad activa/pasiva, evidente para él pero no para los demás. Un adolescente frágil hasta la dañadez en busca de ser adoptado más que amado. Marcado, lastrado en la vida sentimental por el primer enamoramiento verdadero incomprensible tanto para él como para nosotros. Con su comportamiento deambulatorio, inconsolable, va hacia la exaltación de la confianza en sí mismo y en los demás como único valor, el último valor de la esperanza.

Soledad absoluta, sin siquiera la compañía de alguna pareja heterosexual para espiar como el vendedor callejero de Taipei en *Vive l'amour* (Tsai Ming-liang, 1994). Bienvenidos al recreo, de quien se recrea y recrea, en lo recreativo y la recreación creadora. Más que de Fassbinder, Bresson o Pasolini (de uno de cuyos poemas procede el título del filme), se advierte la influencia-homenaje al heroico prenuevo cine alemán de Herbert Vesely en *El pan de los años mozos* (1962, basado en el rela-

Mil nubes de paz cercan el cielo, amor, nunca acabarás de ser amor, 2003

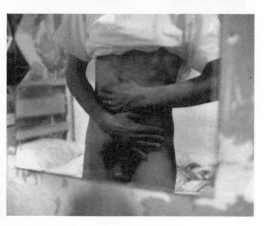

*Mil nubes de paz cercan el cielo, amor,
nunca acabarás de ser amor,* 2003

to homónimo del premio Nobel Heinrich Böll), cinta sobre las penalidades matrimonio-existenciales de un joven refugiado del Este en Berlín, de la que Hernández y su equipo parecen haber retenido su utilización plasticista desolada del blanco y gris, así como las "interminables deambulaciones del héroe a través de la ciudad", aunque nunca sus "defectos de cine intelectual", ni su "cámara agitada de un movimiento perpetuo y completamente gratuito", ni su "pathos psicológico y metafísico en el límite de la inteligibilidad" (según análisis crítico de Yves Boisset en la desaparecida revista parisina *Cinéma 62*, núm. 68).

Codearse con su propio suicidio en vida cual granada garantizadora de la cesación vital voluntaria del TVtécnico de Hartley. Deambulación constante cual metáfora del falso suicidio y la coexistencia con su propia muerte anticipada. Omnipresencia de la fisicidad del cuerpo histérico de Cassavetes, aunque prodigiosa e irritantemente aquietado. Arenas movedizas de la existencia suburbana como cotidiana *Imitación de la vida* (Sirk, 1958) en un permanente descolorido *Desierto rojo* (Antonioni, 1964) de la realidad disuelta en espejismos obsexos. Ni enfrentamientos ni transgresiones totales. Verbo lírico y sin rumbo.

Azar antiKieslowki sin Dios ni espíritu y la deriva. Severidad fulgurante que no se siente. Imágenes de pureza excepcional. Sacrificio/autosacrificio a lo Tarkovski que se ha consumado en la grandiosa dañadez relacional. Poética de la inminencia y la deambulación (sin darse por enterada de que el cine deambulatorio nacio en nuestro país con la tediosa *Amelia* de Juan Guerrero en 1965). La verdadera Vida en el Abismo sin drogas (salvo la adicción amorosa) ni efectismos de moda (salvo las del más riguroso cine-lenguaje elíptico) de *Trainspotting* (Boyle, 1995) y el eterno recomenzar de *Corre Lola corre* (Tykwer, 1998) sin rutilancias digitalizadas.

Paradójica en sí cual ninguna antes en nuestro cine, la narración es corta y fría, sin embargo entrañable, aunque casi cerebral, si bien nada hay que abstraer ni generalizar gracias a ella. Bloque vivencial puro y depurado. Los hechos de su historia no pueden ser más vulgares e insignificantes, pero una gravedad que desarma y arredra. Se recoge y acoge en ella toda la miseria y la grandeza del ser homosexual que coge a diestra y siniestra en la ciudad de México, la más edénicamente inmensa y desoladora del mundo. Documento y ficción fílmica, sin caer jamás en la docuficción. Una mera apariencia: elogio a lo amateur y la improvisación, o más bien, a la impresión del amateurismo y lo improvisado. Se entiende y sobrentiende la descripción de la existencia y la realidad del homosexual en su transitar diario y su penar social al parecer eterno, como el de cualquier otro amante apasionado en la imposibilidad de asumir y tolerar el desamor. Una capacidad de descripción que significa y desarrolla instantáneamente la captación inmediata de las esencias y las diferencias, descripción de una extrema exactitud y sutileza, pero desprovista de todo sentimentalismo y complacencia, inmune además a toda saña buñueliano-ripsteniana-fascista moral en contra de su criatura. Nada que ver con el embotamiento tentado por la bisexualidad inepta del chichifo de *Sin destino* (Laborde, 1999), ni con el feroz e inacabable entredevoramiento mutuo de la viajera pareja homosexual de *Happy Together* (Kar-wai, 1997). Se trata de distinguir, captar y capturar en un mismo ensayo de fotogenia urbana, de manera natural, mundo interior y universo exterior, la técnica subjetiva y el despliegue objetivo.

Se conserva la estructura de cuento breve de las anteriores cintas de Hernández, aunque la

Mil nubes de paz cercan el cielo, amor, nunca acabarás de ser amor, 2003

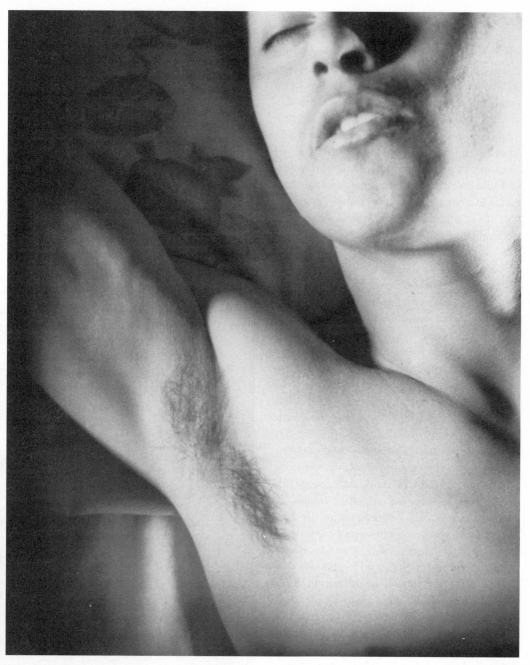

Mil nubes de paz cercan el cielo, amor,
nunca acabarás de ser amor, 2003

oscilación onirismo-naturalismo de *Por encima del abismo de la desesperación* se ha estilizado al máximo (medrando latente y virulenta, chingaquedito, sin desaparecer del todo) y aunque el tiempo de la ausencia de *Largas noches de insomnio* ya no propone ningún modelo para armar (si bien subyacente, desquiciado de modo más hondo y profundo). Se resiente a cada episodio la cercanía afectiva y emocional de la distanciante lejanía del cineasta y su prurito de inmanencia trascendente. Estilo objetivo con tintes de intimidante intimidad intimidada, urbe como espacio interior y ubre de la adversidad, matrix de la desolación, plenitud de meticulosas notaciones y asociaciones ambientales. En una misma trayectoria al cruzar un puente, el personaje aparece y desaparece tres veces en momentos continuos/discontinuos y contiguos/separados, según la firme filmación perfeccionista del imprescindible camarógrafo Diego Arizmendi, sin que medie ningún corte. Mejor alusión no puede haber de la desorientación y amargura de los jóvenes de los años posPRI al borde del vacío y la nada social del foxismo, así como las mínimas alegrías compensatorias cual fulguraciones de felicidad ingenua y a contracorriente de todo.

Gerardo arrastra por todos lados su urgencia erótica y su reflexión truncada sobre ella. Se abisma en el cerco de no traicionar su deseo fundamental ni deslindar sus imágenes virtuales. Varios Brunos mutables y transfigurados. Desastre físico y psicológico, realismo sereno, humor sombrío, esperanza deshecha, vida destruida de antemano, encuadre compresor en la chupada dentro del coche, top shots todoabarcadores de los sitios públicos con voz off a lo Kar-wai, planos de detalles y cuerpos fragmentados a la Bresson (aunque sin tilts de exclusión). Destino simbólico, rostro suplicante hasta del último ligue ocasional queda enrollado en un papelito su número telefónico para que Gerardo repita con él, rostro tumefacto

del enchamarrado héroe de cabello casquete cortísimo arrojando o levantando y desdoblando hojas de cuaderno sobre la banqueta ("Nosotros no somos nada, pero él, él es el Rey de Reyes"), panorámica de 360 grados para regresar a lo mismo, desplome en profundidad de campo sobre el paso a desnivel ("No tengo miedo porque sé que pronto vas a estar cerca de mí; es una certeza, así simplemente, como el amor"), antes de un límpido fundido en blanco. Hasta el final abierto, hacia esas fascinantes disolvencias concluyentes del hombre acostado palpando y besando su propio cuerpo, o bien siendo toqueteado por otras manos y besado por otro, antes de encadenarse a una balada neoadolescente en off de Natalia Lafourcade ("Mírame, mírate"), cual incurable nostalgia de otra cosa pero herida de la misma.

Los no invitados, 2003

El cine-hipnosis

Hipnosis como sueño magnético producido mediante influjo, sugestión personal, o valiéndose de aparatos adecuados. Hipnosis como estado de fascinación y absorción absoluta del ser por el espectáculo íntimo. Hipnosis-cine de un proceso monótono de ritmo regular cuyo gesto inicial (chispazo charcotiano, penetración en el relato-pantalla-cámara oscura) favorece una situación de adormecimiento y de sobrepercepción. Hipnosis de un simulacro de tratamiento o curación que es facilitado por persuasión, reducación o revelación psicoanalítica. Hipnosis visualista que vuelve a ser al origen del psicoanálisis lo que fue la cronofotografía al nacimiento del cinematógrafo (véase el texto fílmico clásico moderno *La máquina de hipnosis*

de Raymond Bellour), pero en un círculo superior de la espiral de la historia. Hipnosis de ficciones excesivas y desbordadas dentro del cine minimalista con posproducción computarizada no lineal (¿o más bien ya paraficciones metaminimalistas?).

Primo tempo: La hipnosis visionaria

Los no invitados (Super 16 mm, 25 minutos, edición y sonorización con sistemas Avid y Protools, 2003), tesis del sólido cuequense veracruzano cultivador de temas fantásticos Ernesto Contreras trabajando invariablemente guiones imaginados por su hermano Carlos (cortos premiados en Muestras de Guadalajara: *Ondas hertzianas*, 1998; *El milagro*, 2000), mención especial para cortometrajes en el Primer Festival Internacional de Cine de Morelia en 2003, sugiere la desazón de la secretaria madura de un despacho de abogados Asunción Gómez (Laura Padilla) que, tras padecer de insomnio por más de siete años, acude con un especialista (Raúl Zermeño) que la somete a un tratamiento por hipnosis que la hará ahondar en una traumática noche en la que, vagando compulsiva y sonámbula por un bosque cercano al hotel Velasco del pueblo de Nájera, se sintió fulminada por el estruendo de una extraña luminosidad ("Son mil trompetas, no siento las piernas, tengo miedo, es una mujer, están cantando, la luz está muy cerca de mí"), a raíz de la cual desapareció durante dos días, según ella "raptada por extraterrestres", para zozobra de su esposo (Miguel Pizarro) y de su hijita de siete años (Giselle Kuri); en la investigación científica multidisciplinaria de las causas del suceso participarán expertos en radioactividad, botánica y geología, pero será el anciano cura del lugar (Juan Antonio Llanes) quien ofrecerá la clave de lo acontecido, apoyándose en un video inédito grabado la noche de la cita concertada a través de la buena mujer, con espera colectiva, niños de la iglesia cantando a coro, eventos extraordinarios y, acaso, el advenimiento de la Virgen; curada ipso facto (¿o hipno facto?) de sus severos trastornos del sueño y de la conducta, Asunción abandonará su hogar, para perderse en la frontera norte, en pos del cumplimiento de su misión, la ¡por fin! identificada Misión que aquella noche se le había encomendado.

Hipnosis a partir del mágico déclic producido cual big bang celeste por un ojo desmesuradamente abierto, con la pupila contraída y sombras en la torturante pared del cuarto de la insomne. Hipnosis de un estado filmonarrativo permanente de insomnio y sonambulismo. Hipnosis de un milagro indefinible visto por otro, formalista y plurinventivo ("soberbio corto" lo llamó el cinecrítico católico avanzado Rafael Aviña).

Hipnosis de una mezcla detonante de imágenes fílmicas en trance e imágenes subliminales, fotofijas y tomas en video con fallas de origen, profusión de visiones que se relevan en la pantalla al entrar y salir por sus lados, exclusiones e inclusiones súbitas, declaraciones doctas hacia el espacio espectador, incandescencias luminosas límite y decisivas tomas sobrexpuestas y con cámara holandesa en los momentos culminantes (atestiguamiento del fenómeno, aparición plásticamente desequilibrada de la Virgen ascendente). Hipnosis de una heteróclita sucesión de relatos con narradores intradiegéticos y extradiegéticos, con voces testimoniales de las más diversas procedencias en tiempo y espacio, con alternaciones audaces del monólogo interior de la iluminada zombiesca y de una narradora objetiva (a veces hasta en el transcurso del mismo plano), acompañamientos sonoros sólo fuera de campo (aunque en otro tiempo), meros ecos definitivamente en off (desde el demiúrgico Tiempo de la Eternidad).

Hipnosis emparentada a la vez con el ambiguo vértigo diáfano de *El séptimo cielo* (Jacquot, 1997) y la Virgen-sor Juana de *Sofía* (Coton, 2000).

Hipnosis a base de artificios de la ilusión mucho más que efectismos o simples coqueterías de estilo: necesidades, sustancia inasible del filme casi etéreo, petrificada esperanza de la lógica, éxtasis de melancolía, residual verdad única del prodigio sobre la tierra. Hipnosis en la primigenia unión simbólica de la piedra y la madera dentro del metal, la presencia de auténticos medidores de radiaciones y, en virtud de la crucial cinefotografía de Tonatiuh Martínez (el mismísimo realizador de *La casa de enfrente*, 2002), la exaltada luz cálida de la sacristía a la Vermeer.

Hipnosis de una simbiosis video-ficción en varios ubicuos planos espaciotemporales o cognoscitivo-religiosos. Hipnosis de un enigmático sincretismo de falso documental y posmoderno relato hipotético, en continuum de maravillas, sin el alevoso tremendismo destemplado de cosas como *Aro Tolbukin. En la mente del asesino* (Villaronga-Zimmermann-Racine, 2002), con la gracia del excuequense Gerardo Lara lumpencienciaccional (*Paco Chera o el chubi de Benito*, 1982) o seudobiográfico (*El Sheik del Calvario*, 1983). Hipnosis de un repentino culto de hiperdulía, privado y al mismo tiempo coral, que nos hace creer con gran eficacia estética en una aparición de la santísima Virgen. Hipnosis de una Asunción que al fin logra hacer la Asunción de su misión y con ello procura su Asunción. Hipnosis al final urgente para el cura contagiado de Apariciones e Insomnio.

Secondo tempo: La hipnosis divisoria

Clepsidra (16 mm, 16 minutos, 2003) del cuequense de quinto semestre Andrés García, sugiere el involuntario desafío de los chavos lumpenvendedores Antonio (Gabino Rodríguez) y su primo Bernardo (Alfredo Cuevas) al judicial cacique de la zona marginal Ramírez (Alejandro Bracho), tras robarle por equivocación un camión de fayuca, provocando represalias y boicots, hasta ser forza-

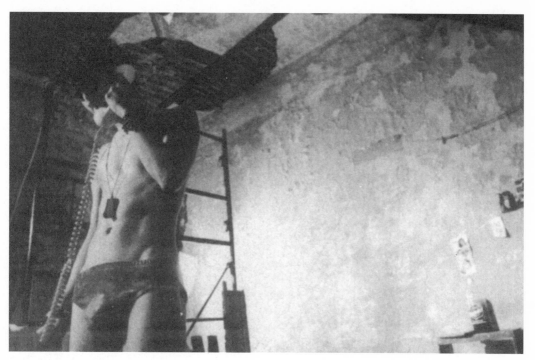

Clepsidra, 2003

dos a conseguir armas para enfrentarse entre sí en un violento ajuste de cuentas.

Hipnosis de una fantasía-thriller crepuscular y descompuesta, en crudos paisajes suburbanos de billares-fetiche y casuchas sembradas en agujeros de luz, heredados del *Diamante* (Lara, 1984), aunque deslindándose de cualquier preocupación naturalista posbuñueliana, y de *Ciudades oscuras* y *Amar te duele* (Sariñana 2002/2002), sin gratuidades sórdidas ni ñoñeces. Hipnosis del vahído infernal de un onirismo cotidiano hecho de pantallas divididas que exhiben al yo y sus indistintas otredades, cortinillas horizontales al nivel de vigas cercenantes, top shots a granel, nauseados colores imaginarios, tétricos virajes de color incompletos secretando venenos despiadados, texturas agobiantes y sobrexposiciones moribundas. Hipnosis de una misericordia derrotada y embrutecida por agitadas voces fuera de sí mismas, incapaces de comprender sus temblores de excitación incoherente, su desconfianza en las posibilidades de vida, su preparación y presentimiento de la muerte (ese viejo profético que irrumpe desde las entrañas del vagón de metro recordándote tu condición mortal), los pliegues y profundidades de su grito ("Qué pedo, vale verga, pinches chingaderas"), su entrada triunfal en las tinieblas.

Hipnosis de imágenes delirantes que caen cual implacables gotas de agua de una clepsidra menos marcadora que arcaica descuartizadora del tiempo terminal. Hipnosis de chavos atrapados en un bucle temporal tarantiniano que, tras el duelo a pistolones apenas iluminado por el parpadeo del altar de un canal del desagüe, termina dentro del camión donde empezó, en pleno éxtasis de entropía y evanescencia.

El contenido en una ojeada

□

Películas

La grandeza del cine mexicano,
escrito por Jorge Ayala Blanco,
reflexiona sin idealizaciones
sobre los avatares
de una forma de arte que se
debate entre las cimas y las
simas de sus propias contradicciones.
La edición de esta obra fue compuesta
en fuente newbaskerville y formada en 10:13.
Fue impresa en este mes de julio de 2004
en los talleres de Impresos y Encuadernaciones, SIGAR,
que se localizan en la calzada de Tlalpan 1702
colonia Country Club, en la ciudad de México, D.F.
La encuadernación de los ejemplares se hizo
en los mismos talleres.